Andrew Osmond · Saladin

Andrew Osmond

SALADIN

Roman

R. Piper & Co.

Übersetzung aus dem Englischen von Hans Jürgen Baron von Koskull
Die Originalausgabe dieses Werkes erschien unter dem Titel »Saladin!«
1975 bei Hutchinson & Co. Ltd., London

ISBN 3 492-02170-0
© Andrew Osmond 1975
© Alle Rechte der deutschen Übersetzung
by R. Piper & Co. Verlag, München 1976
Gesetzt aus der Aldus-Antiqua
Gesamtherstellung: Salzer - Ueberreuter, Wien
Printed in Austria

In Dankbarkeit für meine Mutter.

Mein Dank gilt auch meiner Lektorin Philippa Harrison, die mir wesentliche Anregungen gegeben hat, und meiner Frau Stuart für ihre ständige Ermunterung.

Vor Terror und vor Lügen,
Vor falschem Zungenschlag,
Vor Worten, die betrügen,
Die nur der Schurke mag,
Vor Käuflichkeit der Ehre,
Vor Kampf für schnödes Geld,
Vor Schlaf und vor Verdammnis
Bewahr uns, Herr der Welt.

G. K. Chesterton

Prolog
Roscoe und andere

Heiligabend 1972

Über ein trockengelegtes Sumpfgebiet kommt man von Westen her auf Roscoes Haus zu. Es liegt in der flachsten und, wie manche behaupten, der langweiligsten Gegend Englands. Hier gibt es nichts, was den pflügenden Bauern stören könnte. Es wird nicht gejagt, es gibt keine Füchse, keine Hecken und fast keine Menschen. Die gerade Linie des Horizonts wird nur manchmal von einem Baum unterbrochen. Aber wenn man noch weiter nach Osten geht, verschwinden sogar die Bäume, und die Felder reichen bis an den Strand. Die Deiche liegen tief, und wenn der Blick über die Landschaft schweift, dann nimmt das Auge nur den Wechsel in der Färbung der einzelnen Felder wahr, um sofort wieder zum Himmel hinaufzusehen, der hier wie über jeder Tiefebene das Blickfeld beherrscht.

Weil das Land so eben ist, erwartet man eigentlich, daß Straßen und Wege schnurgerade verlaufen. Dem ist aber nicht so; sie winden und überschneiden sich und folgen alten, durch das Moor führenden Pfaden. Deshalb sieht man Granby schon lange bevor man dort eintrifft — ein hohes rotes Haus am östlichen Horizont. Ringsum gruppieren sich die Gebäude eines kleinen Dorfes: eine Kirche, ein Gasthof, ein paar Arbeiterhäuser. Aber Roscoes Haus ist Granby, und dieser herrschaftliche Landsitz, der alles andere überragt, fällt einem zuerst auf. Unmittelbar hinter dem Haus steigt die Horizontlinie etwas an. Dort verläuft, als Schutzwall gegen die See, eine endlose Mauer parallel zur Küste.

Seit ich das erste Mal dort war, flößt mir dieser Ort eine gewisse

9

Scheu ein. Vielleicht liegt es an der Gewalt der Elemente; vielleicht aber ist es Roscoe selbst, der zurückhaltende und zugleich unberechenbare Mann, der in der Schulzeit mein Idol war und dessen Leben im Vergleich zu meinem so gefährlich und großartig erscheint. Ja, das ist wahrscheinlich die Erklärung. Ich spüre die anderen Dimensionen dieses Lebens, wenn ich die Enge der Midlands verlasse und auf dieses große Haus in der öden Küstenlandschaft zufahre.

Es gab eine Zeit, da ich zusammen mit meiner Familie die Weihnachtsfeiertage jeweils in Granby verbrachte. Seit dem Heiligen Abend des Jahres 1972 sind wir jedoch dieser alten Gewohnheit untreu geworden. Wegen der Dinge, die sich dort ereignet haben, fühlt sich meine Frau in diesem Haus nicht mehr sicher.

Am 24. Dezember 1972 müssen wir etwa um die Mittagszeit angekommen sein, obwohl ich mich erinnere, daß es schon sehr dunkel war. Der Ostwind trieb tiefhängende Wolken über die See heran, und auf den kahlen gepflügten Feldern lag weißer Reif. Schon von weitem sahen wir in einem Fenster des Erdgeschosses die Lichter des Weihnachtsbaums, und als wir näher kamen, traten die Einzelheiten der Fassade immer deutlicher hervor: die hellroten Backsteinmauern, die Fenstereinfassungen aus Stein, die Zinnen und die vier runden Türme. Es war ein typischer nordenglischer Adelssitz.

Die eisernen Tore waren im Krieg verschrottet worden, aber die von bemoosten Steinkugeln gekrönten Pfosten standen noch. Im Park findet man keine einzige Blume. Den schlecht gepflegten Rasen umranden immergrüne Büsche: Rhododendron und Stechpalmen, wie sie auf Friedhöfen zu finden sind. Die Auffahrt führt im Bogen bis zum überdachten Portal, das ebenso wie das Dach Backsteinzinnen trägt.

Gewöhnlich kommen jetzt Roscoes Hunde laut bellend angelaufen und zwingen einen, im Wagen sitzen zu bleiben, bis er selbst erscheint. Aber an diesem Tag blieb alles still. Niemand war zu sehen. Wir läuteten, gingen hinein, stellten das Gepäck ab und warteten darauf, daß etwas geschah.

Die Halle macht einen mittelalterlichen Eindruck. An der linken Seite befindet sich ein großer Marmorkamin, in dem ein Holzklotz liegt. Aber es brennt kein Feuer. Zwei Treppen kommen in Bogen aus dem Obergeschoß, vereinigen sich unterhalb eines farbigen Glasfensters und führen zwischen breiten Geländern nach unten. Nymphen aus Zinn mit Fackeln in den Händen bilden den Abschluß.

Das Ganze erinnert an eine Operndekoration, und wie auf ein Stichwort füllte sich auf einmal der Raum mit Menschen. Zuerst erschien die Haushälterin, Mrs. Parson, eine untersetzte Dame aus Yorkshire, deren Busen bis zur Taille reichte. Dann kam Roscoe die Treppe herunter, vor ihm seine Hunde und der kleine George, das einzige Kind, das in diesem Hause lebte. Von links traten zwei Mädchen auf. Die eine kannten wir; die andere war uns fremd. Sie hinkte und ging am Stock.

Mir kam das alles ganz normal vor, aber meine Frau, die für solche Situationen ein feineres Gefühl hat, raunte mir zu: »Dicke Luft!«

Ich erinnere mich noch sehr genau. Jede Einzelheit steht mir deutlich vor Augen, denn an diesem Tag habe ich zum erstenmal etwas von Saladin gehört. Es war auch das einzige Mal, daß ich Zeuge der Explosion einer Paketbombe wurde.

Nach dem Lunch gingen die Damen eine Zeitlang spazieren, während Roscoe und ich uns zusammensetzten, um etwas zu trinken. Georgie rannte in der Halle herum, wo die Bombe mit anderen Paketen unter dem Christbaum lag.

Roscoe war erst kürzlich aus dem Nahen Osten zurückgekehrt. Ich hatte keine Ahnung, weshalb er die Reise unternommen hatte. Ich nahm an, sie hatte etwas mit der Armee oder dem Geheimdienst zu tun. Roscoe sah gut aus, und sein Gesicht war von der Sonne gebräunt. Allerdings bemerkte ich in seiner Haltung eine gewisse Veränderung, als sei sein Selbstvertrauen irgendwie erschüttert worden. Er ließ die Schultern hängen und wich meinem Blick aus. Die Veränderung war so gering, daß ich mir meiner Vermutung nicht ganz sicher war und auch keine Fragen stellte. Roscoe spricht nur selten von persönlichen Dingen, aber diesmal tat er es. Ohne etwas von der Gefahr zu ahnen, die ihm bis in sein Haus gefolgt war, begann er, mir von seiner weiten Reise und von Saladin zu erzählen . . .

Saladin war jener Sultan, der die Kreuzritter aus dem Heiligen Land vertrieb. Mit einer starken mohammedanischen Armee umzingelte er die christlichen Ritter im galiläischen Bergland. Dort wurden sie, erschöpft und dem Verdursten nahe, in einer blutigen Schlacht vernichtet, bevor sie den Marsch gegen Jerusalem antreten konnten. 1187 eroberte Saladin die Stadt für den Islam zurück. Wie Roscoe erzählte, war es seinem Sieg zu verdanken, daß Palästina bis zur Besetzung durch die Türken und nach ihnen durch die Engländer und Juden ein arabisches Land geblieben war. Inzwischen hatte sich das Blatt gewendet. Palästina gehörte den Juden, und die Araber konnten kaum etwas daran ändern; sie besaßen keinen Führer, der sich mit dem großen kurdischen Sultan vergleichen ließ. Saladin war nicht nur ein hochbegabter Feldherr, sondern auch Mystiker gewesen, ein großer Menschenfreund und absolut unbestechlich. Er verstand es, geschickt zu verhandeln, einte die sarazenischen Stämme und ging bei der Verwirklichung seiner Ziele jeweils schrittweise und behutsam vor.

In wenigen Minuten hatte Roscoe acht Jahrhunderte arabischer Geschichte skizziert. »Kompromisse«, sagte er und zog an seiner Zigarre, »das war das Geheimnis seines Erfolgs — und Kompromißbereitschaft ist, wie ich fürchte, nicht die Stärke der Araber.«

Was er mir erzählen wollte, hatte allerdings mit dem Sultan nichts zu tun, sondern es betraf den Mann, der in die Fußstapfen des Sultans getreten war, einen Palästinenser mit dem Decknamen Saladin. Sechs Monate vor meiner Begegnung mit Roscoe in Granby war dieser Palästinenser mit einem kühnen Plan für die

Beilegung des Konflikts zwischen seinem Volk und Israel in Beirut eingetroffen.

Was ich im folgenden aufgezeichnet habe, ist die Geschichte dieses zweiten Saladin.

Ich muß zugeben, daß ich zunächst kaum glauben konnte, was Roscoe berichtete. Aber die Sache ließ mich nicht mehr los, als mein Interesse einmal geweckt war, und sobald es mir meine anderen Verpflichtungen erlaubten, kehrte ich nach Granby zurück, um mehr zu erfahren. Auch seiner Frau verdanke ich viel, denn sie hat in großer Offenheit zahlreiche Einzelheiten beigesteuert. Was ich zu erzählen habe, stammt aus diesen Quellen. Wie die folgenden Kapitel zeigen werden, habe ich mich bemüht, die Tatsachen gründlicher und lebendiger zu schildern, als dies in einer historischen Abhandlung geschehen könnte.

Später reiste ich selbst in den Nahen Osten und suchte die anderen Beteiligten auf. Nicht alle waren bereit zu reden. Einer sitzt im Gefängnis und ein zweiter ist wahnsinnig geworden. Mehrere sind tot. Trotzdem bin ich überzeugt, alle wichtigen Fakten zusammengetragen zu haben — und ich glaube, daß die Forschung keine weiteren Einzelheiten mehr ans Licht bringen wird. Die bis heute ungeklärten Fragen, besonders die nach dem Mörder, werden wahrscheinlich nie beantwortet werden. Wenn ich dazu komme, werde ich alle Beweise auf den Tisch legen, ohne selbst ein abschließendes Urteil zu sprechen. Aber jetzt ziehe ich mich zurück, denn die Geschichte wird besser aus dem Blickwinkel jener Menschen erzählt, die aktiv an den Geschehnissen teilgenommen haben.

Wir schreiben das Jahr 1972, und unschwer finden wir den Zeitpunkt, von dem wir ausgehen müssen: wohl jeder erinnert sich an jenen Dienstag, den 5. September, als im Morgengrauen eine Gruppe von acht mit Kalaschnikow-Gewehren und Handgranaten bewaffneten Arabern in das olympische Dorf in München eindrang.

Teil I
Terror und Vergeltung

5. bis 11. September 1972

1. München

Kurz vor Morgengrauen trafen sie vor dem olympischen Dorf ein. Sie hatten Trainingsanzüge an. Der erste stieg auf den Zaun und sprang auf der anderen Seite hinunter. Dann folgte der nächste, der oben sitzen blieb und die in Reisetaschen verpackten Waffen hinüberreichte. In wenigen Sekunden waren sie alle im Sperrbezirk. Wer sie beobachtete, glaubte ebenso wie die Doppelstreife der deutschen Polizei, diese sportlichen Gestalten in Trainingsanzügen, die hier durch den Frühnebel liefen, seien Sportler, die von einem Übungslauf zurückkämen.

In Wirklichkeit waren es Guerillas der Vereinigung »Schwarzer September«. Das war die jüngste und militanteste von allen Terrororganisationen, die unter den zwei Millionen durch die Gründung des Staates Israel heimatlos gewordenen Arabern entstanden waren. Die Vereinigung »Schwarzer September« hatte es sich zunächst zur Aufgabe gemacht, Vergeltungsaktionen gegen Verräter aus den eigenen Reihen durchzuführen. Erst in den letzten drei Jahren hatten sich ihre Unternehmungen gegen israelische Einrichtungen gerichtet. Eine Reihe der schlimmsten Sabotageakte, Erpressungsversuche und Morde ging auf ihr Konto.

Die Stärke dieser Organisation lag in den Eigenschaften ihrer Mitglieder, die sich aus der studentischen Jugend rekrutierten und in voneinander unabhängigen Zellen organisiert waren. Diese Leute waren ebenso bedenkenlos bereit zu töten wie zu sterben, und sie konnten schweigen — was einem Araber nicht leichtfällt. Die Angehörigen des »Schwarzen September« weigerten sich, mit Journalisten zu sprechen, und man kannte ihre Führer noch nicht, wohl aber ihre Taktik. Vom »Schwarzen September« wurden keine jungen Männer an den Jordan geschickt, um dort zu sterben und mit drei Zeilen in der Presse erwähnt zu werden. Das Operationsgebiet der Organisation war Europa. Hier war es leichter, an die möglichen Objekte heranzukommen, und jedes Unternehmen wurde daraufhin angelegt, die Weltöffentlichkeit zu schockieren.

Ein typisches Mitglied der Organisation in Deutschland war Ali Ahmed Zeiti, Student an der Technischen Universität Berlin. Er war der älteste Sohn eines wohlhabenden palästinensischen Arztes, fuhr einen weißen Porsche und trug modisch verwaschene Jeans-Anzüge. Aber hinter diesem saloppen Äußeren verbarg sich ein fanatischer Nationalist. Zeiti war bereit, für die Bewegung jedes Risiko einzugehen. Er hatte sich auch an der Vorbereitung des Überfalls in München beteiligt, indem er die Schußwaffen über eine arabische Botschaft in Bonn besorgte. Doch am Vorabend des Überfalls flog er unerwartet nach London und übernachtete in einem billigen Hotel an der Bayswater Road, während seine Kameraden in das olympische Dorf eindrangen.

Nachdem sie über den Zaun gestiegen waren, hatten sie es nicht weit bis zum Block 31, in dem die kleine Gruppe israelischer Sportler mit den Mannschaften aus Hongkong und Uruguay untergebracht war. Die Örtlichkeiten waren schon vorher erkundet worden, und Zeiti, der als technischer Zeichner ausgebildet war, hatte eine Planskizze angefertigt.

Die Israelis, die nach einem Theaterbesuch erst um 24.00 Uhr zu Bett gegangen waren, schliefen noch. Zwei von ihnen waren als Wachen eingeteilt, aber nur mit Messern versehen, denn die israelische Regierung hatte auf eine Bewaffnung ihrer Sportler mit Pistolen verzichtet, um nicht gegen den olympischen Geist zu verstoßen.

Um 5.05 Uhr griffen die Araber an. Man hörte Schreie, einen einzelnen Schuß und dann zwei Salven aus einer automatischen Waffe. Niemand weiß genau, was geschah. Die israelischen Wachen starben in den ersten Sekunden des Überfalls, einige andere Mitglieder der Mannschaft hatten Zeit, aus den Fenstern zu springen, und später stellte man fest, daß zwei Araber durch Messerstiche verletzt worden waren. Die Terroristen hatten neun Israelis als Geiseln in ihrer Gewalt, fast alle Ringer und Gewichtheber.

Um 5.30 Uhr öffneten sie ein Fenster und warfen ein Stück Papier hinaus, auf das sie ihre Forderungen geschrieben hatten. Sie verlangten bis 9.00 Uhr desselben Morgens die Freilassung von zweihundert Gefangenen in Israel und drohten mit der Erschießung der Sportler, falls die Forderung nicht erfüllt werde. Die Spiele wurden für diesen Tag abgesagt. Es erschienen deutsche Beamte, um mit den Terroristen zu verhandeln. Dabei ging es zunächst darum, die Frist zu verlängern, was auch gelang. Die Terroristen erklärten sich bereit, bis Mittag zu warten. In den folgenden Stunden kam es den Deutschen schmerzlich zum Bewußtsein, daß die Geiseln Juden waren. München war die »Stadt der nationalsozialistischen Bewegung« gewesen, und Dachau lag nicht weit. Man versuchte nun um die Bedingungen zu feilschen, und bot den Terroristen Geld oder deutsche Geiseln an. Aber sie lehnten dieses Angebot ab. »Geld bedeutet uns nichts«, riefen sie, »unser Leben bedeutet uns nichts!«

Die Israelis waren nicht so empfindlich. Die Ministerpräsidentin Golda Meir rief ihr Kabinett in Jerusalem zu einer Sondersitzung zusammen, in der einstimmig beschlossen wurde, keine Zugeständnisse zu machen, auch wenn das den Tod der Sportler bedeuten sollte. Gegen solche Erpressung gebe es nur ein Mittel: niemals und in keinem Punkt nachzugeben.

Diese Entscheidung wurde den Deutschen mitgeteilt, die sich wieder mit den Terroristen in Verbindung setzten und sie überredeten, bis 17.00 Uhr zu warten. Das war offenbar das Äußerste. Die Araber sagten, wenn die Verhandlungen bis 17.00 Uhr keine Ergebnisse bringen sollten, würden sie zwei Geiseln erschießen. Und niemand zweifelte daran, daß sie es ernst meinten.

Nun ergriff die deutsche Polizei die Initiative. Sie hatte schon versucht, die Terroristen mit Lebensmitteln aus dem Gebäude zu locken, und dachte sogar daran, durch die Belüftungsanlage Gas in das Gebäude zu pumpen. Um 16.30 Uhr war der Block von starken Polizeikräften umstellt. Zuerst rückte nur eine kleine Gruppe an, um die Lage zu erkunden — doch da änderte sich die

Situation. Die Terroristen verkündeten vom Balkon ihre neue Forderung: Sie wollten mit ihren Gefangenen nach Kairo geflogen werden.

Daß sie sich für Kairo entschieden hatten, war bezeichnend, denn obwohl Nasser nicht mehr lebte, sahen die Araber Ägypten immer noch als die führende arabische Macht an. Nassers Nachfolger war Anwar Sadat, ein im Vergleich zu ihm farbloser Mann, der offensichtlich auf einen Ausgleich mit Israel hinarbeitete. Die Palästinenser mißtrauten ihm. Sie fürchteten, er werde ihre Ansprüche übergehen, und die Mitglieder des »Schwarzen September« wollten keinem Ausgleich zustimmen. Sie hofften, Sadat durch die Verwicklung in das Münchner Unternehmen zum Krieg gegen Israel zu zwingen.

Den Deutschen war es nur recht, die Verantwortung auf Kairo abwälzen zu können, aber zuerst mußten sie wissen, ob die Ägypter dem Flugzeug Landeerlaubnis erteilen würden. Deshalb rief Bundeskanzler Brandt, der von Bonn nach München geflogen war, um von hier alle Gegenmaßnahmen zu leiten, in Kairo an. Aber Sadat wollte das Gespräch nicht annehmen, denn er erkannte, daß er in jedem Fall der Verlierer sein würde. Wenn er die Terroristen im Stich ließ, würden die ägyptischen Studenten gegen ihn revoltieren. Wenn er ihnen half, würden israelische Bomber Vergeltungsangriffe gegen Ziele im Nildelta fliegen. Für ihn war es das beste, sich aus der Sache herauszuhalten.

Es gab noch eine letzte Hoffnung auf einen Kompromiß. Sie lag bei Oberst Gaddafi, dem exzentrischen jungen Staatschef Libyens. Er war fanatischer Moslem und predigte den Heiligen Krieg gegen Israel — und er war ein erklärter Freund der Palästinenser. Die Terroristen würden auf ihn ebenso hören wie Brandt, denn aus Libyen bezog die Bundesrepublik ein Drittel ihres Bedarfs an Rohöl. Doch durch ein Versehen im deutschen Außenministerium blieb Gaddafis Vermittlungsangebot unbeantwortet. Die Lage spitzte sich zu, die Entscheidung mußte fallen.

Um die Terroristen aus dem Gebäude herauszulocken, ließen die deutschen Sicherheitskräfte sie in dem Glauben, sie würden nach Kairo ausgeflogen, und bereiteten alles vor, um sie irgendwo auf dem Wege zwischen Block 31 und dem Flugzeug von Scharfschützen abschießen zu lassen. Aber die Araber erkannten die Falle. Sie weigerten sich, das Gebäude vor der Dunkelheit zu verlassen. Sie verlangten einen Omnibus mit einem Glasdach, und als sie aus dem Bus stiegen, gingen sie so dicht neben den Geiseln, daß die Scharfschützen nicht schießen konnten. Um 22.30 Uhr bestiegen sie mit den Sportlern zwei Hubschrauber, die mit je zwei Piloten besetzt waren, und flogen damit zum Militärflugplatz Fürstenfeldbruck. Dort wartete seit einer Stunde eine Boeing 727 der Lufthansa.

Auch das war eine Falle. Das Flugzeug hatte keine Besatzung. Drei Scharfschützen der Polizei waren auf dem Kontrollturm in Stellung gegangen, zwei hatten sich auf der Rollbahn postiert, und der ganze Flugplatz lag in hellem Scheinwerferlicht. Hier war die Lage für die Deutschen am günstigsten. Sie hatten allerdings nicht damit gerechnet, den Terroristen an dieser Stelle ein Gefecht zu liefern. Fünf Scharfschützen reichten bei weitem nicht aus. Wieder taten die Terroristen das Unerwartete. Zwei von ihnen gingen mit einem Hubschrauberpiloten, den sie in die Mitte genommen hatten, auf die Boeing zu. Dann stiegen zwei weitere aus und ließen die drei anderen Piloten, auf die sie ihre Waffen richteten, vor sich her gehen.

Jetzt saßen die Deutschen in der Klemme. Wenn die Araber feststellten, daß sich in der Boeing keine Besatzung befand, würden sie wahrscheinlich schießen. Die ersten beiden kamen schon vom Flugzeug zurück, und der Pilot zwischen ihnen schwenkte eine Taschenlampe, um sich zu identifizieren.

Die Polizei erkannte, daß sich keine bessere Möglichkeit mehr ergeben würde, und eröffnete das Feuer. Die Hubschrauberpiloten rannten zur Seite und brachten sich in Sicherheit. Die beiden Terroristen auf der Piste wurden sofort tödlich getroffen. Aber nur einer von den beiden, die zu der Boeing gegangen waren, fiel. Der andere stürmte weiter, feuerte mit seinem automatischen Gewehr auf den Kontrollturm, tötete einen Polizisten und zertrümmerte die Scheinwerfer. In den geöffneten Seitentüren der Hubschrauber sah man jetzt das Aufblitzen des Mündungsfeuers der russischen Sturmgewehre. Geschosse pfiffen durch das Dunkel, Querschläger prallten von der Rollbahn ab und schlugen in die abgestellten Flugzeuge ein. Jeder, der eine Waffe in der Hand hatte, feuerte. Dann war es plötzlich still. Eine unheimliche, unerklärliche Pause trat ein. Sekunden wurden zu Minuten und dann zu Stunden, während die Welt erstarrt und atemlos auf neue Nachrichten wartete. Waren die Sportler noch am Leben? Niemand wußte es. Die Terroristen in den Hubschraubern, die überlebt hatten, rührten sich nicht. Die Polizei schloß den Ring immer enger. Man brachte Verstärkungen heran, und Sturmtrupps stellten sich bereit. Eine Gruppe Israelis aus Tel Aviv hatte sich den deutschen Polizisten angeschlossen. Die israelischen Fachleute rieten zum Abwarten. Man sollte so lange nichts unternehmen, bis die Araber aufgaben, was sie in den meisten Fällen taten. Man folgte diesem Rat. Im Umkreis beider Hubschrauber gingen Scharfschützen in Stellung. Auf dem Flugplatz waren inzwischen mehr als 400 Mann zusammengezogen worden.

Eine Zeitlang geschah nichts. Dann sprangen kurz nach Mitternacht zwei Terroristen auf die Piste. Einer von ihnen feuerte ein paar Schüsse ab, bevor ihn die Geschosse der Polizei zu Boden streckten. Dem anderen gelang es, eine Handgranate in den Hubschrauber zu werfen. Die Maschine barst in einem riesigen Feuerball auseinander. Die deutschen Sturmtrupps gingen vor und nahmen drei Araber gefangen, aber alle neun Israelis waren tot.

Als Willy Brandt die Nachricht erhielt, barg er das Gesicht in den Händen.

2. Die Söhne von Zion

In seinem Londoner Hotelzimmer trauerte Ali Ahmed Zeiti um seine Freunde, aber im fernen Syrien, Libanon und Jordanien jubelten die Palästinenser in ihren Flüchtlingslagern, als sie erfuhren, daß die jüdischen Sportler tot waren.

In einem dieser Lager bei Beirut wurden zwei Männer Zeugen einer Kundgebung des Hasses. Der eine der beiden war Araber, der andere ein blasierter französischer UN-Beamter. Den beiden Männern fiel auf, daß besonders die Frauen immer wieder ängstlich die Augen zum Himmel hoben. Sie wußten, was diese Blicke erwarteten: Vergeltungsschläge. Irgendwann würden aus dem Nichts Flugzeuge auftauchen und Tod und Zerstörung säen.

Der Araber wandte sich ab und ging auf seinen Wagen zu, einen großen, weißen Mercedes, den er zwischen den elenden Hütten geparkt hatte. Wie alle Angehörigen seines Volkes, die sich ernsthaft für die Beilegung des Nahostkonflikts einsetzten, war auch er seit dem Blutbad in München sehr niedergeschlagen. Eines allerdings unterschied ihn von seinen gemäßigten Gesinnungsgenossen: Er hatte einen konkreten Plan. Er war überzeugt, daß auch die Gemäßigten unter den Palästinensern mit spektakulären, die Öffentlichkeit aufrüttelnden Mitteln für ihre Ziele kämpfen müßten — schon um Organisationen wie dem »Schwarzen September« ihr gegenwärtiges Übergewicht zu nehmen.

Er drehte sich zu dem Franzosen um und sagte: »Alles, was wir jetzt brauchen, ist ein Profi. Wir müssen jemanden haben, dem wir in jeder Hinsicht vertrauen können — und wir brauchen ihn jetzt.« Er startete den Wagen und fuhr davon. Der Mann am Steuer des Mercedes nannte sich Saladin.

Am nächsten Tag gingen die Olympischen Spiele weiter. Die Leichen der Sportler wurden nach Israel geflogen, wo sie eine tausendköpfige Menge auf dem Flughafen von Lod erwartete, um ihnen die letzte Ehre zu erweisen. An der Spitze des Trauerzugs sah man die ältesten Rabbiner und die Minister des israelischen Kabinetts. Nur der stellvertretende Ministerpräsident Yigal Allon war bereit, die Fragen der Journalisten zu beantworten. »Sie werden dafür bezahlen müssen«, sagte er.

Die zahlreichen jüdischen Selbstschutzorganisationen bereiteten sich auf Vergeltungsschläge vor. Die bekannteste war die »Jewish Defence League« des Rabbi Kahane, eines ehemaligen Agenten des FBI. Eine zweite Gruppe nannte sich »Masada«. Beide gaben scharfe Presseerklärungen ab. Eine noch militantere, in der Öffentlichkeit weniger bekannte Organisation hatte ihren Sitz in Paris: Die »Söhne von Zion«. Sie wurde von einem Syndikat reicher amerikanischer Juden finanziert und führte einen Privatkrieg gegen die Araber. Nach dem Überfall von München flog ein Mitglied dieser Gruppe nach Berlin, um Zeiti aufzusuchen.

Zeiti sollte sterben, und mit der Exekution wurde Samuel Gessner beauftragt, der beste Mann der Organisation. Er war 40 Jahre alt, hatte der amerikanischen Marineinfanterie angehört und war in New York Polizist gewesen. Er war der geborene Attentäter, aber auch tief religiös. Für ihn waren die »Söhne von Zion« »die Antwort Gottes auf den ›Schwarzen September‹«.

In Berlin stellte er fest, daß Zeiti seine Wohnung aufgegeben hatte, fand aber bald die Spur des Arabers, die ihn nach London zur Union of Palestine Students führte. Dort hatte ein gewisser Dr. Bassam Owdeh vom St. Anthony's College in Oxford angerufen und eine Botschaft für Zeiti hinterlassen, und zwar am Donnerstag, dem 7. September, zwei Tage nach München. Gessner mietete einen Wagen und fuhr nach Oxford. In den Hosenbund hatte er sich eine .38er Smith and Wesson gesteckt, einen Revolver des Typs, der häufig von der amerikanischen Polizei benutzt wird. Zwar trug er ein Pistolenhalfter unter der Achselhöhle, aber der Revolver im Gürtel war ihm bequemer. Es war angenehm, die Waffe dort zu spüren. Er konnte schneller ziehen, wenn er nicht erst über die Brust in das Halfter greifen mußte.

24

Zeiti trug keine Waffe bei sich. Seine Mission in Oxford war ganz anderer Art. Bassam Owdeh, der Mann, den er dort aufsuchen wollte, war ein junger palästinensischer Professor, der zu einer Tagung über Nahostprobleme von Beirut nach England gekommen war.

Zeiti und Owdeh kannten sich gut. Sie begrüßten sich im Aufenthaltsraum des St. Anthony's College mit einer herzlichen Umarmung und gingen dann zum Essen in ein Restaurant. Hier führten sie ein langes freundschaftliches Gespräch, in dessen Verlauf Zeiti seinen tiefen Abscheu vor dem Münchner Überfall bekundete. Die Angehörigen des »Schwarzen September« seien gefährliche Narren, die der Sache der Palästinenser nur schadeten.

Owdeh freute sich, das zu hören. Er war ein untersetzter, weich wirkender Brillenträger, körperlich bemitleidenswert ungeschickt. Wenn er sich aufregte, fing er an zu schwitzen und unruhig auf dem Stuhl hin und her zu rutschen. Er schlug mit der Hand auf den Tisch, um seine Zustimmung zu unterstreichen, und warf dabei ein Glas um, schien es aber kaum zu bemerken. Was er sagte, war eigenartig unzusammenhängend, und er führte seine Sätze nicht zu Ende, als könne er mit seinen eigenen Gedanken nicht Schritt halten. Diese Art zu sprechen war in Oxford gewissermaßen das Markenzeichen des Intellektuellen. Aber bei Bassam Owdeh war die Verwirrung echt, denn er empfand aufrichtige Zuneigung für sein Gegenüber, spürte aber zugleich, daß Zeiti sein Feind war. Er hätte ihm gern vertraut. Irgendwie wußte er aber, daß Zeiti log.

Diese Zweigleisigkeit des Denkens, die durch seine äußere Erscheinung noch unterstrichen wurde, ließ sich nur durch geistige Widersprüche erklären, die in Owdehs Vergangenheit wurzelten. Zeiti war sich dessen bewußt, ebenso auch der Chef der Organisation »Schwarzer September«. Saladin ahnte es nicht.

3. Der Besucher

Während dieser Zeit arbeitete Roscoe auf seiner Farm, einem einige Hektar großen Stück Land, welches das Haus an der Küste von Lincolnshire umgab.

Bis zum März des Jahres hatte er als Offizier im Special Air Service gedient. Wie jeder Schuljunge weiß, ist das SAS eine Fallschirmtruppe, die im Zweiten Weltkrieg aufgestellt worden war, um Kommandos hinter den deutschen Linien in Nordafrika abzusetzen. Gegen einen Einsatz in der Wüste hätte Roscoe nichts einzuwenden gehabt, aber jetzt befaßte sich das SAS mit weniger noblen Aufgaben. 1971 hatte Roscoe eine aus Zivilisten bestehende geheime Einsatzgruppe in Nordirland befehligt und mit diesen Männern in den dunklen Nebenstraßen von Belfast und Derry in einem gepanzerten Kraftwagen Streifenfahrten unternommen. Dieser Auftrag hatte ihm nicht behagt, ja er war ihm so unangenehm gewesen, daß er ihm den Dienst in der Armee verleidet hatte; und als Roscoes Vertrag erneuert werden sollte, nahm er den Abschied. Da er über einiges Geld verfügte, zog er sich nach Granby zurück. Dort lebte er nun schon sechs Monate und bedauerte bereits seinen Entschluß. Er vermißte die Kameradschaft, die Spannung, den geregelten Tagesablauf und vor allem die starre Struktur der militärischen Rangordnung, innerhalb derer das britische Klassensystem noch in Ordnung zu sein schien und wo ein Mann seiner Art noch den für ihn geeigneten Platz finden konnte. Kurz — er hatte das Gefühl, einen Fehler begangen zu haben.

Zur Zeit des Überfalls in München war er mitten in der Ernte. Er verfolgte das Drama im Fernsehen und war wie jedermann erschüttert vom Tod der Israelis. Aber nach zwei Tagen hatte er die Sache, wie jedermann, vergessen — als er ganz unerwartet von Colonel James Marsden, einem den Arabern nahestehenden Mann, aus London angerufen wurde.

Marsdens Stimme klang aufgeregt. Das war verständlich. In den letzten beiden Tagen hatte die Presse kein gutes Haar an den Arabern gelassen.

»Haben Sie Zeit für mich, Stephen?«

»Heute?«

»Es ist sehr wichtig.«

»Gut, kommen Sie zum Essen. Wollen Sie bei mir übernachten?«

»Danke, nein«, sagte Marsden, »ich muß gleich wieder zurück. Aber sagen Sie mir bitte, wie man zu Ihnen hinauskommt.«

Roscoe erklärte ihm den Weg zur Farm, und als Marsden sagte, er werde um 19.00 Uhr da sein, rechnete er erst eine Stunde später mit ihm. Auf den östlich von Boston gelegenen Straßen können sich nur wirklich intelligente Leute zurechtfinden.

Der Ausdruck »Farm« ist für Granby vielleicht nicht ganz angemessen. Roscoe besitzt nur fünf Felder, aber er lehnt auch die phantastischsten Kaufangebote ab. Der Grundbesitz ist zu klein und das Haus zu groß. Das weiß er. Granby ist ein Verlustgeschäft, aber er behält es, weil er immer wieder gern dorthin zurückkommt. Anderswo würde er sich nicht so recht zu Hause fühlen.

An dem Tage, an dem Marsden ihn anrief, hatte er sich einen Mähdrescher geliehen. Er fuhr den ganzen Vormittag mit seinem kleinen grauen Fergusson-Traktor neben der großen roten Maschine her und hielt sich dabei auf gleicher Höhe, während das Getreide aus dem Gebläse auf den Anhänger prasselte. Wenn der Anhänger voll war, fuhr er zur Darre und kam dann wieder zurück, um die nächste Ladung aufzunehmen. Dabei wurde das Kornfeld zu einem immer kleineren Quadrat, aus dem die darin zusammengetriebenen Hasen so schnell heraussprangen, daß die Hunde sie nicht fangen konnten. Das Rattern der Maschinen, die Erregung der Hunde, die Sonne, die ihm auf den Rücken brannte, und der immer höher wachsende Getreidehaufen — all das war für Roscoe ein nostalgisches Erlebnis, besonders der süßliche Geruch des trockenen Strohs, der ihn an seine Kindheit auf dieser Farm erinnerte. Damals, vor der Erbteilung, war der Besitz größer gewesen. Jetzt war die Ernte schnell vorüber, aber Roscoe versuchte, gewisse Dinge zu erhalten. Sonntags gab es warmes Bier im Pub, und in der mit Kürbissen geschmückten Kirche wurden Choräle gesungen. Aber dann mußte er sich wieder mit den Problemen herumschlagen, vor die das Leben ihn stellte.

Das waren allerdings nicht nur ernste Probleme. Eines bestand darin, daß er sich langweilte. Das nächste war der peinliche Umstand, daß er sein Kapital angreifen mußte, um die laufenden Ausgaben zu bestreiten. Aber das Hauptproblem war Nina Grange Brown, die junge Frau, mit der er zusammen lebte. Sie konnten sich nicht zu einer Heirat entschließen, gaben aber diesen Gedanken auch nie ganz auf. Oft hatten sie Streit miteinander. Er brauchte deshalb Geld und eine Möglichkeit, sich aus den Zwängen zu lösen, die ihn bedrängten. Während er auf seinem Traktor saß, fragte sich Roscoe, weshalb Marsden unbedingt so schnell nach Granby kommen wollte. Vielleicht würde sich daraus irgend etwas ergeben ...

Marsden war ein Freund seines Vaters gewesen, ein pensionierter Soldat, der während der letzten Monate des britischen Mandats in Palästina gedient hatte. Er war ein Einzelgänger und Sonderling wie manche Angehörige der englischen Oberschicht, die eine besondere Vorliebe für die Araber haben. Einige Jahre hatte er am Persischen Golf verlebt und war dann nach London zurückgekehrt, um die Leitung des Atlantic Arab Institute zu übernehmen, einer Körperschaft, die von einer Gruppe britischer und amerikanischer Firmen gegründet worden war, um das arabische Ansehen im Westen zu fördern.

Er traf pünktlich in Granby ein und wartete neben seinem Wagen, bis Roscoe von der Erntearbeit kam. Dann gingen die beiden Männer mit den Hunden an den Strand. Es war ein fast windstiller, klarer Abend, und es war Ebbe. Die See lag 800 Meter weiter draußen, ein dunkelblauer Streifen über dem Sand.

Roscoe wandte sich um und zeigte auf die Türme seines Hauses,

die sich über der Mauer gegen den Himmel abhoben. Sein Großvater hatte sie gebaut. »Ein schrecklicher alter Kauz. Er hatte
zehn Jahre dazu gebraucht, ein Vermögen zu machen. Dann zer-
stritt er sich mit aller Welt und zog sich hierher zurück.«

»Ist er noch am Leben?«

»Nein, er ist lange tot — an Langeweile gestorben.«

Marsden blickte auf das Haus zurück und legte die Hand über
die Augen, um sie vor den Strahlen der tiefstehenden Sonne zu
schützen. Er war schlank, zierlich, hatte korrekt gescheiteltes, sil-
berweißes Haar und die fahle Gesichtsfarbe eines Mannes, der
lange in einem heißen Klima gelebt hat. »Sehr schön«, sagte er.
»Frische Luft, eigener Grund und Boden — was kann man sich
noch wünschen?«

Roscoe hob die Schultern. »Hier erledigt sich alles von selbst.«

»Macht es Ihnen keine Freude?«

»Sie wissen, was mir fehlt.«

Marsden nickte. »Was sagen Sie zu München?«

»Das war ein Fehler.«

»Wenigstens haben sie die Aufmerksamkeit der Öffentlichkeit
erregt.«

»Ja, aber nicht ihre Sympathie. Die Welt hat Mitgefühl mit den
Israelis.«

»Warten Sie, bis die Juden zurückgeschlagen haben.«

»Natürlich wird es Vergeltungsaktionen geben. Alle rechnen
damit. Ein paar Araber werden sterben, und wohl niemand wird
ihnen eine Träne nachweinen.«

Sie gingen schweigend weiter, während die Hunde vorausrann-
ten, über die Wellenbrecher sprangen und durch die Pfützen
patschten. Roscoes Hunde sind der Schrecken der Gegend; zwei
riesige Doggen, die auf die Namen Alice und Phoebe hören. Sie
entsprechen der Körpergröße ihres Herrn — und Roscoe ist hochgewachsen und hat einen Gang wie eine Giraffe: er macht lange,
bedächtige Schritte und nickt jedesmal, wenn er den Fuß auf den
Boden setzt, mit dem Kopf. Der Vergleich stammt von Nina

Brown, die boshaft hinzufügte: »... und auch ungefähr so gesprächig wie eine Giraffe.« Das war zwar unfreundlich, aber nicht ganz falsch. Roscoe hält es nicht für unhöflich zu schweigen. Da er spürte, daß Marsdens Fragen eine Art Test waren, sagte er nichts, bevor Marsden wieder anfing: »Ich bin selbstverständlich — ebenso wie viele Araber — Ihrer Meinung. München war ein böser Fehler. Aber was würden Sie an ihrer Stelle tun?«

»Sie sollten ihre Operationen auf Israel beschränken, und zwar auf militärische Ziele.«

Marsden nickte wieder. Offenbar gefiel ihm diese Antwort. »Nehmen wir an, ich wäre gekommen, um Ihnen zu sagen, es gäbe eine Organisation, die genau diese Aufgabe übernehmen soll.«

»Davon habe ich nichts gehört.«

»Sie werden noch davon hören, denke ich.«

»Haben Sie etwas mit der Sache zu tun?«

»Ich habe nur eine kleine Vermittlerrolle«, sagte Marsden vorsichtig und fügte dann hinzu, als habe er es sich erst jetzt überlegt: »Ja, ich bin hergekommen, um Ihnen zu sagen, daß diese Leute neue Mitarbeiter suchen.«

Sie gingen schweigend weiter. Roscoe brauchte Zeit, um nachzudenken. Hinter ihnen kreuzten sich ihre Fußspuren mit denen der Hunde, die einzigen Spuren auf dem feuchten Sand. Dann sagte Marsden, daß alles, was er jetzt mitzuteilen habe, vertraulich behandelt werden müsse. »Schon diese Informationen allein können für Sie ein Risiko bedeuten. Wenn Sie also nichts mehr hören wollen, dann sagen Sie es mir.«

Roscoe lächelte. »Sie wissen doch genau, daß ich neugierig bin.«

Sie standen jetzt am Wasser. Die Wellen rollten sanft über den schwarzen Schlamm. Weit draußen kroch ein Trawler in nördlicher Richtung nach Hull. Roscoe wandte sich nach links und ging auf dem harten, geriffelten Sand weiter. Er erkannte genau die Grenze, an der er auf dem weichen Boden einsinken würde. Im Gehen sprach Marsden weiter.

»Es ist erst eine sehr kleine Gruppe, die von Beirut aus geleitet wird, aber sie verfügt über erhebliche finanzielle Mittel. Der führende Mann ist ein alter Freund von mir. Seinen Namen nenne ich Ihnen lieber nicht. Er verwendet den Decknamen Saladin — ich nehme an, Sie erinnern sich an den ritterlichen Ungläubigen in *Ivanhoe?*«

»Nein.«

»Ach! Nun, glauben Sie mir, Sie dürfen ihm vertrauen. Er ist weder Marxist noch ein fanatischer Moslem. Er will einen unabhängigen Staat zwischen Jordanien und Israel schaffen.«

Roscoe war überrascht, das zu hören. Soviel er wußte, gab es in der palästinensischen Widerstandsbewegung niemanden, der es wagte, weniger zu versprechen als die totale Vernichtung Israels. Doch hier, so behauptete Marsden, arbeite eine Gruppe, die bereit sei, Israel innerhalb der Grenzen von 1948 anzuerkennen, wenn es dafür das Westufer des Jordan und den Gaza-Streifen aufgab, jene Gebiete also, die die Araber im Krieg von 1967 verloren hatten. Saladins Vorschlag bestand darin, daß diese beiden Teilgebiete zu einem neuen Palästinenserstaat vereinigt werden sollten, in dem die Flüchtlinge als Bürger leben könnten.

Marsden sagte: »Wie Sie verstehen werden, gibt es dabei zwei Schwierigkeiten. Erstens lehnen die Israelis einen solchen Staat strikt ab. Sie müssen deshalb gezwungen werden, sich diesen Vorschlag anzuhören. Aber bevor Saladin mit ihnen reden kann, muß er von seinen eigenen Leuten unterstützt werden, und er meint, das läßt sich nur erreichen, wenn er alle Widerstandsbewegungen einschließlich des ›Schwarzen September‹ in spektakulärer Weise gemeinsam auf neue Ziele ansetzt.«

Roscoe hörte mit wachsendem Interesse zu. »Er muß also zum Helden werden, bevor er einen Kompromiß aushandeln kann?«

»So ist es. Er plant deshalb ein größeres Unternehmen in Israel selbst.«

»Und dazu braucht er meine Hilfe?«

»Dazu braucht er Ihre Hilfe.«

»Und gegen welches Operationsziel richtet sich das Unternehmen?«

»Das hat er mir noch nicht gesagt, und ich weiß nicht, ob er sich schon für ein bestimmtes Ziel entschieden hat.«

»Hören Sie, ich kann doch nicht einfach dorthin gehen und Juden umbringen!«

»Natürlich nicht. Das habe ich ihm zur Bedingung gemacht.«

»Sie haben es ihm zur Bedingung gemacht?«

»Er wollte doch selbstverständlich Näheres über Sie wissen.«

»Ich verstehe.« Roscoe starrte auf seine Füße. »Also gut. Wollen wir nach Hause gehen und etwas trinken?«

Auf dem Rückweg vom Strand kletterten sie über die Mauer. Als sie oben standen, konnten sie weit ins Land hineinsehen. Der Himmel hatte sich rosa verfärbt, und über das Moor näherten sich Lichter. Nichts schien sich zu bewegen, aber die Sonne stand tiefer, der Trawler war ein Stück weitergerückt, und für wenige Augenblicke fühlte sich Roscoe als unbeteiligter Betrachter seines eigenen Lebens. Es war augenscheinlich ganz gleichgültig, welche Richtung es nahm.

Hoch am Himmel hinterließ ein Düsenflugzeug einen dünnen weißen Kondensstreifen. Das erinnerte ihn an den Krieg, wenn die Abendluft vom Dröhnen der Bomberstaffeln der R.A.F. gebebt hatte. An dieser Stelle hatte er mit seinem Großvater gestanden und sich beim Hinaufschauen fast den Hals verrenkt. Dabei hatten sie sich überlegt, in welcher Maschine sein Vater saß. Natürlich konnte es nur eine der ersten sein. Stephen Roscoe, damals sechsjährig, war atemlos vor Bewunderung für die tapferen Piloten zu Bett gegangen. Was ihn heute verblüffte, war ihre Selbstsicherheit, die unbekümmerte Art, mit der sie darüber sprechen konnten, und wie sie ohne die geringsten Gewissensbisse in Deutschland ganze Städte in Schutt und Asche gelegt hatten.

»Keine Bäume«, sagte Marsden plötzlich. »Warum gibt es hier keine Bäume?«

»Sie mögen kein Salz.«

»Salz?«

Roscoe deutete auf die lange Betonmauer. »Vor ein paar Jahren kam die See bei einer Sturmflut bis hierher. Deshalb die Maginot-Linie.«

Sie gingen über die Reste ehemaliger Dünen auf das Haus zu, und Roscoe fragte, weshalb dieser Araber namens Saladin die Hilfe eines Engländers brauchte. Der kleine silberhaarige Oberst blitzte ihn mit einem Lächeln an und sagte: »Sie verstehen doch etwas von Sprengstoff, nicht wahr?«

4. Der Mann hinter der Maske

Es zeigte sich, daß Marsden mehr wußte, als er zunächst zugeben wollte. Was Saladin im Sinn hatte, war Sabotage: ein überraschender Sprengstoffanschlag, eine Aufgabe, mit der Roscoe aus seiner Dienstzeit beim SAS vertraut war. Die palästinensischen Guerillas verfügten nicht über die erforderlichen Spezialkenntnisse. Zudem durfte man im Hinblick auf die politischen Ziele Saladins von Anfang an nicht unbedingt mit ihrer Loyalität rechnen. Um diesen Anschlag vorzubereiten und durchzuführen, brauchte Saladin einen Mann, dem er vertrauen konnte. Es war von besonderem Vorteil, wenn der Mann kein Araber war: er konnte ungehindert nach Israel einreisen. Gleichgültig um welches Operationsziel es sich handeln würde, es müßte die Zahl der Toten und Verwundeten so niedrig wie möglich gehalten werden, denn es kam nicht darauf an, die Israelis zu reizen, sondern sie an den Konferenztisch zu zwingen.

Das war der Inhalt dessen, was Marsden ihm mitteilte, und Roscoe sagte, er werde sich die Sache durch den Kopf gehen lassen. Aber in Wirklichkeit waren die Würfel bereits gefallen: Es war zu spät, das Angebot abzulehnen.

Roscoe war ein Sonderling. »Hart und leicht verrückt«, nannte ihn einmal ein gemeinsamer Bekannter. Er hatte seine Eltern früh verloren. Vielleicht rührt daher eine gewisse Kälte, die jedem an ihm sofort auffällt. Meist ist er schweigsam, fast mürrisch, und es ist, als brodle in seinem Innern dauernd eine unterdrückte Wut. Trotz allem hat er einen gewissen trockenen Humor, und es bereitet ihm Vergnügen, andere Leute in Verlegenheit zu bringen. Vermutlich gefiel ihm deshalb der Gedanke nicht schlecht, einem wenn auch etwas unausgegorenen Araber dabei behilflich zu sein, in Israel ein kleines Feuerwerk zu veranstalten.

Hoch aufgeschossen und knochig, ist Roscoe der Typ des durchtrainierten Sportlers. Seine Augen sind von einem hellen, kalten Blau, und sein strohblondes Haar trägt er kurz und streng gescheitelt. Irgendwie erinnert er mich an die ernsten jungen Männer einer Fußballelf, die auf Gruppenfotos mit jenem unbeweglichen Blick in die Kamera starren, der anzudeuten scheint, daß sie den Tod nicht fürchten — wie die Kriegsfreiwilligen im Ersten Weltkrieg an der Somme. Der Gentleman in Uniform ist in England immer noch sehr angesehen, und Roscoe ist ein typischer Vertreter dieser Gattung. Er hat gute Manieren; er würde einen unter Umständen erschießen, aber er würde dabei nie unhöflich sein — und selbstverständlich kämpfte er nur, um die Schwachen zu beschützen. Zu dieser Kategorie gehören für ihn Frauen, Hunde, Dienstboten — und jetzt die Palästinenser, denen gegenüber er plötzlich eine instinktive Zuneigung zu spüren glaubte.

Oberflächlich betrachtet war er der richtige Mann für Saladin. Es läßt sich allerdings nicht leugnen, daß Roscoe auch seine schwachen Seiten hat. Er trinkt zuviel, und wenn die Betäubung nachläßt, mit der er sich über seine Gewalttätigkeit hinwegzutäuschen versucht, denkt er zuviel nach. Sein Grundfehler besteht darin, daß er nicht mehr an diese Art von Leuten glaubt, deren Repräsentant er ist. Weil ihm nichts Besseres einfällt, paßt er sich ihnen an, aber die schwache positive Seite erzeugt ihren negativen Gegensatz: dumpfe Verzweiflung zwingt ihn offenbar dazu, Risiken einzugéhen; denn sein weiteres Leben scheint ihm nur Spaß zu machen, wenn er eben dieses Leben einem bestimmten Maß an Gefahr aussetzt. Es berührt einen schmerzlich, das mit ansehen zu müssen. Seit seiner Heirat scheint er ruhiger geworden zu sein, aber damals war er von Zweifeln an sich selbst geplagt. Marsdens Angebot kam daher als willkommene Ablenkung. Hier hatte er die Möglichkeit, das zu tun, was er am besten konnte, und die Aufgabe wurde noch attraktiver, weil ein guter Zweck dahinter stand.

Von den Dünen gingen die Männer auf einem Fußweg zurück, der zwischen Ställen und Scheunen hindurchführte. Marsden sprach jetzt von dem ersten Saladin und dessen Feinden, den christlichen Kreuzrittern.

»Mein Gott, was war das für ein Pack! Der Abschaum Europas ergoß sich über die Küsten Kleinasiens, und wenn die Halunken hungrig waren, machte es ihnen nichts aus, ' zum Mittagessen einen Türken zu braten — und das alles im Namen des Kreuzes.«

Roscoe lachte und überlegte, welchen Gott Marsden verehrte, wenn niemand hinsah. »Es war doch eine Idee des Papstes.«

»Richtig. Er schickte sie hinaus, um das Heilige Land für Christus zu erobern. Die Araber hatten es jahrelang friedlich verwaltet, und plötzlich strömten diese Horden nach Jerusalem. Die Stadt war das Ziel des Eroberungszuges — goldgepflasterte Straßen, mit Saphiren eingelegte Mauern —, einige dieser Leute hielten die ›Offenbarung‹ für einen Reiseführer. Aber als sie hinkamen, schnappten sie über. Sie schlachteten die ganze Bevölkerung ab. Männer, Frauen, Kinder, alles, was lebte; und sie verbrannten die unglücklichen Juden in ihren Synagogen . . .« Marsden hielt inne. Er hatte sich das alles so lebhaft vorgestellt, als geschähe es hier vor seinen Augen in Granby. »Genauso sehen die Israelis in den Augen der Araber aus. Das müssen Sie verstehen; fränkische

Kreuzritter oder Zionisten aus Polen — wo liegt der Unterschied? Für die Araber ist beides eine europäische Aggression, eine westliche Zwangshandlung gegen den Osten.«

Nach Roscoes Ansicht traf der Vergleich nicht zu. »Und was geschah dann?« sagte er.

»Mit den Franken? Sie hielten Palästina fast ein Jahrhundert besetzt. Dann gingen sie Saladin in Galiläa in die Falle. Selbstverständlich glaubten sie, er werde sich nun rächen, aber er entließ die Hälfte seiner Gefangenen und rührte die Kirchen nicht an — erstaunlich für das zwölfte Jahrhundert, finden Sie nicht auch?«

»Aber wir leben im zwanzigsten Jahrhundert. Wir erschießen Sportler.«

»Nun bleiben Sie doch fair! Ich habe Ihnen gesagt, meine Leute werden sich an die Spielregeln halten.«

»Ach ja, die Spielregeln!«

Sie bogen vom Feldweg ab und gingen die Auffahrt hinauf bis zum Haus. Der Kies knirschte unter ihren Sohlen.

Roscoe ging voraus durch das Portal. Die Doggen liefen hinter ihm her und brachten mit ihren Pfoten Sand auf die in Mustern ausgelegten Fliesen. Es war, als seien die Männer durch eine Luftschleuse gekommen. Hinter der Doppeltür war es plötzlich viel kälter. Marsden bemerkte sofort die feuchte Luft und den stickigen Geruch im Hause, und er war froh, daß er mit hereingekommen war. Wenn man einen Menschen kennenlernen will, muß man sehen, wo und wie er lebt.

Als sie in der Halle standen, öffnete sich die Wohnzimmertür. Popmusik ertönte, und eine junge Frau in Jeans kam ihnen entgegen. Ohne Roscoe zu beachten, ging sie auf Marsden zu und streckte ihm die Hand entgegen. »Hi«, sagte sie, »ich bin Nina Brown.«

Marsden fielen die stechenden braunen Augen in ihrem unzufriedenen Gesicht auf. Sie war klein von Wuchs, aber kräftig, eine Amerikanerin irgendwo aus dem Süden. An der anderen Hand hielt sie ein Kind. »Das ist Orion. Wir nennen ihn Georgie. Sag hallo, Georgie!«

36

Der Junge wollte nicht sprechen. Er hatte schwarzes krauses Haar und olivfarbene Haut.

Sie wandte sich an Roscoe. »Warum bist du so spät?«

»Wir sind spazierengegangen.«

»Willst du jetzt essen?«

»Noch nicht.«

»Das wird der alten Ziege nicht passen. Du hast gesagt um acht.«

»Mach dir keine Sorgen. Wir werden das schon in Ordnung bringen. Gute Nacht, Georgie.« Roscoe strich dem Kind über das Haar, und die junge Frau führte es die Treppe hinauf. Marsden erschrak über die Nymphen mit den Fackeln. Roscoe drückte auf einen Schalter, und hinter den Rauchglasschirmen der Fackeln ging das Licht an. »Kommen Sie bitte hier herein«, sagte er und führte den Gast in das Wohnzimmer, ging zum Plattenspieler und nahm die Platte ab.

In diesem Augenblick läutete das Telefon. Es war ein Anruf für Marsden aus Oxford. Marsden nahm den Hörer in die Hand und fragte: »Was gibt's, Bassam?«

Roscoe hörte auf der anderen Seite eine aufgeregte Stimme. Marsden antwortete zunächst auf arabisch, das er offenbar fließend sprach. Dann fuhr er auf englisch fort: »Gut. Ich werde heute nacht noch bei Ihnen sein. Ich möchte diesen Burschen kennenlernen. Seien Sie vorsichtig... Bassam? Hallo? Hallo? Sind Sie noch dort?... Verdammt.«

Marsden legte den Hörer auf und starrte ihn an, als erwarte er, das Ding könne sich bewegen.

Roscoe reichte ihm ein Glas Whisky. »Unterbrochen?«

Marsden sah noch immer das Telefon an, wandte sich dann geistesabwesend Roscoe zu und nahm das Glas.

»Unterbrochen? Ja, wahrscheinlich.«

Nachdem sie getrunken hatten, gingen sie in die Küche, und Roscoe stellte Marsden die Haushälterin vor. Mrs. Parson stand am Herd bei den Kochtöpfen und schwitzte. Sie erzählte Marsden, sie stamme aus Yorkshire. Die Roscoes seien Exzentriker. Der alte Herr . . . Nun, je weniger man über ihn sage, desto besser. Niemand sei schließlich ein Engel. Der nächste, der Pilot, sei ein trauriger Mann gewesen. Er habe seine Ellbogen nicht von seinen Knien unterscheiden können. Und Stephen — Marsden habe ja das Mädchen gesehen! Amerikanerin. »Haben Sie auf das Kind geachtet?«

»Ja, ein netter kleiner Bursche.«

»Etwas zu dunkelhäutig, wenn Sie mich fragen.«

Roscoe fütterte die Hunde und füllte zwei große Schüsseln mit nicht mehr ganz frischem Fleisch und Keksen, die aussahen wie zerbröckelte Steine. Mrs. Parson fragte Marsden nach seinem Beruf und verkündete dann ihre Meinung über die Araber. »Die sind auch nicht besser. Man muß auf sein Geld aufpassen, wenn sie in der Nähe sind.«

Mrs. Parson nahm kein Blatt vor den Mund, und Marsden hörte geduldig zu, seine Gedanken blieben allerdings bei dem unterbrochenen Telefongespräch. Bassam Owdeh sollte im Rahmen der Aktion Saladins eine wichtige Aufgabe übernehmen. Er war der einzige Araber innerhalb der Organisation, der Hebräisch sprach. Aber er würde jede Hilfe brauchen, die Roscoe ihm geben konnte. . Eigenartig, wie das Gespräch unterbrochen worden war . . .

5. Die Tagung

Das St. Anthony's College ist eine der neuesten Einrichtungen in Oxford. Es beschäftigt sich ausschließlich mit Fragen der internationalen Politik und nimmt nur Studenten auf, die ihre ersten Examen bereits bestanden haben. Es ist in einem Komplex stattlicher viktorianischer Villen untergebracht, abseits aller Leiden-schaften jener Welt, die Gegenstand seiner Untersuchungen ist, fern von Kriegen und Unruhen, Flugzeugentführungen und Terror-anschlägen. Im St. Anthony's College gibt es keine Gewalt, keine Vorurteile und keine starken Emotionen. Aber wenn man den Pfeifenrauch aufmerksam durch die Nase zieht, dann nimmt man vielleicht den schwachen, erregenden Hauch der Spionage wahr. Es wird behauptet, hier würden britische Agenten ausgebildet. Dieses Gerücht macht den Professoren besondere Freude, und es trifft insofern zu, als das Foreign Office seine jungen Diplomaten hier über die Arbeit des KGB, des sowjetischen Staatssicherheits-dienstes, unterrichten läßt.

Zur Zeit des Überfalls in München fand im Rahmen der College-Veranstaltungen ein zwei Wochen dauerndes Symposion über Nah-ostprobleme statt, an dem sich eine Anzahl von Arabern und Israelis beteiligte. Wenn sie an den langen Eßtischen saßen, konnte man sie kaum voneinander unterscheiden: lebendige olivfarbene Gesichter im Kerzenlicht. Sie alle zeigten die Merkmale der semiti-schen Rasse. Marsden, der am Dienstag dort gegessen hatte, war es bei diesem Anblick vorgekommen, als habe er Soldaten dabei ertappt, wie sie sich mit dem Gegner verbrüderten.

Am Abend hatte die ganze Welt auf neue Nachrichten aus Für-stenfeldbruck gewartet, aber selbst diese gewalttätigen Münchner Ereignisse hatten den akademischen Frieden nicht zu stören ver-mocht. Bei Portwein (für die Juden) und bei Zitronenlimonade (für die Moslems) hatte der Israeli Michel Yaacov, ein junger Major der israelischen Armee, die Männer vom »Schwarzen September« verteidigt. Er hatte darauf hingewiesen, daß die jüdischen Organi-sationen Irgun und Stern bei der Vertreibung der Briten aus Palästina schon viel früher mit Erpressung gearbeitet hätten. »Terror erzeugt Gegenterror«, hatte er gesagt, und die Araber, die das hörten, nickten zustimmend — mit Ausnahme von Bassam Owdeh, der vor Erregung zitterte, weil hier jemand den jüdischen und den palästinensischen Terror auf die gleiche Stufe stellte.

»Und Gerechtigkeit erzeugt Gerechtigkeit, wie Sie sehr wohl wissen. Jene Terroristenbanden haben sich nach der Gründung des Staates Israel aufgelöst, und auch der ›Schwarze September‹ wird aufhören zu bestehen, wenn wir unser Recht bekommen.«

Nachdem er das gesagt hatte, setzte sich Owdeh — oder Bassam, wie die meisten ihn nannten —, starrte an die Decke und aß zerstreut ein paar Trauben, während seine Zuhörer verstohlen lächelten. Einer der jungen Wissenschaftler hatte den linkischen Professor aus Beirut recht gehässig imitiert.

Seltsamerweise war es ausgerechnet Michel Yaacov, der Bassam am meisten achtete, denn er erkannte die besonderen Qualitäten im Denken dieses Arabers und sah, daß er sich eine für seine Rasse ungewöhnliche Zurückhaltung auferlegte. Yaacov schätzte Bassam und versuchte, freundschaftliche Beziehungen zu ihm anzuknüpfen. Auch Bassam empfand gegenüber Yaacov eine gewisse Zuneigung, fühlte sich aber von dem glattzüngigen Israeli irgendwie bedroht. Nach jedem Gespräch mit ihm war er physisch erschöpft.

Am Donnerstagabend, dem 7. September — es war der gleiche goldene Spätsommertag, an dem Roscoe seine Ernte einbrachte —, gingen Yaacov und Bassam im Park von Oxford spazieren. Während sie über den Rasen zum Fluß hinunterschlenderten, sprachen sie über das ferne, staubige Schlachtfeld, auf dem sich ihre Völker gegenüberstanden. Sie waren ein ungleiches Paar. Bassam fuhr beredt mit den Händen in der Luft herum, um seine Argumente zu unterstreichen. Aber er hatte ständig Schwierigkeiten mit seinen Füßen. Er stolperte, blieb zurück und mußte immer wieder ein Stück laufen, um neben seinem Gesprächspartner zu bleiben. Yaacov war gelöst und hatte die Hände in die Taschen gesteckt. Er hatte sich in zwei Kriegen gegen die Araber ausgezeichnet und konnte jedes Gerät und jede Waffe der israelischen Armee im Schlaf bedienen. Aber so verschieden sie sein mochten — die beiden Männer, die durch Saladin zu Todfeinden werden sollten, verstanden sich gut. Sie konnten sich, obwohl sie Gegner waren, auf einer ganz anderen Ebene verständigen, als dies mit den

Briten oder anderen Leuten möglich war, die versucht hatten, zwischen den beiden streitenden Parteien zu vermitteln.

Von dem Spaziergang zurückgekehrt, gingen sie auf ihre Zimmer in einem Haus an der Woodstock Road. Die Räume lagen übereinander. Die beiden Männer blieben dort bis kurz vor 21.00 Uhr. Yaacov hatte anschließend im College gegessen, und Bassam war mit Zeiti in einem chinesischen Restaurant gewesen. Dann war Zeiti fortgegangen, um sich ein Zimmer zu suchen, und Bassam rief Marsden in dem Augenblick von seinem Zimmer aus an, als Gessner durch die Tür hereinkam — nicht mit einem Satz wie im Film, sondern schnell und ruhig, wie Professionelle das tun. Er hatte die Hand in der Jackentasche, nahm sie aber leer heraus, als er sah, daß Bassam allein war. Bassam hörte auf zu sprechen und blinzelte hinter seinen Brillengläsern hervor, denn er glaubte, es handle sich um ein Versehen. Gessner schloß die Tür und drehte den Schlüssel um. Dann kam er durch das Zimmer auf Bassam zu und streckte die Hand nach dem Telefonhörer aus. Bassam blieb vor Schreck der Mund offenstehen. Automatisch und ohne Widerspruch übergab er ihm den Hörer. Gessner hielt ihn ans Ohr, horchte einen Augenblick hinein und legte auf. Dann trat er, während er auf einem Kaugummi herumkaute, ganz dicht an Bassam heran und stieß den verschüchterten Araber vor die Brust. »Wo ist Zeiti?«

Bassam wich zurück und begann zu schwitzen.

Aber Gessner kam immer näher. »Ahmed Zeiti, dein Freund aus Berlin; du weißt doch, wen ich meine?«

Bassam schüttelte den Kopf.

»Du hast ihn heute in London angerufen, stimmt's? Du hast ihm gesagt, er soll hierherkommen. Okay, wo ist er?«

Gessners Taktik war dumm, aber jetzt mußte er dabei bleiben. Er hatte gehört, Araber ließen sich leicht einschüchtern. Deshalb stieß er Bassam immer wieder von neuem vor die Brust.

»Los! Wo ist er? Du erwartest ihn doch hier?«

Bassam antwortete nicht.

»Du machst ja in die Hosen vor Angst. Nun sag schon, wo er ist, sonst bist du dran. Wo ist Zeiti? Willst du eins über den Schädel haben? Hör auf zu zappeln, oder du hast eine in der Fresse!«

Die Möbel kippten, irgend etwas fiel zu Boden, und Bassam stand an der Wand. Der Schweiß rann ihm aus allen Poren, und er verbreitete einen eigenartigen tierischen Geruch, als Gessner ihn am Kragen packte und schüttelte.

»Los, los! Verarsch mich nicht, oder ich schlage dich zusammen.«

Immer noch keine Antwort.

Gessner verlor die Beherrschung. Er atmete schwer durch den schmalen Schlitz zwischen den blutleeren Lippen, zog den Revolver aus dem Gürtel und stieß Bassam die Mündung unter das Kinn.

»All right, wo ist er?«

Steif und bebend stand Bassam vor ihm, den Kopf hart gegen die Wand gedrückt. Da trat Gessner einen Schritt zurück und schlug ihn mit dem Pistolenknauf zu Boden. Bassam hörte nicht mehr das Rütteln am Türgriff, das ihn rettete, sah nicht, wie Gessner die Tür aufriß, überrascht zurücksprang und nach einem kurzen Wortwechsel aus dem Zimmer lief. Er wußte auch nicht, wessen Hände ihn vorsichtig aufgehoben hatten, bis er wieder zu Bewußtsein kam und Yaacov neben sich auf dem Bettrand sah.

Später kam Zeiti, und Yaacov erklärte ihm die Situation. Bassam lag auf dem Bett und hörte zu. Sie lächelten, als sie sahen, daß es ihm besser ging, verlangten aber nicht, daß er etwas sagte. Dazu verspürte Bassam auch nicht die geringste Lust. Es war unheimlich still im Zimmer. Auf der Wange spürte er ein Pflaster.

6. Das Geschäft

Auch Marsden hatte für die Zeit der Tagung im St. Anthony's College ein Zimmer bekommen. Er wollte so schnell wie möglich dorthin zurück, mußte aber in Granby bleiben, bis Roscoe sich entschieden hatte. Er hatte gehofft, die Sache beim Abendessen unter Dach und Fach zu bringen. Aber das Gespräch konnte nicht stattfinden, weil Nina Brown anwesend war.

Marsden beobachtete sie, um aus ihrem Verhalten Schlüsse auf die Stimmung seines Gastgebers zu ziehen. Er stellte fest, daß sie einen jungenhaft-amerikanischen Charme besaß, eine gewisse Robustheit und Direktheit. Wie es unter jungen Leuten üblich ist, nannten sich Roscoe und sie beim Familiennamen. Brown hieß sie, und braun war ihre Farbe. Sie hatte braune Augen, kurzgeschnittenes, borstiges kupferbraunes Haar und blaßbraune Sommersprossen auf den Wangen. Ihre Laune wechselte mit verblüffender Plötzlichkeit.

Als Roscoe sagte, was es als Hauptgericht geben würde, brach sie in schallendes Gelächter aus. »Kröte im Erdloch? Das kann doch nicht wahr sein!« Sie lachte laut weiter, spießte ein Würstchen mit der Gabel auf und rief: »Kröte im Erdloch! Mein Gott, was seid ihr Briten für Spinner!«

Viel mehr sagte sie nicht. Es schien sie zu ärgern, daß Roscoe sie vernachlässigte und daß dieser Marsden den halben Haushalt auf den Kopf gestellt hatte.

Roscoe schien ihr Schweigen nicht zu stören. Er trank hastig und sagte dann plötzlich, was ihm eben durch den Kopf gegangen war.

»Eigenartig, daß Gott ausgerechnet die Juden zum auserwählten Volk gemacht hat.«

Marsden knabberte an seinem Würstchen. »In gewisser Weise ja. Es ist natürlich ein fundamentaler Unsinn, daß das Judentum

Gott allein für sich in Anspruch nimmt. Andererseits war Palästina für Gott die ideale Gegend — der Nabel der Welt auf halbem Wege zwischen Nil und Euphrat —, und wie Sie wissen, liegt da noch heute die Kommandostelle. Die Amerikaner schlagen sich auf die eine, die Russen auf die andere Seite. Nehmen Sie Religion und Öl zusammen — und dann fragen Sie sich noch, wohin das führt!«

»Jimmy, Sie gehen zu weit.«

Marsden versuchte zu lächeln. »Wie Sie wissen, mag ich die Juden nicht. Aber man kann nicht umhin, sie zu bewundern. Von den Juden haben wir die Religion, die Psychologie, den Sozialismus und vielleicht sogar den Nationalismus. Das ist eine ganze Menge. Sie sitzen auf der Drehscheibe der Erde, und seither haben sie die Dinge in der Hand, im Guten wie im Bösen. Sie scheinen die Katastrophe anzuziehen wie der Blitzableiter den Blitz.«

»Sie wollen sagen, die Juden wissen nie, wann sie aufzuhören haben.«

»Sie haben eine besondere Begabung, den Weltuntergang heraufzubeschwören. Zuerst erfinden sie Gott, und dann ärgern sie ihn.«

Brown sagte nichts. Sie war ins Wohnzimmer gegangen, legte eine Platte auf und rollte sich eine Marihuanazigarette. Dann legte sie sich auf die Couch und zischte beim Inhalieren leise durch die Zähne. Roscoe setzte sich an den Kamin, stellte die Füße zwischen die Doggen und schwenkte seinen Kognak in einem bauchigen Glas.

Marsden wollte nicht länger warten. »Ich muß jetzt gehen«, sagte er und stand auf. An der Tür blieb er noch einmal stehen und sah sich nach Brown um. »Erlauben Sie mir, daß ich Ihnen etwas sage?«

Sie lächelte ihn an. »Bitte, tun Sie sich keinen Zwang an.«

»Seien Sie vorsichtig mit dem Stoff. Ich habe gesehen, was daraus werden kann.«

»Was Sie nicht sagen.«

»Also gute Nacht!«

Brown neigte den Kopf, um sich formvollendet von ihm zu verabschieden. »Es freut mich, Sie kennengelernt zu haben, Sir.« Roscoe schloß die Tür und ließ sie allein. Dann gingen die beiden Männer zur Farm zurück, wo Marsden den Wagen geparkt hatte.

»Ich werde wohl annehmen«, sagte Roscoe.

»Das ist vernünftig.«

»Bekomme ich etwas dafür?«

»Selbstverständlich.«

»Wieviel?«

Marsden zögerte. »Müssen Sie das jetzt wissen?«

»Ja.«

»Also gut. Sagen wir, zweihundert pro Woche. Die Spesen gehen natürlich extra. Und am Schluß noch einmal tausend. Sind Sie damit zufrieden?«

»Das ist zuwenig.«

»Es ist mehr, als Sie beim Militär bekommen haben.«

»Es ist viel zuwenig. Verdammt noch mal, es könnte mich den Kopf kosten.«

Marsden seufzte. »Na schön. Dreihundert wöchentlich und zweitausend am Schluß.«

»Das ist immer noch nicht genug.«

»Was?«

»Hören Sie zu, Jimmy, ich meine es ernst.«

Marsden konnte seinen Ärger nicht verhehlen. Wie die meisten Leute, die selbst kein Vermögen besitzen, glaubte er, wer eines hat, brauche kein Einkommen.

Aber Roscoe blieb hart. Es machte ihm Spaß, das von seinem Großvater geerbte Talent zu zeigen. Außerdem kannte er die Preise auf dem internationalen Söldnermarkt. »Wenn diese Leute, wie Sie sagen, Geld haben, dann kommt es wahrscheinlich aus dem Ölgeschäft; und wenn das so ist, dann haben sie genug.«

»Schon gut«, sagte Marsden kühl. »Nennen Sie mir Ihren Preis.«

»Zweitausend auf die Hand, die ich zurückzahlen werde, wenn

ich den Job niederlege. Weitere viertausend, wenn ich den Auftrag ausführe. In der Zwischenzeit dreihundert pro Woche und die Spesen, wie Sie vorgeschlagen haben.«

»Stephen, seien Sie vernünftig.«

»Ich bin vernünftig, und ich lasse nicht mit mir handeln. Alles, was ich hören will, ist ja oder nein.«

Auf dem Weg bis zum Wagen ging Marsden schweigend neben ihm her. Dann sagte er: »Das Verrückte ist, daß er wahrscheinlich darauf eingehen wird.«

»Natürlich wird er das.«

»Wissen Sie, eigentlich sind Sie ein richtiges Miststück.«

»Das höre ich nicht zum erstenmal«, sagte Roscoe fröhlich. »Ich nehme an, damit ist die Sache abgemacht, wenn ich nichts anderes von Ihnen höre.«

»So ist es.«

»Gut.«

Marsden holte tief Luft. »Sie müssen sich tarnen, am besten als Journalist. Ich werde Ihnen einen Presseausweis besorgen, aber zeigen Sie ihn nicht, wenn Sie nach Syrien kommen.«

»Was soll ich denn in Syrien?«

»Man muß mit allen Möglichkeiten rechnen.«

Roscoe vermutete, daß Marsden mehr wußte, als er sagte. »Ich habe noch nicht endgültig zugesagt. Ich hoffe, Sie verstehen das. Ich muß mehr wissen, bevor ich mich entscheide.«

»Natürlich. Wann könnten Sie abreisen?«

»Ab Anfang nächster Woche.«

»Also am Dienstag, dem zwölften. Wir buchen einen Flug nach Beirut für Sie. Dort verhalten Sie sich wie ein Journalist. Sehen Sie sich um, und warten Sie, bis Saladin Verbindung zu Ihnen aufnimmt. Können Sie am Montag in London sein?«

»Wahrscheinlich ja.«

»Dort möchte ich Sie mit einem gewissen Hammami zusammenbringen.« Hammami, erklärte Marsden, sei der Londoner Repräsentant der Palästinensischen Befreiungsorganisation, die ver-

46

suche, die einzelnen Guerillagruppen zu koordinieren und sie diplomatisch zu vertreten. »Hammami wird Sie zu mir schicken, damit ich Ihnen Kontaktpersonen nenne. Das ist bei ins Ausland reisenden Journalisten das Übliche. Aber lassen Sie sich auf kein Risiko ein, wenn Sie zum AAI kommen. Sollte es noch etwas zu besprechen geben, treffen wir uns in einem Pub.«

»Wissen Sie ungefähr, wie lange ich fortbleiben werde?« Roscoe machte eine weitausholende Bewegung mit dem Arm und meinte damit Granby, seine Bewohner und die Pflichten, die er hier hatte. »Ich muß das ja irgendwie erklären.«

»Voraussichtlich werden Sie zu Weihnachten zurück sein.« Marsden stieg in den Wagen, ließ aber die Tür noch offen. Roscoe konnte sein Gesicht im schwachen Schein der Innenbeleuchtung sehen. »Ach, noch eins: wollen Sie eine Pistole mitnehmen?«

»Eine Pistole?«

»Ich habe festgestellt, daß Sie einen Browning im Haus haben.«

»Nein, ich denke nicht.«

»Wie Sie wünschen. Sollten Sie Ihre Meinung ändern, werde ich dafür sorgen, daß Sie in Beirut eine bekommen.«

»Jimmy, ich stelle fest, Sie sind nicht halb so ehrbar, wie ich geglaubt habe.«

Marsden hatte genug von diesem Wortgeplänkel. Er schlug die Tür zu, kurbelte das Fenster hinunter und startete den Motor. »Danke für das Essen. Wir sehen uns also am Montag«, sagte er und fuhr in die Dunkelheit davon.

Roscoe beobachtete, wie die Lichtkegel der Scheinwerfer über das Moor glitten, dann pfiff er die Hunde heran und ging mit ihnen noch ein Stück an der Mauer entlang. Die beiden folgten ihm traurig mit hängenden Köpfen und eingeklemmten Schwänzen. Sie hatten gemerkt, daß er sie verlassen würde, wie Hunde so etwas spüren — und auch Brown wußte es mit dem Instinkt, den Frauen haben. Als er ins Haus kam, lag sie immer noch auf der Couch und sagte: »Dieser Marsden ist schwul.«

»Unsinn!«

»Natürlich ist er das; ein alter englischer warmer Bruder.«

»Und wenn schon.«

»Du wirst fortgehen.«

»Ja.«

»Ich bleibe nicht hier — allein mit dieser alten Ziege.«

Roscoe goß sich noch etwas ein und setzte sich. »Gut. Es wird besser sein, wenn du für diese Zeit in deine alte Wohnung ziehst.« Brown zündete sich eine Zigarette an — diesmal eine normale — und ging gereizt im Zimmer auf und ab. Ihr war es gleichgültig, wohin er reiste oder welches der Anlaß dieser Reise war.

»Ich hoffe, du erwartest nicht, daß ich noch da sein werde, wenn du zurückkommst.«

»Du kannst tun und lassen, was du willst.«

»Du gehst also.« Sie zog an der Zigarette und zerdrückte sie dann im Aschenbecher. »Herzlichen Dank, daß du es mir gesagt hast.«

»Laß uns zu Bett gehen.«

»Okay, gehen wir zu Bett.«

Roscoe verschloß die Haustür, der Schlüssel drehte sich laut im Schloß, die Riegel schnappten zu, und der nicht beendete Streit folgte ihnen durch das Haus wie eine dritte Person, bis sie im Bett lagen und so taten, als läsen sie.

»Steve, warum stelle ich mich so an?«

Roscoe dachte nach. Er wollte freundlich sein. »Weil du nicht langweilig bist.«

»Ich schaffe es einfach nicht, verstehst du — weder mit dir noch mit einem anderen.«

»Das möchte ich bezweifeln.«

»Du verstehst mich nicht. Je freundlicher du bist, desto mehr will ich dir weh tun. Ich fühle mich wie in eine Gummizelle gesperrt.«

Roscoe waren solche Erörterungen peinlich, aber er mußte sie durchstehen. Zwischen ihnen war es aus. Irgend etwas war zu Ende. Sie paßten nicht zusammen — wie man es auch erklären wollte; durch Reden ließ es sich nicht mehr kitten. Er brauchte vielleicht eine Ehefrau, während Brown kameradschaftlich mit einem Mann zusammen leben wollte. Die untergeordnete Rolle der Ehefrau machte sie verrückt. Je eher sie sich trennten, desto besser für sie. »Ich verstehe mehr, als du glaubst«, sagte er, »aber ich kann nicht mehr sehr viel tun.«

»Du meinst also, wir sollten auseinandergehen?«

»Ich glaube, ja.«

»O Steve . . .« Sie kam zu ihm herüber, legte ihm den Kopf auf die Brust und fühlte, wie seine Rippen sich mit jedem Atemzug hoben und senkten. Sie fürchtete sich davor, allein alt zu werden.

»Ja, aber was soll ich tun?«

»Such dir eine Arbeit. Du mußt etwas zu tun haben.«

»Eine Arbeit — Scheiße!«

»Sonst wirst du dich nur langweilen. Bei mir ist es dasselbe.«

Sie wandte sich ab und rollte sich zusammen. Das war die Stellung, in der sie schluchzte. Sie konnte laut lachen, laut lieben, aber niemand schluchzte so leise wie sie. Roscoe hörte nur die unterdrückten, stoßweisen Atemzüge und fühlte das leichte Beben der Matratze. Eine Zeitlang ließ er sie in Ruhe, dann beugte er sich hinüber und berührte sie an der Schulter. »Es ist ja schon gut.«

Sie streckte sich und wandte sich ihm zu. »O Steve, was soll aus uns werden?«

»Das weiß Gott allein.«

»Es war doch etwas zwischen uns, nicht wahr?«

»Ja, du hast recht.«

»Magst du mich noch?«

»Frag nicht so dumm, du weißt es doch.«

Als er sie küßte, schmeckte sie nach Haschisch, aber daran war er gewöhnt, und als sie sich liebten, gab er sich besondere Mühe, weil er alles zu einem guten Abschluß bringen wollte. Aber er war auch nicht besser als sonst, obwohl Brown laut schrie, wie sie es immer tat. Sie gab die wildesten Obszönitäten von sich und wollte von ihm geschlagen und getötet werden. Auch das war für Roscoe nichts Neues, doch er fragte sich nach wie vor, was für Schlüsse aus diesem Verhalten zu ziehen waren. Offensichtlich bedeutete für sie diese Selbstaufgabe nicht nur eine Steigerung des Lustgefühls, vielleicht wollte sie in einem dunklen, letzten Höhepunkt das Weibliche in sich endgültig abschütteln — oder beweisen, daß sie wirklich eine Frau war? Roscoe wußte es nicht. Sie war für ihn ein Rätsel.

7. Die Jagd hat begonnen

Auf der Fahrt durch die Midlands nach Oxford war Marsden immer noch empört über Roscoes hohe Honorarforderung. Er hielt sie für zynisch und unverschämt. Aber Roscoe bewies damit wenigstens seine Nerven und dazu die gleiche Schwäche, die auch sein Vater Dick gehabt hatte, der so lange über den Kanal geflogen war und das Schicksal herausgefordert hatte, bis er abstürzte.

Wenn er an den Krieg dachte, dann reagierte Marsden jedesmal auf die gleiche Weise. Er beneidete die Männer, die es verstanden hatten, mit Stil zu sterben, und sich damit einem mittelmäßigen Leben entzogen hatten. Richard Roscoe lebte in der Erinnerung seiner Freunde, von einer Gloriole umgeben, als ewig junger, gutaussehender, wohlhabender Offizier weiter, der trockene Martinis trank und bis zum frühen Morgen im Savoyhotel tanzte, während er, James Marsden, in einer kleinen Junggesellenwohnung in Kensington dahinvegetierte — ein wenig schwul und mit der Marotte, den Palästinensern helfen zu wollen. Marsden wußte, daß seine Bekannten so von ihm sprachen, und als er durch das gelbe Licht von Nottingham fuhr, wurde ihm plötzlich bewußt, wie sehr er dieses Land verabscheute — übervölkert und billig, beherrscht von ungebildeten und selbstgefälligen Leuten. Er konnte nicht verstehen, weshalb er hierher zurückgekommen war. Er haßte London. Es deprimierte ihn, in seiner Wohnung oder im Klub herumzusitzen, und er hatte sich neuerdings angewöhnt, allein ins Kino zu gehen. Bis sein Freund Saladin ihn aus dieser Untätigkeit gerissen hatte.

Er traf sehr früh in Oxford ein. Es war Freitag, der 8. September. Marsden parkte seinen Wagen vor dem Haus, in dem das St. Anthony's College ihn untergebracht hatte. Bassam wohnte neben ihm, darunter lag das Zimmer des jungen israelischen Majors, dieses Michel Yaacovs. Marsden traute dem Mann nicht über den Weg. Er war davon überzeugt, daß Yaacov nur gekommen war, um die Stimmung des Gegners auszuspionieren.

Er erschrak deshalb ziemlich, als er Yaacov, in einem Buch lesend, in Bassams Zimmer antraf, während Bassam selbst angezogen auf dem Bett lag und schnarchte.

Marsden blieb verwundert in der Tür stehen. Yaacov knipste das Licht aus und führte ihn auf den Gang hinaus. »Bassam hat mir gesagt, daß Sie kommen würden«, flüsterte er, und als sie in Marsdens Zimmer zusammensaßen, erzählte er, was geschehen war. Die Nachricht von dem Überfall erfüllte Marsden mit Schrecken, Staunen und schließlich mit bösen Vorahnungen, und auch die sehr geschickt vorgetragenen Erklärungen und Entschuldigungen Yaacovs konnten ihn keineswegs beruhigen. »Sehen Sie, das ist das Schlimme: auch wir haben unseren ›Schwarzen September‹, und manchmal ist es nicht leicht, diese Leute unter Kontrolle zu halten.«

Marsden versuchte, seine Unruhe zu verbergen, wünschte Yaacov eine gute Nacht, schloß die Tür hinter ihm und ging zu Bett. So erschöpft er war, konnte er doch nicht einschlafen. Seit einiger Zeit litt er unter Schlaflosigkeit, die ihn sofort befiel, wenn sein seelisches Gleichgewicht gestört war oder seine Verdauung nicht funktionierte. Als er am folgenden Vormittag bei Bassam an die Tür klopfte, wollte er seinen Unmut deutlicher zum Ausdruck bringen. Da niemand antwortete, ging er hinein.

Bassam lag immer noch angezogen auf dem Bett und schlief. Dann richtete er sich langsam auf und antwortete mühsam auf Marsdens Fragen. Er sagte, er sei das Opfer irgendeines verrückten Juden geworden, der versucht habe, einen Araber umzubringen.

»Aber warum hier, und weshalb ausgerechnet Sie?«

Bassam hob verschlafen die Schulter und setzte sich die Brille auf, die Yaacov mit Elastoplast zusammengeflickt hatte. »Ich nehme an, das St. Anthony's College ist gegenwärtig ein lohnendes Jagdrevier.«

»Wo ist denn dieser Zeiti?«

»Er ist heute morgen nach Damaskus geflogen.«

»Weiß er Bescheid?«

»Ja sicher, er war anschließend bei mir.«

»Und Sie glauben nicht, daß er etwas damit zu tun hatte — ich meine mit diesem Überfall? Vielleicht sollte er das Opfer sein?«

Bassam betrachtete seine Beule im Spiegel und murmelte, er glaube das nicht.

Unzufrieden ließ sich Marsden in einen Stuhl fallen. »Also gut, dann erzählen Sie mir etwas von ihm.«

Bassam sagte, Zeiti sei sein Freund, studiere in Berlin und habe gute Arbeit für die Organisation Al Fatah geleistet, von deren Führung er aber seit einiger Zeit enttäuscht sei. In den beiden letzten Jahren habe er nicht mehr in der Widerstandsbewegung mitgearbeitet. Er lehne diese Mitarbeit aber nicht grundsätzlich ab. Er suche die seinen Vorstellungen entsprechende Organisation. »Deshalb habe ich ihm ein wenig von unseren Plänen erzählt. Das hat ihn sehr interessiert, sehr! Und ich denke, er wird sich uns anschließen.«

»Was tut er hier?«

»Er hat eine Freundin in London, und wir treffen uns, wenn sich die Gelegenheit ergibt.«

Marsden gefiel das nicht. Er fragte, ob Saladin davon unterrichtet worden sei.

»Nein, noch nicht.«

»Wir müssen uns an Leute halten, denen wir vertrauen können. Es kommt nicht auf die Zahl der Mitarbeiter an, die wir anwerben.«

»Das stimmt. Aber Zeiti ist wirklich einer der Besten. Ich kenne ihn schon viele Jahre.«

Marsden blickte verzweifelt an die Decke und rollte mit den Augen. »Sie kennen ihn also schon viele Jahre. Nun, dann ist ja alles in Ordnung.«

»Wie steht es mit Ihrem Mann? Haben Sie . . .?«

»Ja, ich glaube schon. Wenn Sie nichts dagegen haben, werde ich jetzt frühstücken.«

Marsden stand auf und ging hinaus. Seine Laune sank noch mehr, als er an die fade Mahlzeit dachte, die ihn erwartete.

Im oberen Stockwerk war Michel Yaacov auch schon wach. Er saß vor einem Tonbandgerät, an das er eine winzige Abhörvorrichtung angeschlossen hatte, die nicht größer als ein Fingerhut war. Sie war mit einem magnetischen Mikrofon verbunden, das Yaacov am Schreibtisch in Bassams Zimmer angebracht hatte. Als die Spulen am Tonbandgerät stehenblieben, spielte er sich das eben aufgenommene Gespräch noch einmal vor und lächelte zufrieden. Was er tat, war ein Verstoß gegen den Geist des St. Anthony's College, aber das Risiko lohnte sich, denn hier hatte er offenbar den Kern einer ganz neuen Widerstandsbewegung gefunden, einer Gruppe, die ihre Befehle von einem Mann namens Saladin erhielt und zu deren Mitgliedern so verschiedenartige Leute wie Bassam Owdeh, Ahmed Zeiti und Oberst James Marsden gehörten . . .

Yaacov spielte das Band noch einmal ab und rief dann die Londoner Abteilung des israelischen Geheimdienstes Mossad an. Die Mossad-Leute wußten natürlich, wer Samuel Gessner war. Im Verlauf des Vormittags riefen sie zurück und teilten Yaacov mit, daß Ahmed Zeiti ein aktives Mitglied der Al Fatah sei, wahrscheinlich auch des »Schwarzen September«, und bei dem Münchner Unternehmen mitgewirkt habe.

53

Die Tatsache, daß ihm einer der Mörder der israelischen Olympiateilnehmer durch die Lappen gegangen war, ärgerte Yaacov so sehr, daß er den Druck auf den Magen wochenlang nicht loswurde. Aber er nahm sich zusammen und schlug dem Geheimdienst vor, Zeiti und Bassam zu beobachten, Zeiti jedoch in Frieden zu lassen. Die »Söhne von Zion« sollten an der Ausführung ihres Vorhabens gehindert werden. Er würde selbst mit Gessner sprechen. Bis dahin sollte man versuchen festzustellen, wen Marsden neu angeworben hatte.

Die Vorschläge Yaacovs kamen Befehlen gleich. Die Jagd auf Saladin hatte begonnen, wenn auch zunächst nur in aller Stille. Die Öffentlichkeit aber wurde weiter durch blutige Gewaltakte schockiert.

Die drei Araber, die den Überfall in München überlebt hatten, waren in verschiedenen Gefängnissen untergebracht worden, um einen Befreiungsversuch zu verhindern. Im Olympiastadion wimmelte es von Polizisten, und man hatte vor dem Eintreffen des Herzogs von Edinburgh und des französischen Staatspräsidenten Pompidou scharfe Sicherheitsmaßnahmen ergriffen. »Bei diesen Leuten muß man nun auf alles gefaßt sein«, sagte die Polizei.

Am Freitag wurden die israelischen Opfer in ihrer Heimat beigesetzt, und Außenminister Abba Eban erklärte vor der Presse, durch die Ereignisse in München sei jede Hoffnung auf Frieden zerstört worden. »Heute denke ich nicht an den Frieden«, sagte er, »die wichtigste Frage ist, wie man diese Plage ausrotten kann.«

Das israelische Kabinett erwog die verschiedensten Antworten auf diese Frage, und die erste bewegte sich im herkömmlichen Rahmen.

Am Spätnachmittag des gleichen Freitags, zur Zeit des Sonnenuntergangs, als die Menschen überall am Mittelmeer vom Strand nach Hause gingen, starteten die Jagdbomber der israelischen Luftwaffe von ihren Basen und drangen weit in libanesisches und syrisches Gebiet ein. Die Maschinen flogen über Galiläa so niedrig, daß man die unter den Tragflächen angebrachten Raketen erken-

nen konnte. Wenige Sekunden später hörte man krachende Detonationen jenseits der Golanhöhen. Bei diesem schwersten Vergeltungsschlag aus der Luft, den Israel bisher geführt hatte, wurden insgesamt zehn Ziele angegriffen.

Ein Militärsprecher aus Tel Aviv teilte mit, man habe alles unternommen, um die Verluste bei der Zivilbevölkerung so niedrig wie
möglich zu halten. Aber wie er und auch seine Zuhörer sehr wohl
wußten, ist es bei derartigen Unternehmen nicht leicht, die angegebenen Ziele genau zu treffen. Die meisten lagen in der Nähe
von Flüchtlingslagern, und als am Wochenende die Leichen aus
den Trümmern geborgen wurden, erhöhte sich die geschätzte
Zahl der Opfer ständig. Am Montag lag sie bei mehr als dreihundert; im Lauf der Woche verringerte sie sich auf etwa zweihundert.

Es ist durchaus möglich, daß diese Angaben falsch waren. Für
die Araber sind Statistiken ein Propagandamittel. Aber bei aller
Übertreibung kann man mit Sicherheit sagen, daß bei dieser Ver-
geltungsaktion mehr Menschen getötet wurden als in München,
und zwar vor allem Zivilisten. Auch Guerillas waren unter den Toten, wahrscheinlich aber keine Mitglieder des »Schwarzen September«.

8. Das Mädchen aus Jerusalem

Am gleichen Tage hielt sich die junge Engländerin Claudia Lees,
die in Cambridge studiert hatte und jetzt für die anglikanische
Mission in Jerusalem arbeitete, im Libanon auf. Erst zwei Tage zuvor
war das Mädchen von Israel in den Libanon gekommen, und zwar
mit einem zweiten Paß auf dem Luftweg über Zypern, und an je-

nem Freitag, dem 8. September, besichtigte es mit einem höheren Beamten der United Nations Works and Relief Agency, UNWRA, palästinensische Flüchtlingslager.

Die UNWRA hatte 1948 die Aufgabe übernommen, die Flüchtlinge unterzubringen und ärztlich zu versorgen. Inzwischen lief die Arbeit dieser Institution in so geregelten Bahnen, daß sie zu einer ständigen Einrichtung geworden war. Ihre Büros und Fahrzeuge gehören zum Nahen Osten wie der Sand, die Minarette oder die Kamele.

Claudias Begleiter war der Franzose Roland Giscard. Sie hatte ein an ihn gerichtetes Empfehlungsschreiben des Pfarrers mitgebracht, der in Jerusalem ihr Vorgesetzter war. Auf seine Bitte erklärte sich Giscard bereit, sie zu einer Besichtigung der von ihm betreuten Einrichtungen im Norden des Landes mitzunehmen. Sie waren am frühen Morgen in Shatila aufgebrochen, einem Lager in den Außenbezirken von Beirut, und nach Nahr al Bared gefahren.

Was sie zu sehen bekamen, kannte Claudia schon. Sie hatte in den Flüchtlingslagern von Gaza gearbeitet, und alle diese Lager glichen einander; die Klassenzimmer mit den singenden Kindern, die klappernden Kochgeschirre, die Hausfrauen, die einen ewigen Kampf gegen den Staub führten, die vielen Männer, die keine geregelte Arbeit finden konnten. Besonders die Männer waren ihr unheimlich. Sie saßen vor ihren winzigen vorgefertigten Unterkünften und träumten von der Rache an Israel; und doch waren sie lächerlich weit davon entfernt, diese Träume zu verwirklichen. Die blutige Entscheidungsschlacht fand nur in ihrer Phantasie statt. Die Wirklichkeit war Ohnmacht und Schande. Claudia empfand ihre verkrampfte Enttäuschung fast als sexuelle Bedrohung und scheute vor ihnen zurück. Die Frauen taten ihr leid und die Kinder noch mehr.

Während sie dem unermüdlichen Franzosen durch Hitze und Staub von Lager zu Lager folgte, war sie erschüttert von den ungeheuren Ausmaßen des Problems. Hier lebten mehr als eine halbe

Million Menschen. Seit dem Auszug aus Palästina hatte sich ihre Zahl vervielfacht, und sie wuchs weiter. Die Lager, die 1948 aus Behelfsunterkünften bestanden hatten, sahen heute anders aus. Es waren jetzt Hütten aus luftgetrockneten Ziegeln, und die auf symmetrischem Grundriß errichteten Siedlungen mit ihren engen Straßen und braunen Lehmmauern glichen dem gewohnten Gewirr anderer arabischer Städte. Hier herrschte ein reges Leben und Treiben, und überall hatten sich Schuster, Schneider, Gemüsehändler, Cafébesitzer und Friseure niedergelassen — und darin kam, wie Claudia wußte, einer der gefährlichsten Aspekte des ganzen Problems zum Ausdruck. Das Behelfsmäßige war zur Dauereinrichtung geworden. Aus Lagern wurden Städte, aus Flüchtlingen eines anderen Landes Bürger des neuen Landes. Die Menschen paßten sich den Verhältnissen an und vergaßen — und vergessen zu werden, das war der Alptraum des »Schwarzen September«.

»Die Welt ist voll von Flüchtlingen«, sagte Giscard. »Wer denkt zum Beispiel noch an die Armenier? Wir bezeichnen sie nur so lange als Flüchtlinge, wie sie in ihre Heimat zurückwollen. Das ist das Außergewöhnliche an den Juden. Sie haben zweitausend Jahre von der Heimkehr geträumt. Und jetzt sind es diese Leute, die von den Juden vertrieben worden sind.«

Giscard war der typische Vertreter der UNWRA, ohne große Gefühle und wortkarg. In Anbetracht seiner Stellung hätte er eigentlich neutral sein sollen, aber privat stand er auf der Seite der Araber.

»Für mich ist das Problem ganz einfach«, sagte er später. »Ich arbeite für die Vereinten Nationen, und Israel mißachtet diese Organisation. Immer wieder haben die Vereinten Nationen verlangt, daß diese Leute anständig behandelt werden, aber die Israelis tun nichts. Wenn Israel die Forderungen der Vereinten Nationen erfüllt, dann wird das Problem gelöst sein.«

Claudia wußte, daß das alles nicht ganz so einfach war, aber sie wußte zuwenig, um etwas dagegen sagen zu können. Instinktiv stand auch sie auf der Seite der Araber, sie wagte es aber nicht zuzugeben. Die Lage war zu kompliziert, und je mehr sie erfuhr, desto verworrener wurde das Bild. Sie versuchte, sich ihre Unvoreingenommenheit zu bewahren, wurde dabei aber jedesmal weich wie Wachs, und der letzte, mit dem sie gesprochen hatte, behielt recht. Diese Unentschiedenheit war verwirrend für eine informierte junge Frau wie Claudia, zumal sie ihrer Natur nach dazu neigte, eindeutig Stellung zu beziehen.

Aber an diesem Tag hatte sie sich von solchen Bedenken frei gemacht. Man kann nur ein bestimmtes Maß an Sorgen mit anderen Menschen teilen, und allein die Tatsache, daß sie nicht mehr in Israel war — im Lande dieser hinter Stacheldraht zusammengepferchten, besessenen Nation —, bedeutete für sie eine Erleichterung. Im Libanon herrschte eine ganz andere Atmosphäre. Hier war das Leben natürlicher, entspannter, und alle die hier zusammenlaufenden verworrenen Fäden einer jahrtausendealten Geschichte verwoben sich zu einem harmonischen Bild der Menschen und des Landes. Auf den ersten Blick hätte es Griechenland oder Jugoslawien sein können, aber dann kam man an der leuchtendgrünen Kuppel einer Moschee vorbei, oder man sah einen Bus vollbesetzt mit Männern, die weiße Kefias auf dem Kopf trugen. Die Häuser in den Städten hatten ausgeblichene braune Stuckfassaden, und die Balkons der alten französischen Villen prangten im Schmuck von rosa Geranien. Die Sonnenstrahlen hatten die ungewöhnliche, harte Leuchtkraft, wie man sie wahrscheinlich nur im Osten erlebt, und die See, deren Brandung gegen den weißen Kiesstrand rauschte, war leuchtend blau. Entlang der ganzen Küste standen Fischer mit ihren Angelruten auf den Felsen und ließen sich den Wind durch die Haare fahren.

Giscard erzählte von der Villa in Tanger, in die er sich nach seiner Pensionierung zurückziehen wollte.

Er sah aus wie ein alter Kolonialfranzose, so altmodisch wie die Leute, die Algerien verwaltet hatten, untersetzt und stämmig, mit kurzgeschnittenem Haar und einer Gesichtshaut, die so faltig war wie die einer Eidechse. Er trug Schuhe mit dicken Kreppsohlen, als wollte er größer erscheinen, als er wirklich war, und rauchte ununterbrochen. Immer wieder zog er die verknitterte Zigarettenpackung aus der Hemdtasche und ließ eine Zigarette herausschnellen wie ein Zauberkünstler.

Sie kamen durch Tripoli und fuhren in nördlicher Richtung bis zum letzten Lager weiter, das an der Küste lag und von der Straße durchschnitten wurde. Schon bei den ersten Häusern hielt Giscard den Wagen an. Links lag ein Orangenhain, und vor ihnen schlängelte sich ein fast ausgetrockneter Bach durch Schilf und grüne Büsche zum Strand hinunter.

»Nahr al Bared«, sagte der Franzose und zeigte auf die vor ihnen liegende Siedlung. »Es bedeutet ›kalter Fluß‹.«

Claudia sprang aus dem Auto, zog ihre Jeans glatt und fühlte, wie ihr die naßgeschwitzte Bluse am Körper klebte. »Wie viele Menschen leben hier?«

»Etwa elftausend registrierte Flüchtlinge. Die Gesamtzahl der Bewohner liegt natürlich höher.«

Giscard sah auf seine Uhr. Es würde bald dunkel sein. Über den Dächern des Lagers stiegen Rauchsäulen in den wolkenlosen Himmel hinauf, an dem man weit im Norden einen Verband von Flugzeugen erkennen konnte, die, als sie zur See abschwenkten, silbern aufblitzten. Neben dem Wagen stand ein alter Mann in der Tür seines Ladens. Zwei Menschen kamen über eine Brücke, die über den Bach und ins Lager führte. In dem Orangenwäldchen spielten ein paar Kinder.

Claudia hatte sich umgewandt, um zum Wagen zu gehen, als Giscard sie packte und zu Boden riß. Ihr Protestruf ging unter im lauten Motorengeräusch eines tief über sie hinwegfliegenden Flugzeugs, das schon wieder an Höhe gewann, als die Bomben zwischen den Orangenbäumen detonierten. Eine zweite Maschine folgte, dann eine dritte. Das donnernde Getöse stammte hauptsächlich von den Düsentriebwerken. Die Detonationen wirkten eher wie Schläge auf den Kopf. Es war ein trockenes, metallisches Krachen, und auf eine heiße Luftwelle folgte das Niederprasseln von Steinen, Zweigen und Erdklumpen. In den kurzen Abständen zwischen den einzelnen Angriffen hörte man nur das Herabrieseln der Trümmer; dann kam schon die nächste Maschine im Sturzflug heran. Jedesmal glaubten sie, es sei zu Ende. Immer wieder hoben sie die Köpfe und duckten sich noch einmal. Die Detonationen kamen näher, der alte Mann rannte schreiend fort. Giscards Wagen wurde durchgerüttelt, die Scheiben zersprangen, die Orangenbäume zersplitterten. Claudia drückte sich an den Boden des Straßengrabens, preßte die Augenlider zusammen und hielt schützend die Hände über den Kopf. Der Erdboden zuckte wie ein sterbendes Tier, und Giscard brüllte. Es hörte sich an, als fluche er. Einen Arm hatte er fest um ihre Schultern geschlungen. Dann wurden sie beide aufgehoben und zur Seite geschleudert. Sie rollten übereinander und landeten an einem Baumstamm. Damit war es zu Ende.

Die Flugzeuge drehten ab und flogen über das Wasser davon. Immer noch regneten die Trümmer herab, trafen den Wagen, und endlich verebbte alles mit einem leisen Rieseln winziger Stein- und Holzsplitter. Sie standen auf und blieben abwartend in der unheimlichen Stille stehen. Dann setzte sich Claudia wieder hin. Ihr war schwindlig geworden. Giscard ging zur Seite in die Büsche und erbrach sich. Er blutete aus einer Schnittwunde am Hals.

Jetzt kamen die Rettungsmannschaften, gefolgt von einer Schar verzweifelter Frauen aus dem Lager, deren Klagen sich mit dem Sirenengeheul der Krankenwagen vermischten. Claudia saß am Grabenrand und rieb sich mechanisch den Dreck von den Jeans, während die Menschen an ihr vorüberliefen. Die Menge wurde immer größer und versperrte die Straße, bis die mit roten Baskenmützen und grünen Kampfanzügen uniformierten palästinensischen Kommandos erschienen, um den Weg für den Verkehr frei zu machen. Der Orangenhain gehörte zu ihrem Übungsgelände. Jetzt gab es ihn nicht mehr. Während sie die Krater und zersplitterten Baumstümpfe anstarrte, konnte Claudia kaum glauben, daß sie noch lebte. Es roch intensiv nach Sprengstoff. Verängstigte Kinder rannten die Straße hinunter. Überall schrien die Menschen hysterisch durcheinander, einige weinten und andere lachten ohne jeden ersichtlichen Grund. Claudia wollte ihnen helfen, konnte aber nicht aufstehen. So rieb sie weiter an ihren Jeans herum. Bald nach Einbruch der Nacht erschienen auch die Journalisten in ihren Autos aus Tripoli. Sie wollten Tatsachen wissen, Einzelheiten und Zahlen. Wie viele Flugzeuge waren es gewesen? Jeder berichtete etwas anderes. Einige behaupteten, es seien nur zwei gewesen, die abwechselnd angegriffen hätten. Andere sprachen von einem Dutzend. Von welchem Typ? Die Experten behaupteten, Skyhawks; andere meinten, Phantom-Jagdbomber unter dem Geleitschutz von Mirage-Jägern erkannt zu haben. Wie viele Verletzte und Tote hatte es gegeben?

Das festzustellen brauchte man Zeit. Man wußte, daß Kinder in dem Orangenwäldchen gespielt hatten. Einige von ihnen mochten noch am Leben sein — verletzt oder unter der von den einschlagenden Bomben aufgeworfenen Erde verschüttet. Die Suchaktionen wurden jedoch dadurch erschwert, daß Zeitzünderbomben abgeworfen worden waren, die die ganze Nacht über in unregelmäßigen Abständen detonierten und die Rettungsmannschaften auseinandertrieben.

»Alles Technik!« sagte Giscard. Das war sein einziger Kommentar.

Als das erste tote Kind gefunden wurde, kam es fast zu einem Tumult. Zuerst hörte man nur die Mutter wimmern, die sich über die Tragbahre geworfen hatte. Dann hob jemand die Leiche auf, um sie den Umstehenden zu zeigen. Eine zweite Frau fiel in die Klage ein, während die Männer mehr aus Wut als aus Kummer brüllten und ihre Fäuste gegen den Himmel schüttelten. Immer mehr Leichen wurden ausgegraben. Krankenwagen kamen und fuhren wieder ab. Als Vertreter der Vereinten Nationen fühlte sich Giscard verpflichtet, so lange dazubleiben, bis die Zahl der Opfer feststand, aber Claudia, die den Anblick nicht mehr ertragen konnte, wurde von Journalisten nach Tripoli mitgenommen.

Im größten Hotel der Stadt diktierten die Reporter ihre Berichte durch das Telefon. Einer von ihnen schilderte in französischer Sprache, wie die Rettungsmannschaft mit ihren Schaufeln auf zwei Kinder gestoßen war, die gerade Karten gespielt hatten. Die Leichen waren fest umschlungen, und Spielkarten lagen verstreut um sie her. Claudia mußte weinen; nicht weil der Bericht so ergreifend, sondern weil er so geschmacklos war. Sie nahm sich ein Zimmer und ging zu Bett.

Während sie schlief, berief Yasser Arafat, der schwammige, unrasierte Chef der Al Fatah, in Beirut eine Pressekonferenz ein. Er war der Befehlshaber der größten Fedajin-Gruppe und beherrschte die PLO. Da es außer ihm keine geeignete Persönlichkeit gab, war er zum Sprecher der Palästinenser gemacht worden. Er sagte: »Alle Welt soll wissen, daß diese Menschen ihren Weg weitergehen werden, gleichgültig welche Opfer sie bringen müssen. Genossen, macht euch auf alles gefaßt.«

Am Morgen konnte man sich ein klareres Bild von dem machen, was geschehen war. Der Ladenbesitzer war tot, ebenso die beiden Leute auf der Brücke. Alle anderen Opfer waren Kinder — acht Tote und zweiundzwanzig Verletzte.

Im Morgengrauen verließ Giscard den Schauplatz des Geschehens und kam in das Hotel nach Tripoli, wo er sofort ein Telefongespräch nach Beirut anmeldete. Er sprach leise und sagte nur wenige Worte. »Hier ist Giscard. Kommen Sie bitte sofort heraus. Ich erwarte Sie vor dem Kloster.«

Als Claudia herunterkam, saß der Franzose auf der Terrasse und trank Kaffee. Auf der Untertasse lagen unzählige gelbe Zigarettenstummel. In dem kalten Morgenlicht sah Giscard aus, als sei er in eine Schlägerei geraten. Seine Augen waren geschwollen, sein Anzug mit roter Erde beschmiert. Er berichtete ihr, welche Verluste es gegeben hatte, und sagte, zwei Kinder würden noch vermißt. »Jedenfalls nehmen wir es an.«

»Sie meinen, vielleicht waren sie woanders?«

»Nein, nein — sie waren im Orangenwäldchen. Ich meine, wir hätten sie vielleicht finden können.« Giscard blickte sie düster an.

»Es ist schwer zu sagen — verstehen Sie?«

Claudia nickte und dachte an den Schmerz der Mutter, die sich auf die Überreste ihres Sohnes gestürzt und vergeblich versucht hatte, sie mit blutbeschmierten Händen wieder zusammenzufügen.

9. Der Mann im Kloster

Nach dem Frühstück brachte Giscard Claudia in seinem Peugeot nach Beirut zurück. Er mußte langsam fahren, denn die Wagenfenster waren zerbrochen. Von den Sitzen hatte er die Scherben entfernt, aber auf dem Boden lag eine dicke Schicht glitzernder Splitter. Claudia war froh, daß die frische Luft durch die kaputten Fenster zog, als könnte sie die Erinnerungen an die vergangene Nacht fortblasen. Giscard mußte aufs Rauchen verzichten. Statt dessen biß er auf seinen Lippen herum und bewegte unaufhörlich die Kiefermuskeln.

Sie benutzten die gleiche Küstenstraße, und das Wetter war ebenso schön wie am Tag zuvor; der gleiche strahlende Sonnenschein, die gleiche kühle Brise, überall blühten die Blumen, und auf den Straßen bewegten sich unbekümmerte Menschen. Dieses Bild, das so verschieden war vom Alptraum der vergangenen Nacht, verwirrte sie. Der eigentliche Schock war überwunden, aber als sie entdeckte, daß sie mehr Erleichterung über ihr eigenes Davonkommen empfand als Mitgefühl für die verzweifelten Mütter von Nahr al Bared, schämte sie sich. Im Fahrtwind mußte sie laut sprechen, und sie kämpfte darum, das innere Gleichgewicht wiederzufinden. Sie konnte Giscard nur schlecht verstehen, denn sie war von den lauten Detonationen der Fliegerbomben, die neben ihr eingeschlagen waren, immer noch halb taub.

»Wenn die Piloten nur sehen könnten, was sie anrichten!«

Der Franzose nickte müde. »Natürlich würde es ihnen leid tun — aber das ist der Vorteil der Technik: sie erlaubt dem zivilisierten Menschen seine Brutalität.«

»Ihnen scheint das gleichgültig zu sein.«

»Gleichgültig?« Giscard schüttelte den Kopf und lächelte. »Mir ist es nicht gleichgültig.«

»Aber es hat den Anschein.«

»Nun ja, ich habe das geübt.«

»Haben Sie nicht das Gefühl, Sie müßten etwas *tun*?«

Giscard sah sie an, biß die Zähne zusammen, sagte aber nichts. Seine Gelassenheit provozierte Claudia. »Mich macht diese ganze karitative Arbeit krank. Verstehen Sie?! Es ist das gleiche wie in den besetzten Gebieten. Wenn die Araber aus der Reihe tanzen, sprengen die Israelis ihre Häuser — es kracht einfach, und niemand wartet ein Gerichtsurteil ab. Dann kommen wir, die liebe gute alte anglikanische Mission, und versuchen die Trümmer zu beseitigen. Wir verteilen unseren Tee und unser Mitgefühl und vielleicht das Geld für ein paar Ziegelsteine, um sofort an die nächste Unfallstelle zu eilen. Wir halten uns dabei für sehr moralisch, aber ich weiß nicht, ob unsere Hilfe wirklich etwas nützt. Wir benehmen uns wie Leute, die hinter einem Kind hergehen und alles flicken, was es zerbrochen hat. Wir ebnen der Gewalt auf diese Weise den Weg.« Sie ließ den Gedanken wieder fallen, denn sie war sich ihrer selbst nicht sicher. »Habe ich nicht recht?«

»Ja, ich glaube, Sie haben recht. Auch die Leute vom ›Schwarzen September‹ würden das sagen. Revolutionäre hassen jeden, der Almosen verteilt — denn die Nächstenliebe nimmt den Menschen ihren Haß.«

Giscard dachte gern in abstrakten Begriffen, und während er seine Prinzipien in korrektem, aber mit stark französischem Akzent gefärbtem Englisch vortrug, empfand Claudia neue Sympathie für ihn. Vielleicht ist er nur äußerlich so zurückhaltend, dachte sie, in Wirklichkeit aber starker Gefühle fähig und nicht der Zyniker, für den er sich ausgibt.

Die Straße führte an einer Reihe von Salzpfannen vorbei. Die Windräder drehten sich in der Brise, aber Claudia beachtete sie nicht, denn sie mußte immer noch an die vergangene Nacht denken, und sie sah wieder die vor Furcht halbwahnsinnigen Frauen vor sich. »Wenn ich nur irgend etwas tun könnte!«

Giscard blickte sie prüfend von der Seite an, nahm den Fuß vom Gaspedal und fragte: »Meinen Sie das ernst?«

»Ja, natürlich.«

»Sie würden wirklich etwas tun, um diesen Leuten zu helfen?«

»Wenn ich es könnte, ja, aber was kann man tun?«

Sie glaubte zunächst, Giscard wollte ihre Frage beantworten, denn er verlangsamte das Tempo so, daß der Wagen fast stehenblieb. Er hielt seinen Blick auf sie gerichtet, und nun sah Claudia, daß die leidenschaftlichen Gefühle, die dieser kleine, drahtige, kettenrauchende Franzose zu unterdrücken suchte, nichts mit Verzweiflung oder Mitgefühl zu tun hatten, sondern mit nackter Gewalt. Sie spürte, daß er etwas Wichtiges sagen wollte, aber dann besann er sich und fuhr weiter. Claudia war enttäuscht, denn in diesem Augenblick wäre sie zu allem bereit gewesen. Ruhig und überlegt wiederholte sie ihre Antwort auf die erste Frage des Franzosen: »Ja, natürlich meine ich es ernst.«

Aber Giscard reagierte nicht. Nach ein paar Minuten bog er nach rechts ab und fuhr auf eine kleine christliche Kirche zu, hinter der sich das blaue Mittelmeer ausdehnte. Die alten ockerfarbenen Mauern waren so fest gefügt wie die Felsen, auf denen sie errichtet waren. Die Kirche, erklärte Giscard, heiße »Unsere liebe Frau vom Meer«, und früher sei hier ein Mönchskloster gewesen. Er stellte den Wagen in den Schatten eines Baumes vor dem Tor neben ein anderes Auto, das dort bereits parkte, entschuldigte sich und verschwand in dem Gebäude.

Claudia stieg aus, um sich die Beine zu vertreten. Sie dachte an die kalten Wintertage in Cambridge, an das Gasfeuer im Kamin, an freundliche Menschen und gute Bücher. Das Leben dort schien ihr so fern wie ihre Kindheit und der Lehrer, den sie fast geheiratet hätte und der ihr immer noch lange, liebevolle Briefe schrieb. Sie hatte ihm gesagt, sie werde nicht zurückkommen, »bevor sie soweit sei«. Wann das der Fall sein würde, wußte sie nicht.

Der zweite Wagen unter dem Baum war ein großer weißer Mercedes mit getönten Scheiben und einem libanesischen Kennzeichen. Claudia ging dicht an ihn heran und blickte hinein. Der Wagen war leer. Plötzlich spürte sie eine Bewegung hinter sich und wandte sich erschreckt um.

Unter dem Baum stand ein abenteuerlich aussehender Araber, der ein Messer gezogen hatte und damit in die Luft stach, grinsend seine gelben Zähne entblößte und vorführte, wie es einem unvorsichtigen Autodieb gehen würde. Mit Gesten gab er Claudia zu verstehen, daß er der Wächter dieses Gebäudes sei. Über seiner geflickten khakifarbenen Uniformbluse trug er gekreuzte Patronengurte, und sein braunes Gesicht schaute unter einer rotkarierten Kefia hervor. Später erfuhr Claudia, daß er Etienne hieß. Diesen Namen hatte er bei der französischen Fremdenlegion angenommen. Er war Zigeuner und nicht Araber, und er war der Leibwächter Saladins.

Mit den Fingern machte er ihr deutlich, welchen Preis er für eine Führung durch das Kloster verlangte. Sie zahlte und wurde durch das schwere Holztor in einen kleinen gepflasterten Hof geführt. Dort sah sie durch eine offene Tür einige Nonnen beim Mittagessen an einem runden Tisch sitzen. Ein Radio spielte laute Marschmusik, die eigentlich nicht zu den Nonnen paßte, die jetzt auch noch, übermütig lachend, eine Flasche kreisen ließen. Claudia lächelte, aber als die Nonnen sie bemerkten, verstummten sie und starrten sie schweigend an. Der Zigeuner ging voraus, und sie folgte ihm über eine Treppe, die zu einer Brüstung hinaufführte. Dort sah sie, daß das Kloster wie eine Festung ins Meer hinausgebaut war. Die Wellen schlugen gegen die Mauern.

Auf ihrem erhöhten Platz sah Claudia trotz ihrer Jeans sehr dekorativ aus, sie stand da wie die Frau eines Kreuzritters, die auf die Rückkehr eines Schiffes wartet. Sie war mittelgroß, nicht zu voll und nicht zu schlank, hatte eine gute Figur und machte den Eindruck eines stets gepflegten jungen Mädchens. Ihr Äußeres wirkte ebenso wie ihr Benehmen bescheiden, aber hinter dieser unaufdringlichen Zurückhaltung spürte man einen Stolz, der in der Haltung ihres Kinns zum Ausdruck kam. Sie trug das blonde Haar schulterlang, um ein Muttermal am Hals zu verdecken. Der Wind wehte es ihr aus dem Gesicht, das intelligent und ernst war und ein wenig blaß. Claudia blickte auf die Brandung hinunter, die gegen die weißen Felsen schäumte, und kniff die Augen zusammen wie jemand, der kurzsichtig ist.

Sie folgte dem Zigeuner die Stufen hinunter in eine verwahrloste Kapelle. Von der Decke hingen geschmacklose Leuchter, und eine billige Gipsmadonna lächelte von ihrem Podest auf flackernde, tropfende Kerzen hinab, die auf einem Schemel brannten. Claudia war überzeugt, an Gott zu glauben, aber hier fand sie ihn nicht. Der allgegenwärtige Zigeuner schien besser hierher zu passen. Mit seinen gierigen kleinen schwarzen Augen verfolgte er sie von einem Heiligenbild zum anderen. Sie kehrte ihm den Rücken und lief hinaus auf den Hof, wo Giscard in Begleitung eines zweiten Mannes auf sie zu warten schien.

Der Fremde machte auf Claudia vom ersten Augenblick an einen tiefen Eindruck. Später konnte sie nicht sagen, weshalb — sie wußte nur, daß er sie völlig gefangengenommen hatte, und sie bedauerte es nicht. War es nur seine Selbstsicherheit in Verbindung mit ausgesuchter Höflichkeit? Es war mehr. Vom ersten Augenblick an bestand zwischen ihnen so etwas wie ein stillschweigendes Einvernehmen. Sie wußte, was er wollte, und er hatte Verständnis für ihre Vorbehalte bis in die subtilsten Regungen ihres Gemüts. Darum verlangte er nichts Unmögliches von ihr. Sie konnte und wollte alles tun, worum er sie bat, ja, sie mußte es sogar tun, weil er es ihr zutraute. Das geheime Band zwischen ihnen wurde so stark, daß es Verrat gewesen wäre, seine Wünsche zu mißachten.

Auch seine Erscheinung war imponierend. Er trug einen gutgeschnittenen Anzug, war vielleicht fünfzig Jahre alt, hatte glattes schwarzes Haar und das feine Gesicht eines Arabers aus guter Familie. Er sah reich aus und besaß die lässige Autorität eines Mannes, der mit der Macht aufgewachsen ist. Claudia stellte fest, daß er mit seinen Kräften haushalten mußte. Offenbar war er nicht ganz gesund. Seine Haut hatte einen gelblichen Ton, und der Anzug hing lose um die hohe, schlanke Gestalt. Wenn er sprach, klang seine Stimme sanft und musikalisch. Sein Englisch hatte einen leichten amerikanischen Akzent.

»Ich habe gehört, Miss Lees, Sie wollen für Palästina kämpfen.«

»Ja, das habe ich gesagt.«

Er sah sie durchdringend, aber nicht unfreundlich an. »Ist es Ihnen Ernst?«

»Ich weiß nicht — das hängt davon ab, was Sie verlangen. Es tut mir leid — das klingt vielleicht etwas zu unbestimmt.«

»Im Gegenteil! Wenn Sie mehr gesagt hätten, dann hätte ich Ihnen nicht geglaubt. In Beirut gibt es eine Menge junger Araber, die die Juden abschlachten wollen. Sie kommen nicht weiter als bis zu den Grenzpfählen.«

Er lächelte, und Claudia lächelte zurück.

Wer war dieser Mann? Der Zigeuner und Giscard behandelten ihn mit großem Respekt und blieben zurück, als er Claudia durch das Tor zu einer Bank unter dem Baum führte, neben dem die beiden Wagen standen.

»Es kommt nur darauf an«, fuhr er im gleichen sanften Ton fort, »daß Sie bereit sind, uns zu helfen. Jetzt müssen wir feststellen, wie weit diese Hilfe gehen soll. Ich halte es für richtig, daß wir nicht zuviel voneinander erwarten. Setzen wir uns?«

Sie setzten sich in den Schatten und sprachen etwa zwanzig Minuten miteinander. Am Schluß stellte sich der Mann als Saladin vor. Er bat Giscard, bei der anglikanischen Mission sofort eine Aufenthaltsverlängerung für Claudia Lees im Libanon zu erwirken. »Begründen Sie es mit dem Schock, den sie bei dem Luft-

68

angriff erlitten hat, Roland, oder finden Sie irgendeinen anderen Grund«, sagte Saladin und wandte sich wieder an Claudia. »Ein Engländer wird hierherkommen, um uns zu helfen. Ich möchte, daß Sie ihn kennenlernen.«

10. Tauben und Falken

Saladins Mannschaft nahm Gestalt an. Nach dem Gespräch mit Claudia Lees verbrachte er den folgenden Samstag — es war der 9. September — bei den Flüchtlingen in Nahr al Bared und suchte nach Leuten, denen er vertrauen konnte, nach Männern, die bereit waren, sich Stephen Roscoe unterstellen zu lassen.

An dem Tag, an dem Claudia und Giscard nach Beirut zurückfuhren, traf auch Bassam Owdeh wieder im Libanon ein. Auf dem Flugplatz wurde er von seiner Kollegin Leila Riad empfangen, die einen Lehrauftrag an der Universität von Beirut hatte. Leila, mit der Bassam schon seit Jahren zusammen lebte, war eine intelligente Frau. Sie hatte bemerkt, daß man ihnen folgte. Bassam war deshalb bei der Aufnahme der Kontakte zu Saladin besonders vorsichtig. Er versuchte, seine Erlebnisse in Oxford auf die leichte Schulter zu nehmen, aber Leila machte sich Sorgen. Sie wußte, wie wichtig für Bassam ein geregeltes Leben war — all die kleinen Sicherheitsvorkehrungen, die sie getroffen hatte, um das Zusammenleben mit ihm zu ermöglichen. Sie fürchtete, das neue Vorhaben könnte ihn physisch erledigen. Er hatte schon abgenommen, und das war bei Bassam immer ein schlechtes Zeichen.

Saladin hatte größere Sorgen. Bei ihm ging es um die Loyalität seiner Anhänger und um Zeiti, über den er vertrauliche Nachforschungen hatte anstellen lassen.

Zeiti war jetzt zu Hause in Damaskus, wo es in seiner Familie zu Streitigkeiten gekommen war. Dort lebten auch seine Schwester und der reiche Libyer, den sie heiraten wollte. Raoul Shafiq war ein treuer Anhänger des ehemaligen Königs Idris und daher ein Feind des Obersten Gaddafi. Zeiti konnte ihn nicht ausstehen, und seine Gefühle wurden mit gleicher Schärfe erwidert. Shafiqs Abneigung war so stark, und er war so fest entschlossen, diesen finsteren Burschen aus dem Weg zu räumen, daß er schon gegenüber einem amerikanischen Juden in Paris, der solche Informationen gut bezahlte, Andeutungen über die Beziehungen Zeitis zum »Schwarzen September« gemacht hatte. In Damaskus kam es zwischen den beiden fast zu Tätlichkeiten. Zeiti beschimpfte seine Schwester und reiste wütend nach Beirut ab. Aber trotz dieser Unstimmigkeiten setzte man den Termin für die Hochzeit fest. Shafiq hielt indessen die Verbindung zu den »Söhnen von Zion«.

An diesem Wochenende, dem 9. und 10. September, berichteten alle Zeitungen von dem israelischen Bombenangriff, und am Samstag erklärte der israelische Chef des Generalstabs, General David Elazar, im Fernsehen: »Luftangriffe sind nicht die einzige Möglichkeit zurückzuschlagen. Es gibt auch andere, und wir werden sie anwenden.«

Solche Erklärungen gingen gewöhnlich israelischen Kommandounternehmungen gegen arabisches Territorium voraus. Sie konnten aber auch bedeuten, daß sich die israelische Regierung entschlossen hatte, mit weniger konventionellen Methoden gegen den »Schwarzen September« vorzugehen.

Welches diese Methoden waren, läßt sich nicht nachweisen. Aber in den auf die Ereignisse von München folgenden Wochen begann die Presse von einer neuen geheimen paramilitärischen Organisation in Tel Aviv namens »Gottes Zorn« zu sprechen, die angeblich palästinensische Terroristen im Ausland liquidiere. Sicher ist, daß eine Anzahl von Arabern in Europa auf ungeklärte Weise ums Leben kamen, und im April 1973 führten die Israelis ein spektakuläres Kommandounternehmen gegen Beirut selbst durch.

Drei Führer der Al Fatah wurden in ihren Wohnungen aus kurzer Distanz erschossen, und Yasser Arafat entging nur durch einen Zufall einem Anschlag auf sein Leben.

Aber die Israelis waren auch ohne die Hilfe der Vereinigung »Gottes Zorn« sehr gut in der Lage, mit dem »Schwarzen September« abzurechnen. Am wenigsten war ihnen an der Hilfe von Leuten wie Sammy Gessner gelegen.

Der israelische Geheimdienst hatte Gessner in einem Londoner Hotel aufgespürt, und am Sonntag verabredete sich Yaacov mit ihm zu einem Spaziergang in Kensington Gardens. Sie erwähnten ihre Begegnung im St. Anthony's College nicht, und Gessner, der für die vorsichtige Haltung von Beamten Verständnis hatte, fragte Yaacov nicht nach seinem Namen oder seinem Auftraggeber. Er beschränkte sich darauf, taktische Empfehlungen zu geben. Er sagte, Ziel der israelischen Politik müsse es sein, das gesamte Gebiet des Königreichs Salomonis wiederzuerobern. »Wir könnten Syrien schon morgen besetzen. Ich sage Ihnen, Mann, wir könnten den Syrern eine gehörige Tracht Prügel versetzen!«

Yaacov lächelte überlegen. »Ja, aber brauchen wir das? Wollen wir es überhaupt?«

»Ich will es. Ja, mir liegt sehr viel daran. Für mich ist Damaskus eine jüdische Stadt.« Gessner hob den Zeigefinger und sagte: »Gott hat uns dieses Land gegeben, und wir müssen es uns zurückholen.«

»Vielleicht werden wir noch ein Weilchen warten müssen.«

»Ja, wir können warten. Gott hat Zeit.«

Gessner ging Kaugummi kauend weiter, während Yaacov höflich meinte, die »Söhne von Zion« würden Israel den größten Gefallen tun, wenn sie sich selbst auflösten. »Und lassen Sie Zeiti in Ruhe. Wir haben unsere besonderen Pläne mit ihm.«

»Seien Sie doch vernünftig! Überlassen Sie ihn mir. Damit tue ich Ihnen doch nur einen Gefallen.«

»Nicht auf diese Art.«

»Wo ist er?«

»In Damaskus.«

»Das ist eine jüdische Stadt, Mann.«

»Das ist auch New York«, sagte Yaacov in einem Ton, der andeuten sollte, daß das Gespräch beendet sei, und blickte auf seine Uhr. »Ich muß gehen.«

»Gute Reise.«

»Leben Sie wohl.«

»Shalom.«

Sie trennten sich am Albert-Denkmal. Yaacov fuhr direkt zum Flughafen und flog nach Israel zurück. Gessner ging zum Berkeley Square, wo er sich einer zionistischen Demonstration vor dem Gebäude der Arabischen Liga am Hay Hill anschloß. Hier befand sich auch das Büro von Said Hammami. Das war der Araber, mit dem sich Roscoe am Montag treffen sollte. Als örtlicher Vertreter der PLO wurde Hammami für das Massaker von München verantwortlich gemacht. Seit jenem Tage demonstrierten zahlreiche Juden vor seinem Büro am Hay Hill. Dabei riefen sie immer wieder: »Hammami, komm heraus! Hammami, komm heraus!« An dem Sonntag, als Gessner sich der Demonstration anschloß, hatten sich viele Sympathisanten eingefunden.

Nach Yaacovs Abreise wollte Gessner sich ein kleines Vergnügen gönnen. Er stellte sich den aufgebrachten jungen Zionisten als israelischer Offizier vor, der seinen Urlaub in London verbringt, und als die Demonstranten später auseinandergingen, nahm er vier junge Leute im Auto mit und lud sie nach Soho in ein Restaurant ein. Er erzählte ihnen, er habe in einem der Panzerverbände gedient, die 1967 die Golanhöhen gestürmt hatten, und sagte, die Syrer seien nicht besser als Tiere. »Und dieser Hammami gehört zu der gleichen Sorte. Die PLO unterstützt die Terroristen, deshalb ist Hammami ein Feind Israels. Am liebsten würde ich den Schweinehund umbringen.«

Die jungen Leute waren beeindruckt. Anschließend nahm einer von ihnen, David Heinz, Gessner mit nach Golders Green in das Haus seiner Eltern.

Er sollte später eine kleine, aber wichtige Rolle in dem Drama um Saladin spielen. David machte gegenwärtig eine unbefriedigende Phase seiner Entwicklung durch. Als Gitarrenspieler war er nicht weitergekommen; jetzt arbeitete er halbtags in der Stadtbibliothek von Hampstead. Seine Eltern waren aus Österreich geflüchtete Juden, die dankbar die britische Lebensart übernommen hatten. Sein Vater war Beamter im Verteidigungsministerium und hatte die Schreibweise seines Namens in *Hines* umändern wollen. Die Mutter war bei der Labour Party angestellt. David interessierte sich für den Zionismus und wollte als aktives Mitglied einer zionistischen Organisation den richtigen Platz im Leben finden. Gessner hatte ihm versprochen, sich für ihn zu verwenden. Als sie ins Haus kamen, war niemand da. Deshalb setzten sie sich in die Küche und tranken Kaffee.

»Was haben Sie für Zukunftspläne, David?«

»Ich habe es Ihnen doch gesagt: ich möchte nach Israel.«

»Nach Israel . . . Das Leben dort ist hart.«

Aber David blieb dabei und sagte, er habe genug von England. »Verstehen Sie, hier ist alles zu einfach.« Er wartete, daß Gessner ihn unterbrach, und als der schwieg, fuhr David fort: »Ich meine, ich habe ein schlechtes Gewissen, wenn ich sehe, wie leicht wir es hier haben, und daran denke, mit welchen Schwierigkeiten unsere Leute dort kämpfen müssen. Sie haben mir doch davon erzählt.«

»Ich verstehe Sie schon«, nickte Gessner, »aber Sie haben sich heute sehr gut bewährt.«

»Das war nichts.«

»Nein, nein! Ich sage Ihnen, es war sehr gut, und es war auch wichtig.«

»Jeder kann sich an einer Demonstration beteiligen.«

Gessner stand auf und ging Kaugummi kauend in der Küche auf und ab. Der Raum schien zu klein für ihn zu sein. David saß auf einem Stuhl und streckte die Beine von sich, ein blasser, schmächtiger Junge mit etwas vorstehenden Augen und braunem, lockigem Haar, der schüchtern versuchte, sich modisch zu kleiden. Nun blieb

Gessner stehen, starrte ihn an und tat, als sei er eben zu einem
Entschluß gekommen. »Sie wollen also mehr tun?«

David setzte sich auf und sah Gessner erwartungsvoll an.

»Sie wollen also etwas für Israel tun, habe ich recht?« fuhr
Gessner ihn an.

»Äh . . . Ja.«

»Gut, David, ich habe da etwas für Sie. Arbeiten Sie morgen?«

»Nein.«

»Okay. Wir treffen uns um 9.00 Uhr an der U-Bahn-Station
Golders Green. Ich fahre einen weißen Ford-Kombi. Sie bringen
eine Pappschachtel mit, etwa so groß. Sie verstehen schon, einen
Karton, wie man ihn im Lebensmittelladen bekommt. Können Sie
das?«

»Ja, ich glaube schon.«

»Gut, mein Junge.« Gessner stülpte sich den Hut auf den Hinterkopf. »Ich fürchte, ich muß gehen, bevor Ihre Leute kommen.«

»Wollen Sie sie nicht kennenlernen?«

»Ein anderes Mal.«

Sie gingen zusammen hinaus. David blieb bei den Rosen seiner
Mutter stehen und sah dem Mann in der schwarzen Lederjacke
nach. Er spürte eine innere Erregung, die sich später in Panik ver-
wandeln sollte.

11. Das Gelobte Land

Am gleichen Sonntag war Stephen Roscoe damit beschäftigt, vor
der Abreise zu Hause alles in Ordnung zu bringen. Er besorgte
einen reichlichen Vorrat an Hundekuchen und gab Anweisungen
für den Verkauf seiner Getreideernte. Montag früh wollte er fahren.

Seit sie übereingekommen waren, sich zu trennen, waren er und Brown bester Laune, und diese Stimmung wurde nur durch einen kleinen Streit am Sonntagnachmittag getrübt. Roscoe hatte sich geweigert zu sagen, welchen Auftrag er von Marsden erhalten hatte, und nichts konnte Brown so ärgern wie diese Art männlicher Geheimniskrämerei.

Roscoe ging allein zur Kirche und anschließend ins Pub. Als er zurückkam, war sie schon zu Bett gegangen. Er brachte die Hunde in den Zwinger und setzte sich mit einem Drink allein ins Wohnzimmer. Er bildete sich ein, sich so am wohlsten zu fühlen. Er langweilte sich leicht, scheute aber auch jede Veränderung. Das Erntefest war so verlaufen wie immer, und das freute ihn; die gleichen Bibeltexte und die gleichen Choräle. Die Kürbisse hatten ebenso vor der Kanzel gelegen wie im vergangenen Jahr. Wie üblich hatte er in der zweiten Bankreihe gesessen, Mrs. Parson allein hinter ihm und die Dorfbewohner mit ihren Familien noch weiter hinten. Mit Religion im Sinne einer geheimnisvollen Welt jenseits der Sterne hatte das nichts zu tun. Die Kirche gehörte als fester Bestandteil zum Leben in Granby, und der Kirchgang war zu einer seltenen Angelegenheit geworden, denn der Gottesdienst beschränkte sich auf Ostern und das Erntefest. An Weihnachten fuhr man in die Kathedrale von Lincoln — auf Vorschlag des Vikars, dessen Gemeinde über viele Meilen auf die Ortschaften entlang der Küste verstreut war.

Heute war der Mann erkältet gewesen. Zwischen den Gebeten hatte er sich immer wieder die Nase geschneuzt. *Erleuchte uns, wir flehen dich an, o Herr, und bewahre uns in deiner großen Gnade vor allen Fährnissen dieser Nacht* — tröstliche Worte, die Roscoe in seine Kindheit zurückversetzten, als er neben dem Großvater in der Kirchenbank gekniet hatte. Draußen rüttelte der Ostwind an der Kirchentür, und die Brandung schlug gegen die Betonmauer, aber die magische Beschwörung mußte wirken. Die Kinder würden nachts ruhig schlafen und die Piloten unversehrt zurückkommen. Was sich verändert hatte, waren die Bibeltexte oder vielmehr seine Reaktion darauf. Nachdem er sich für Saladin hatte anwerben lassen, hatten sie einen neuen Sinn bekommen. Das Alte Testament las sich wie ein zionistisches Flugblatt, das nur schlecht in eine englische Landkirche paßte. Der Text stammte aus dem fünften Buch Moses, und sein Inhalt war die Verheißung Gottes an das Volk Israel: ... *und wird dich lieben und segnen und mehren und wird die Frucht deines Leibes segnen und die Frucht deines Landes, dein Getreide, Most und Öl, die Früchte deiner Kühe und die Früchte deiner Schafe in dem Lande, das er deinen Vätern geschworen hat, dir zu geben.*

Roscoes Gedanken schweiften ab. Die Vorstellung, Gott habe die Landkarte gezeichnet, veranlaßte, wie er glaubte, den guten Christen, sich auf die Seite Israels zu stellen; dazu noch das Gefühl, daß die Juden uns ähnlicher seien als die Araber, die wahrscheinlich von den Moabitern, Edomitern und all den anderen Räubervölkern abstammten. Sicher glaubte das auch der Vikar, der mit Inbrunst den alten Text verlas: *Der Herr wird von dir tun alle Krankheit und wird keine böse Seuche der Ägypter dir auflegen ... Wirst du aber in deinem Herzen sagen, dieses Volk ist mehr, denn ich bin; wie kann ich sie vertreiben? so fürchte dich nicht vor ihnen ...* Ja auch heute ist Israel schwächer als die Araber, die das Land von Marokko bis zum Irak bevölkern.

Die Stimme des Vikars wurde lauter, als er zu den letzten Versen kam, und füllte den ganzen Kirchenraum: *Denn der Herr, dein Gott, führt dich in ein gutes Land, darin Bäche und Brunnen und Seen sind, die an den Bergen und in den Auen fließen.* Dabei legte er beide Hände auf die Flügel des großen Bronzeadlers und hob den Kopf über das ehrwürdige Buch ... *ein Land, des Steine Eisen sind, da du Erz aus den Bergen hauest. Und wenn du gegessen hast und satt bist, sollst du den Herrn, deinen Gott, loben für das gute Land, das er dir gegeben hat ...*

Hier zu Hause vor seinem Glas dachte Roscoe wieder an die biblische Verheißung. Was war das für eine fabelhafte Werbung, die sogar die frierenden Juden in Rußland verzaubert und geblendet hatte! Kein Wunder, daß sie zurück in die Heimat wollten. Er goß sich noch etwas ein und griff dann impulsiv, als müsse er sich gegen Gottes Zorn wehren, nach der Pistole.

Roscoes Pistole ist eine schwere Waffe; ein belgischer Browning mit holzverschaltem Griff, wie nach Maß gemacht für Roscoes große Hand. Da diese Waffe ebenso wie der Colt nur aus wenigen Teilen besteht und einen ganz einfachen Mechanismus hat, gehört sie seit 1956 zur Standardausrüstung der britischen Streitkräfte. Der Hauptvorteil ist das große Magazin mit den dreizehn diagonal angeordneten Patronen. Sie verschießt die gleiche Munition wie die Maschinenpistole vom Typ Sterling — auch das ist günstig. Geladen wiegt die Waffe knapp drei Pfund. Es ist eine der größten Pistolen, die es gibt. Sie läßt sich daher kaum am Körper verbergen. Aber in Nordirland hatte Roscoe sie an einem Halfter getragen, in dem sie so befestigt war, daß man sie schnell ziehen konnte. Unter seiner weiten Jacke fiel es nicht auf, daß sich das schwere Schießeisen seitlich an seine Rippen schmiegte.

Roscoe besitzt mehrere Pistolen, aber er schießt nie aus Sport auf Tiere oder Menschen. Er ist ein Waffenliebhaber. Er freut sich an ihrem Aussehen und ihrer Präzision und nimmt sie gern in die Hand. Er hat überhaupt eine Vorliebe für Maschinen, und wenn es tödliche Waffen sind, dann wird dieses Gefühl durch das Bewußtsein gestärkt, die damit verbundene Gefahr kontrollieren zu können.

Nachdem er den Browning aus dem Futteral genommen hatte, reinigte er den Lauf und betätigte den Abzug. Dann nahm er eine Schachtel Patronen und ging hinaus in die Garage. Dort stellte er eine Reihe leerer Bierdosen auf und steckte sich weichgekautes Papier in die Ohren. Zum Schießen nahm er die in der Armee geübte klassische Stellung ein: die Beine gespreizt, die Knie leicht gebeugt, die Arme ausgestreckt und beide Hände am Griff. Bei jedem Schuß sprang der Lauf nach oben, und eine leere Patronenhülse flog nach rechts. Von sieben Dosen traf er vier. Ein schlechtes Ergebnis. Wieder türmte er die Dosen übereinander. Mit dem zweiten Magazin traf er nur drei. Noch schlechter! Damit werden wir dem großen Gott Israels nicht beikommen können. Zum drittenmal stellte er die Dosen auf, lud die Pistole und hörte dann eine Stimme hinter sich. »Stell das Feuer ein, Baby. Warte, bis sie das Weiße in deinen Augen sehen.« Es war Brown, die es nicht mehr im Bett ausgehalten hatte und in einem wollenen nordafrikanischen Kaftan heruntergekommen war. Er küßte sie, und sie schmiegte sich an ihn. Aber dann spielte sie die Heldin aus dem Wilden Westen. »Okay, los, Mann! Schieß! Zeig, was du kannst.«

Roscoe verstopfte ihr die Ohren und schoß. Sie hatte seinen Ehrgeiz geweckt, und er traf fünf von sieben Dosen. Sie lagen durchlöchert und verbogen auf dem Boden. »Das ist nicht das Richtige«, sagte er. »Das sind nur Zielscheiben. Stell doch einen Sack mit Knochenmehl auf.«

Roscoe düngt seinen Garten mit Kunstdünger, und in der Garage hatte er mehrere Säcke Knochenmehl aufgestapelt. Sie entsprachen in ihrer Größe dem Ziel, das man, wenn es hart auf hart kommt, treffen muß — meinte er. Man zielt auf die Mitte des Körpers. Dabei kommt es nur darauf an, überhaupt zu treffen — wo, ist gleichgültig. »Ich gehe hinaus, und du stellst die Säcke auf. Vier genügen. Verteil sie ungleichmäßig, und stell dich dann an die Tür. Mal sehen, wie das geht.«

Brown stellte die Säcke auf und rief dann: »Okay, fertig!«

Roscoe kam durch die Tür herein wie Gessner in das Zimmer im St. Anthony's College. In gebückter Stellung tat er so, als zöge er die Pistole aus dem Halfter, und durchlöcherte die vier Säcke in weniger als vier Sekunden. »Na, was sagst du dazu?« meinte er und richtete sich auf. Brown untersuchte die Säcke, aus deren Löchern das weiße Pulver auf den Boden rieselte. »Verdammt gut«, sagte sie. »Jetzt bin ich dran.«

Sie verschossen die ganze Munition, die in der Schachtel war. Dann hörten sie, wie Mrs. Parson ihr Fenster zuschlug. Roscoe reinigte den Browning, dessen Lauf noch glühend heiß war, und ging dann zu Brown ins Bett. »Das war lustig«, sagte sie. »Stephe?«

»Ja?«

»Kann ich nicht mitkommen? Ich werde die Reise selbst bezahlen.«

Roscoe hätte es ihr gern erlaubt, aber es ging nicht. »Vielleicht an anderes Mal.«

»Ein anderes Mal, okay. Paß nur auf, daß du nicht vorbeischießt.«

12. Donnergrollen

In der Nacht zog Nebel von der See her über das Land. Roscoe stand um 6.00 Uhr auf und packte im milchig-weißen Morgenlicht seinen Koffer, während weiße Möwen kreischend um das Haus flogen; Brown saß, die Arme um die Knie geschlungen, unter der Daunendecke und sah ihm zu. Dann zogen sie sich an, und Mrs. Parson servierte das Frühstück. Keiner sagte viel. Als sie fortfuhren, blieb das Haus als grauer Schatten im Nebel zurück, und als Roscoe sich danach umwandte, hatte er das Gefühl, eine Treulosigkeit zu begehen — gegenüber dem Haus und nicht gegenüber dem Mädchen. Reisen, dachte er, ist wie eine Liebesaffäre. Man setzt dem Leben ein Glanzlicht auf, das die Sinne erregt, aber es geht nicht in die Tiefe. Wie ein Ehemann würde auch er zurückkehren und nicht recht verstehen, weshalb er fortgegangen war.

Der Bahnsteig in Peterborough war kein geeigneter Ort zum Abschiednehmen, aber Brown blinzelte ihm tapfer zu.

In London angekommen, begab sich Roscoe unverzüglich in das Büro der PLO am Hay Hill, um mit Said Hammami zu sprechen.

Vor dem Haus stand immer noch eine kleine Gruppe jüdischer Demonstranten. Als er aus dem Lift kam, wurde er von einem Polizisten abgetastet. Dann eilte er an einer Schlange wartender Menschen vorbei den Korridor entlang. Hammami selbst konnte er diesmal nicht erreichen, aber ein elegant gekleideter, höflicher junger Araber nahm sich seiner an und gab ihm eine Liste von Persönlichkeiten in Beirut. Draußen riefen die Zionisten laut ihre Sprechchöre. In einem zweiten Büro rief Roscoe Marsden an.

»Hallo . . . Jimmy?«

»Ach, Stephen.«

»Ich bin unterwegs.«

Auf der anderen Seite des Zimmers saß ein junger Araber vor einem Stapel von Briefen und Paketen. Er nahm jedes einzelne Stück mit den Fingerspitzen auf, untersuchte es sorgfältig, hielt es gegen das Licht und strich mit einem Instrument über die Oberfläche des Umschlags oder der Verpackung. Einige Sendungen öffnete er sofort, andere legte er hinter einen dicken Metallschirm zur Seite. Er suchte nach Brief- und Paketbomben.

Marsden wollte Roscoe eben sagen, welches der günstigste Bus für ihn sei, als das Gespräch unterbrochen wurde.

»Einen Augenblick, Stephe . . .«

Roscoe hörte laute Stimmen, dann wurde es still im Hörer.

Er verließ das Büro der PLO und nahm einen Bus zum Themseufer. Das Atlantic Arab Institute befand sich ganz in der Nähe der Tate Gallery. Als Roscoe eintraf, war die Straße von der Polizei abgesperrt, und eine Menschenmenge hatte sich angesammelt. Auf der gegenüberliegenden Straßenseite sah er einige Wagen der Feuerwehr und einen Krankenwagen. Aus einem Fenster im zweiten Stock drangen Rauchschwaden, Wasserschläuche führten in das Gebäude, und Feuerwehrleute rannten hin und her, während eine Tragbahre herausgebracht wurde.

Roscoe versuchte durchzukommen, aber die Polizei versperrte ihm den Weg.

Irgend jemand drängte sich hinter ihm durch die Menge und

fragte mit amerikanischem Akzent:»Was ist hier los; sagen Sie mir bitte, was ist hier geschehen?«

Roscoe sah sich um und erblickte einen kleinen, bärtigen Mann mit einem schwarzen Lederhut auf dem Kopf, der Kaugummi kaute.»Es sieht aus wie eine Explosion«, sagte er.

»He, sind es die Iren?«

»Ich glaube eher die Juden«, sagte Roscoe, erkannte aber dann, daß der Fragesteller selbst Jude war, und wollte sich entschuldigen. Aber der Mann brach in schallendes Gelächter aus und schlug ihm auf die Schulter.»Das ist schon in Ordnung, mein Freund. Ich nehme es Ihnen nicht übel. — He! Da ist tatsächlich jemand verletzt worden.«

Marsden, der einen dicken weißen Verband um den Kopf hatte, wurde zum Krankenwagen geführt. Er blickte die Straße hinauf, gab der Polizei ein Zeichen, und Roscoe durfte die Absperrung passieren.

»Was ist geschehen?«

»Eine Paketbombe.«

»Hat es Sie schlimm erwischt?«

»Nein, es hätte schlimmer sein können.« Marsden sah, daß Roscoe zur Tragbahre hinüberblickte.»Meine Sekretärin. Sie ist nicht verletzt, sondern hat nur einen Schock.«

Sie verabredeten sich für den Abend in Roscoes Klub, und dort erzählte Marsden, der sich seine Wunde sauber hatte vernähen lassen, was passiert war. Ein junger Mann hatte für die Bibliothek des AAI ein Bücherpaket abgegeben und gesagt, es käme von Hammami. Niemand kümmerte sich weiter darum, denn die PLO ließ ständig neue Pamphlete drucken. Beim Hinausgehen hatte er den Portier kurz gewarnt, der dann das Büro über das Haustelefon alarmierte. Die Bombe war in dem Augenblick detoniert, als sie aus dem Zimmer liefen.

»Vielleicht hat er es sich noch einmal überlegt, als er Ihr hübsches Gesicht sah«, sagte Roscoe.

Marsden lächelte müde. In der mit dunklem Holz getäfelten Bar des Klubs führten mehrere Männer eine angeregte Unterhaltung. Die Atmosphäre hier war sonst nicht gerade sein Fall, aber an diesem Abend war er bester Stimmung. Als er die zweite Runde bestellte, kam Charles Heinz herein. Roscoe wußte nur, daß Heinz ein österreichischer Jude war — heute britischer als die Briten —, der, getarnt als Beamter im Verteidigungsministerium, für den Sicherheits- und Geheimdienst arbeitete. Sie hatten sich auf einem Lehrgang für elektronische Abhörverfahren kennengelernt, und Roscoe hatte die notwendigen Unterschriften gesammelt, damit Heinz in den Klub aufgenommen werden konnte. Er erinnerte sich an einen wenig unterhaltsamen Abend in einem Haus in Golders Green, an die sozialistische Frau und den schweigsamen Sohn. Seit jener Zeit ging es Heinz offenbar sehr gut. Man merkte ihm seine Erfolge und die Freude daran deutlich an. Er war klein, flink und hatte eine Glatze wie ein poliertes Ei. Als er mit seinem Gast an die Bar kam, schlug er Roscoe auf die Schulter. »Hallo, alter Junge, habe Sie lange nicht gesehen. Bleiben Sie länger in der Stadt?«

Roscoe merkte, wie Marsden versteinerte, dachte sich aber nichts dabei, die Frage zu beantworten. Er sagte, er werde nach Beirut fliegen.

»Sehr gut. Geschäftlich oder nur zum Vergnügen?«

»Ich werde mich ein wenig als Journalist betätigen.«

»Ausgezeichnet! Wenn ich an die Geschichten denke, die Sie immer erzählen, dann stelle ich mir vor, daß Ihre Berichte die Leser männlichen Geschlechts ganz besonders freuen dürften!«

Alles lachte, besonders Heinz, der nie genau wußte, ob seine witzigen Bemerkungen Beifall fanden, obwohl er nie um einen schlüpfrigen Witz verlegen war. »Es tut mir leid«, sagte er im Fortgehen, »ich darf Sir Geoffrey nicht mit dem Dinner warten lassen. Rufen Sie mich an, wenn Sie zurück sind.«

Jetzt fiel es Roscoe wieder ein: niemand warf so mit den Namen wichtiger Persönlichkeiten um sich wie Charlie Heinz.

»Sagen Sie mir nicht, das sei — ein Freund!« flüsterte Marsden und verwendete absichtlich den in Whitehall üblichen Ausdruck für Spione.

Roscoe setzte eine affektiert geheimnisvolle Miene auf und legte den Zeigefinger an die Lippen.

Beim Essen gab ihm Marsden einen Presseausweis und einen Scheck über 2000 Pfund. Dann unterrichtete er ihn über Bassam Owdeh. »Er ist eigentlich ein ganz ordentlicher Kerl, regt sich aber zu leicht auf. Wahrscheinlich werden Sie ihn manchmal etwas beruhigen müssen.«

Nachdem sie eine Zigarre geraucht und einen Brandy getrunken hatten, gingen sie die Brook Street hinunter, und Roscoe sagte: »Wissen Sie, ich denke, vielleicht könnte ich doch eine Pistole gebrauchen. Ich werde sie Ihnen bringen lassen.«

»Gut. Wir sehen uns morgen oder übermorgen wieder.« Marsden winkte ein Taxi heran. »Das wär's. Viel Glück, und wenn Sie Saladin sehen, grüßen Sie ihn bitte von mir.«

Roscoe verabschiedete sich und dankte ihm.

»Wofür?«

»Dafür, daß Sie mich von diesem verdammten Traktor heruntergeholt haben!«

Nachdem sie sich getrennt hatten, ging Roscoe wieder in den Klub, setzte sich mit einer zweiten Zigarre in das Rauchzimmer und dachte über die verschiedenen Sprengstoffe und ihre Anwendungsmöglichkeiten nach, um sein Gedächtnis aufzufrischen. Als er den Schaden gesehen hatte, den die Bombe im AAI angerichtet hatte, waren ihm die Sprengstoffexperten in den Sinn gekommen, die er kannte, und die bedächtigen Männer vom Bombenräumkommando in Nordirland. Sprengstoffattentate waren keine heroischen Husarenstücke. Man konnte sie nicht so üben wie das Durchlöchern von Kunstdüngersäcken mit Pistolenschüssen. Bei einer Sprengung mußte man schnell und präzise arbeiten, in jeder Lage einen kühlen Kopf behalten und die Sprengwirkung und Empfindlichkeit des Sprengsatzes und der Zündung genau kennen. Er kannte sich in diesen Dingen aus, er war darin ausgebildet und war Fachmann. Wenn er das bei solchen Unternehmen immer notwendige Glück hatte, würde er genug Geld verdienen, um ein neues schmiedeeisernes Tor für sein Haus kaufen zu können.

Ja, Roscoe war an jenem Abend im Klub recht zuversichtlich und malte sich aus, wie der Knall, den er für einen Mann namens Saladin loslassen sollte, wie ein Donnerschlag um die ganze Welt dröhnen würde. Man brauchte nicht vier Brandys getrunken zu haben, um sich vorzustellen, daß es durchaus so sein konnte. Was auf dem Spiel stand, hatte weltweite Bedeutung, aber gerade aus diesem Grund versuchte er, nicht daran zu denken. Er redete sich ein, daß für ihn das Ganze lediglich ein technisches Problem war. An die Folgen zu denken, könnte ihn höchstens nervös machen. Bergsteiger an der Steilwand blicken niemals in den Abgrund hinunter; Priester haben die Existenz Gottes nicht anzuzweifeln. Und auch Soldaten dürfen nur an ihren Auftrag denken.

Teil II
Freunde und Feinde

12. bis 15. September 1972

1. Ein Name auf der Karte

Am folgenden Tag gingen die Olympischen Spiele zu Ende. Den Familien der ermordeten Sportler überwiesen die Deutschen drei Millionen D-Mark. Die toten Terroristen wurden in Libyen mit militärischen Ehren beigesetzt, und der arabisch-israelische Krieg erreichte mit neuen Terroranschlägen einen neuen Höhepunkt. Said Hammami blieb am Leben, aber sein Kollege von der PLO in Paris starb an einer versteckten Bombe, als er den Telefonhörer abnahm. Beide Seiten verschickten Briefbomben, und der erste Jude, der auf diese Weise den Tod fand, war Dr. Ami Schachori, der Landwirtschaftsattaché an der israelischen Botschaft in London. Eine in Holland aufgegebene Briefbombe zerriß ihm den Magen.

An dem Morgen, als Roscoe von London abflog, hatte das israelische Kabinett eine erregte Sitzung, und am gleichen Tag hielt Frau Golda Meir vor der Knesseth, dem israelischen Parlament, eine Rede. Es war ihre erste öffentliche Erklärung seit München, und um sie zu hören, drängten sich viele Neugierige an den Wachen vorbei in das mitten in Jerusalem auf einem Hügel gelegene, wie ein japanischer Tempel anmutende Gebäude. Bald war jeder Platz im komfortabel ausgestatteten Sitzungssaal und auf den Rängen besetzt, wo das Publikum gespannt wartete und die Vorgänge durch eine schußsichere Glaswand beobachtete.

1898 in Rußland geboren, war Frau Meir jetzt 74 Jahre alt. Ihre Ernennung zur Ministerpräsidentin war die Folge der Rivalität zwischen Israels beiden mächtigsten Generälen, Mosche Dayan und Yigal Allon, aber in Krisenzeiten war es ihre Gegenwart, die die erregten Stimmen in der Knesset zum Schweigen brachte. In solchen Augenblicken schien sie mit ihrem ehrwürdigen grauen Kopf als Überlebende der Kiewer Pogrome und dreier Kriege gegen die Araber das wahre Gesicht Israels zu symbolisieren. Oft sagte sie unverhohlen ihre Meinung, aber diesmal wählte sie ihre Worte sehr sorgfältig und beschränkte sich auf eine strenge Verurteilung der arabischen Regierungen, die die Terroristen nicht im Zaum gehalten hatten.

»Wir haben keine andere Wahl, als zurückzuschlagen.«

Der Anschlag gegen das Büro von Marsden erregte kurze Zeit die Gemüter. David Heinz konnte unerkannt entkommen. Sein Vater schickte ihn sofort außer Landes. Schockiert durch das Geständnis seines Sohnes ließ Heinz ihn nach Israel gehen, ein Entschluß, der ihm dadurch erleichtert wurde, daß Harold Wilson, der in der gleichen Straße wohnte, seinen Sohn Giles in einen Kibbuz geschickt hatte.

Marsden ließ sein Büro wieder in Ordnung bringen und arbeitete weiter für die Araber. Am Dienstag traf er sich am Kings Cross mit Nina Brown, die ihm Roscoes Pistole übergab. Brown wollte Näheres von ihm hören, aber er sagte ihr nichts. Sie fuhr nach Granby zurück in die Einsamkeit, aber die Atmosphäre dort war freundlicher geworden. Mrs. Parson hatte sich augenscheinlich zur Einstellung der Feindseligkeiten durchgerungen. In Roscoes Abwesenheit kamen die beiden Frauen erstaunlich gut miteinander aus. Sie saßen zusammen in der Küche, tranken Ingwerwein, und was Mrs. Parson sagte, kam Brown sehr klug vor.

»Für eine junge alleinstehende Frau ist das Leben nicht leicht. Aber die Männer verlangen zuviel. Wir sitzen immer zwischen zwei Stühlen.«

»Zwischen zwei Stühlen, ja, so geht es mir auch.«

»Aber Sie vermissen ihn doch?«

»Nicht sehr.«

»Wahrscheinlich wären Sie besser dran, wenn Sie allein blieben.«

Während sie sich über ihn unterhielten, saß Roscoe hoch über dem Mittelmeer in einer Linienmaschine, die vor der Landung im Libanon allmählich auf eine niedrigere Flughöhe ging. Er hatte sich für seine Reise eine Geschichte Palästinas als Taschenbuch mitgenommen, aber es lag nur halb gelesen auf seinen Knien, während er aus dem Fenster sah und darüber nachdachte, was ihm hier bevorstand. Draußen war es dunkel. Das Flugzeug befand sich noch in so großer Höhe, daß man den Eindruck hatte, es bewege sich nicht von der Stelle; die Nacht aber war ihm entgegengeeilt. Die Maschine hatte die Alpen, Jugoslawien und Griechenland überflogen und war eben über Zypern. Im Dunkeln blitzten einzelne Lichter auf, und die Berge warfen tiefe Schatten auf die vom Mond beschienene See. Das Flugzeug sollte nach Australien weiterfliegen. Roscoe hatte das Gefühl, alle Verbindungen zu seinem normalen Leben seien abgerissen. Granby war nur noch eine Erinnerung, Beirut ein Name auf der Karte. Die einzige Realität dazwischen war dieses fliegende Hotel im weiten Luftraum, vollgeladen mit geschwätzigen Chinesen und biertrinkenden Australiern.

Sein Nachbar hatte eine Flugkarte nach Beirut. Es war ein junger Fernsehreporter namens Dominic Morley, der den Auftrag hatte, ein Interview mit dem »Schwarzen September« nach Hause zu bringen.

»Ich dachte, die geben keine Interviews«, sagte Roscoe.

»Bisher, mein Guter, bisher.« Morley zog ein Bündel Travellerschecks aus der Tasche, ließ sie durch die Finger gleiten wie Spielkarten und sagte: »Das macht gesprächig.«

Noch vor einer Woche war er in Vietnam gewesen und sollte anschließend in die Vereinigten Staaten fliegen, um über die Präsidentschaftswahlen zu berichten. Obwohl er noch keine dreißig Jahre alt war, hatte er schon graue Strähnen im Haar und den gehetzten Ausdruck eines Mannes, der keine Ruhe finden kann. Er war nur still, wenn er schlief. Sobald er aufgewacht war, zappelte er herum, rauchte, schwatzte und rief nach der Stewardeß.

Roscoe vermutete, er habe sich von Hammami einweisen lassen.

»Zum Teufel, nein! Hammami weiß gar nichts.« Morley lehnte sich zurück und klopfte auf die Aktentasche zwischen seinen Füßen. »Da habe ich eine Namensliste, für die die Israelis viel geben würden. Ich sage Ihnen, mein Guter, wenn mir das gelingt, werden wir das Interview überall in der Welt verkaufen.«

Roscoe nickte zustimmend und nahm das Buch auf. »Macht es Ihnen was aus, wenn ich weiterlese?«

»Lesen Sie nur. Auch ich habe zu tun.«

2. Blut und Wasser

Roscoe hatte ursprünglich kaum etwas über die Geschichte Palästinas gewußt, sich aber seit dem Besuch von Marsden damit beschäftigt, eine Menge zu lesen, und war sich jetzt in großen Zügen über die wichtigsten Abschnitte bis zu der gegenwärtigen unentschiedenen Konfrontation zwischen Arabern und Juden klar. Zuerst hatten die Briten den Juden auf Grund besonderer politischer Erwägungen eine Heimat gegeben. Dann war die Besiedlung Palästinas durch die Juden als Folge der nazistischen Greueltaten zu einer moralischen Verpflichtung geworden, aber nur für den Westen. Verständlicherweise stellten die Araber sich auf den Standpunkt, mit alldem nichts zu tun zu haben. Sie verlangten ihr Land zurück, auch wenn es den Zionisten zum Teil für einen sehr guten Preis verkauft worden war. Aber die Juden hatten zweitausend Jahre darauf gewartet, diesen Fleck Erde zurückzubekommen, und jetzt wollten sie hierbleiben . . .

Ein Freund im Foreign Office hatte Roscoe gesagt: »Auf der einen Seite fließt Blut, auf der anderen Wasser.« Er hielt diese Beurteilung für richtig. Die jüngsten Ereignisse hatte er genauer studiert.

1948 hatten sich die Briten zurückgezogen und es den beiden Parteien überlassen, die Sache miteinander auszufechten. 6000 Israelis waren getötet worden. König Abdullah von Transjordanien hatte den palästinensischen Arabern seine Armee zu Hilfe geschickt, die jedoch nur eine mitten durch das Land führende Linie halten konnte, eine Linie, die später zur politischen Grenze Israels wurde. Was vom arabischen Palästina übrigblieb, war von den Nachbarstaaten annektiert worden. Der im Süden gelegene Gaza-Streifen fiel an Ägypten, der größere Gebietsteil im Westen an Transjordanien, das jetzt die neue Bezeichnung Jordanien erhielt. Den Palästinensern war es nicht recht, von Jordanien geschluckt worden zu sein. Schon sehr bald ermordeten sie Abdullah und hatten seither schon mehrere Attentatsversuche auf seinen Enkel Hussein unternommen. Das umstrittene Gebiet am Westufer des Jordan sollte nach Vorstellung von Saladin der Kern eines neuen unabhängigen Palästinenserstaates werden. Der Plan war noch geheim, mußte aber, und das war Roscoe klar, einen Sturm auslösen. Kein Palästinenserführer hatte es bisher gewagt, sich bescheidenere Ziele zu setzen als die Rückeroberung von ganz Palästina.

Kein arabisches Land hatte bisher Israel anerkannt — Saladin war bereit dazu. Seit 1948 kam es ständig zu Grenzzwischenfällen, die sich zweimal zu einem Krieg ausgeweitet hatten. 1956 waren die Israelis bis an den Suezkanal vorgestoßen. Nur sehr massiver amerikanischer Druck konnte sie zum Rückzug zwingen. Es folgte der zweite Angriff im Jahr 1967, ausgelöst durch die unvorsichtige Militanz der Araber.

Nach sechs Tagen waren die Kampfhandlungen mit einem überwältigenden Sieg der Israelis beendet. Dabei waren die Ägypter aus dem Gaza-Streifen und von der Sinai-Halbinsel vertrieben worden, und die israelischen Truppen besetzten das ganze Gebiet bis zum Suezkanal. Diesmal behielten sie es. Sie vertrieben die Syrer von den Golanhöhen und nahmen Hussein Westjordanien ab. Das wichtigste Ereignis war die Besetzung Jerusalems, der Stadt Davids, die seit 1948 durch die Waffenstillstandslinie geteilt war.

Jetzt, im Jahre 1972, hatte sich die Lage stabilisiert. Die Juden waren im Besitz des gesamten ehemaligen Palästina. Der östliche Teil Jerusalems war vom jüdischen Staat annektiert worden. Die übrigen besetzten Gebiete wurden von der israelischen Armee nach angeblich nur vorläufig geltenden Bestimmungen verwaltet. General Dayan dagegen hatte erklärt, die Besetzung werde unter Umständen fünfzehn Jahre dauern.

Manchmal hatte es ausgesehen, als könnte es zu Verhandlungen kommen, aber diese Verhandlungen waren immer wieder verschoben worden. Die Araber hatten sich praktisch damit einverstanden erklärt, Frieden zu halten, wenn Israel sich auf die Grenzen von 1948 zurückzöge. Aber die Juden verlangten eine strategisch sicherere Grenze, und nichts konnte sie dazu bringen, Jerusalem aufzugeben. Sie verlangten Verhandlungen, bevor sie auf Gebiete verzichteten. Aber taten sie das wirklich? Wollten sie überhaupt verhandeln? Roscoe hatte den Eindruck, daß ihnen nichts daran lag. Zu dieser Ansicht hatte ihn vor allem Marsden gebracht. Wie er die Dinge sah, waren die Israelis mit den gegenwärtigen Grenzen zufrieden, und die Regierung von Golda Meir setzte darauf, daß man mit guten Nerven und überlegenen militärischen Kräften den *Status quo* erhalten könnte.

Wie es sich bei einem solchen Hasardspiel zu verhalten pflegt, sah es auch hier zunächst so aus, als müßten die Israelis gewinnen. Die »dritte Kraft« stellten die Palästinenser dar. Sie hatten eine Kommandotruppe aufgestellt, die Fedajin; aber diese Guerillaarmee war in zahlreiche verschiedene Gruppen aufgespalten und stellte für Israel keine Bedrohung dar. Trotz der sie alle umfassenden PLO war die Widerstandsbewegung zersplittert. Die armen Palästinenser verfügten nicht einmal über eine führende Persönlichkeit, die von allen anerkannt wurde. Darin lag nach Auffassung von Roscoe ihre entscheidende Schwäche.

Alles was ihnen noch fehlte, waren, wie er meinte, ein paar halb betrunkene Engländer. Als das Flugzeug zur Landung ansetzte und auf die Lichter von Beirut zusteuerte, legte er das Buch beiseite. Morley war erschöpft eingeschlafen, aber als die Stewardeß ihn weckte, griff er nach dem Sicherheitsgurt, bereit, sofort aufzustehen.

Gemeinsam stiegen sie aus der Maschine und atmeten die warme Nachtluft ein.

Morley wurde von zwei Libanesen abgeholt und fuhr gleich in einem schnellen Wagen davon. Auch Bassam Owdeh war auf dem Flughafen erschienen, stellte aber zu seinem Kummer fest, daß man ihm gefolgt war. Er reagierte deshalb nicht, als Roscoe an ihm vorüberging und sich ein Taxi nahm, das ihn zum Hotel brachte.

3. Der Student aus Bagdad

Beirut entsprach Roscoes schlimmsten Befürchtungen: eine große Handelsstadt, grell, geräuschvoll und heiß, ein Häusermeer auf Hügeln über der See. Das Hotel lag in der Nachbarschaft von Bars mit Namen wie »Roxy« und »Go-Go«. Die Straße war von grellen Neonreklamen erleuchtet, und unter den roten Laternen an den Hauseingängen standen gelangweilte Mädchen. Vom Zauber arabischer Nächte war nicht viel zu spüren.

Aber am nächsten Morgen sah es schon besser aus. Er zog die Rolläden auf und stellte fest, daß sein Fenster zum Hafen hinausging, eine weite blaue Wasserfläche vor den Vorstädten auf hohen Klippen. Weit draußen sah er die Kräne und Schornsteine der Werften, aber hier schnitten Motorboote weiße Gischtspuren in die Wasseroberfläche, und in größerer Entfernung blähten sich die Segel weißer Jachten in der Brise. Den Strand entlang reihte sich ein Luxushotel ans andere. Am Ende der Straße erkannte er das Saint-George, wo Morley abgestiegen war. Im Gras neben dem Schwimmbecken lagen Mädchen in Bikinis. Die Sonne strahlte vom Himmel, und es war schon sehr heiß. Er stellte fest, daß die Libanesen Frühaufsteher waren, um gegen Mittag mit der Tagesarbeit fertig zu sein. Am Nachmittag kühlte es sich rasch ab, und um 18.00 Uhr wurde es ganz plötzlich Nacht. Er war verschwitzt aufgewacht, und da es hier so üblich zu sein schien, ging er schwimmen. In Beirut kann man ebenso wie in Rio unmittelbar von der Küstenstraße aus ins Wasser springen. Das Meer war sauber, aber nicht so kühl, wie er gehofft hatte. Als er wieder in seinem Zimmer war, duschte er und bestellte das Frühstück.

Er trank seinen Kaffee draußen auf dem Balkon, und während er dort saß, kam ein Mädchen im Morgenmantel auf den Nachbarbalkon heraus. Sie beschattete ihre Augen mit einer Hand, um nicht von der Sonne geblendet zu werden. Roscoe hielt sie für eine Engländerin. Vielleicht war es die blasse Haut, das Haar oder die irgendwie reservierte Haltung. Sie sah zum Hafen hinunter, ohne ihn bemerkt zu haben.

»Hallo«, sagte er.

Claudia erschrak.

»Oh, hallo!« sagte sie errötend und ging in ihr Zimmer zurück.

Claudia war in diesem für ihren Lebensstil recht feudalen Hotel einquartiert worden mit der Weisung, hier auf weitere Befehle zu warten. Sie kämmte sich das Haar und fragte sich, ob ihr Nachbar der Mann sei, mit dem Saladin sie bekannt machen wollte, Stephen Roscoe. Sie beschloß, ihn nach seinem Namen zu fragen, aber als sie hinausschaute, war er schon gegangen. Sie lehnte sich über die Brüstung des Balkons und sah, wie er in einem Taxi davonfuhr.

Roscoe glaubte nicht, daß Saladin sich schon heute mit ihm in Verbindung setzen würde. Um seine Tarnung zu vervollständigen, beschloß er, die anderen Teilorganisationen der Widerstandsbewegung aufzusuchen. Mit einem Brief des Londoner Büros der PLO in der Tasche fuhr er zur Al Fatah, die ihr Hauptquartier in einem

Betonwohnblock auf einer öden roten Klippe über der See außerhalb der Stadt eingerichtet hatte. Das auffallendste Gebäude in diesem Vorort war die Botschaft von Kuwait, die wie ein dem Öl errichtetes Denkmal mit ihren bunten Ziegeln und zahlreichen Kuppeln in der Sonne glänzte und aussah, als sei sie die Kulisse für einen Hollywoodfilm.

Der Taxifahrer bestand darauf, den Wagen in einiger Entfernung zu dem Gebäude der Al Fatah zu parken, und so ging Roscoe das letzte Stück zu Fuß.

Das Haus schien ausgestorben, aber dann bemerkte Roscoe, daß jemand ihn von einem Balkon aus beobachtete. Er ging hinein und stieg in den zweiten Stock hinauf. Eine mit einer Kette gesicherte Tür öffnete sich, ein dunkles arabisches Gesicht blickte heraus und sprach ihn auf arabisch an. Roscoe reichte den Brief der PLO durch den Türspalt und wurde nach wenigen Sekunden eingelassen. Drei junge Araber empfingen ihn. Einer von ihnen trug ein russisches Sturmgewehr vom Typ Kalaschnikow in der Hand. Schweigend tasteten sie ihn ab, dann überprüfte jeder von ihnen den Brief. Roscoe nannte ihnen einen Namen, den die PLO ihm gegeben hatte.

»Ich bin gekommen, um Abu Omar zu besuchen.«

Sie sahen ihn mißtrauisch an und führten ihn durch eine leere Wohnung in ein Büro auf der Rückseite des Gebäudes, wo ein schlanker dunkelhäutiger und sehr gut aussehender junger Mann im frisch gestärkten weißen Hemd an einem grauen Stahlschreibtisch saß. Er überflog den Brief mit halbgeschlossenen Augen, stand auf und reichte Roscoe eine etwas schlaffe Hand. Dabei lächelte er und entblößte seine ebenmäßigen weißen Zähne. Er stellte sich als Walid Iskandar vor und sagte, Abu Omar sei nur ein Losungswort.

»Sie verstehen, Mr. Roscoe, wir müssen vorsichtig sein.« Nachdem er seinem Besucher einen Stuhl angeboten hatte, schaltete er einen Ventilator ein, der Staub durch die Luft wirbelte und die auf dem Schreibtisch von Patronenhülsen festgehaltenen Papiere flattern ließ.

»Darf ich Ihnen eine Tasse Kaffee anbieten?«

»Gern«, sagte Roscoe und zog ein Notizbuch heraus. Er wußte nicht recht, welche Fragen er stellen sollte.

Der junge Mann mit dem Gewehr hatte wieder seinen Posten auf dem Balkon bezogen, obwohl sich in der trostlosen Umgebung des Gebäudes nichts regte. Roscoe sah sein Taxi am Rand der Klippe stehen und dahinter die in der flimmernden Hitze graue See.

»Ja, wir müssen vorsichtig sein«, sagte Walid. »In Beirut gibt es viele Israelis.« Er sprach das Wort mit arabischem Tonfall — Issrah-eeilies — aus. Das klang melodisch und zugleich wie eine Drohung.

»Müßten Sie denn hier mit einem Angriff rechnen?«

»Durchaus.« Walid lächelte wieder, spreizte die Finger und hob die Hände wie jemand, der sich für das schlechte Wetter entschuldigt. »Wir müssen darauf gefaßt sein, daß sie auf uns schießen oder Bomben werfen. Sie sind stark, und wir sind schwach. Wir müssen Geduld haben.«

Blut und Wasser, dachte Roscoe, und bat Walid, ihm die Geschichte der Al Fatah zu erzählen.

Es war, wie er wußte, die älteste und größte palästinensische Widerstandsorganisation. Ihr Chef Yasser Arafat war von den Israelis beschuldigt worden, für die Anschläge des »Schwarzen September« verantwortlich zu sein, aber irgendeine Beziehung zu dieser Organisation konnte ihm, falls sie überhaupt bestand, nicht nachgewiesen werden.

Walid ging nicht darauf ein, sondern begann mit der Feststellung, das arabische Wort »Al Fatah« bedeute »Sieg«.

Das war, wie Roscoe wußte, alles andere als ein passender Name. Nach dem Sechstagekrieg von 1967 hatten die Israelis jeden Widerstand in den besetzten Gebieten gebrochen und derart wirksame Verteidigungsmaßnahmen getroffen, daß die Fedajin, wenn sie ihre Kommandos über die Grenze schickten, achtzig Prozent ihrer Leute verloren.

Walid leugnete das nicht. Mit traurigem Lächeln bestätigte er die Tatsache. »Dieser Mann war dort«, sagte er.

Einer der jungen Leute, die vor der Tür gestanden hatten, kam mit zwei Tassen Kaffee und zwei Gläsern Wasser herein. Er stellte das Tablett auf den Tisch, zog das eine Hosenbein nach oben und zeigte eine Kunststoffprothese.

»Eine Mine«, erklärte Walid.

An der Wand hinter ihm hing ein Foto von König Hussein. Irgend jemand hatte das Lächeln des Königs von Jordanien mit ein paar Strichen verstärkt und Vampirzähne hineingezeichnet, von denen Blut tropfte. »Der Mann ist ein Verräter«, sagte Walid. »Wir werden ihn töten, wie wir Abdullah getötet haben. Die einzigen guten Haschemiten liegen unter der Erde.«

Er sprach diese Drohung mit sanfter Stimme und einem freundlichen Lächeln aus.

Bei der Al Fatah hieß Hussein Zwergenkönig und Schlächter von Amman. Aber Roscoe erinnerte sich an einen schüchternen jungen Mann in Sandhurst mit einer Passion für schnelle Sportwagen. 1970 hatten die Palästinenser unter der Führung von Arafat versucht, ihn vom Thron zu stürzen. Der König hatte den Gegenangriff bis auf den letzten Augenblick verschoben, aber als der Befehl gegeben war, hatte sich seine Beduinenarmee begeistert an die Ausführung ihres Auftrags gemacht, hatte die Flüchtlingslager bei Amman mit Artillerie beschossen und die Fedajin mit Panzern über die Berge getrieben. Jetzt war die Al Fatah nach Syrien und in den Libanon ins Exil gegangen. Die Männer spielten in den Bergen Krieg, und die Schuljungen wurden in den Lagern militärisch ausgebildet.

Roscoe trank den starken süßen Kaffee, bis der schwarze Satz am Boden der Tasse zum Vorschein kam. »Sie sprechen ein gutes Englisch«, sagte er.

Walid starrte aus dem Fenster, als dächte er an ein Leben, wie er es vielleicht hätte führen können. Er habe sein Studium an der

Universität von Bagdad abgebrochen, erklärte er, um sich dem bewaffneten Kampf anzuschließen. »Werden Sie lange im Libanon bleiben, Mr. Roscoe?«

»Vielleicht ein paar Wochen.«

»Dann werden Sie vermutlich noch etwas erleben.« Wieder lächelte er wie ein Filmstar. »Die Libanesen sind wie Hussein. Sie wollen keinen Krieg — aber sie haben keine andere Wahl.«

Für Roscoe wurde es offenbar Zeit zu gehen. Er stand auf, und in der Tür fragte ihn Walid, ob er einen Mann namens Morley kenne.

»Ja, er arbeitet für das britische Fernsehen.«

»Was tut er hier?«

»Er will mit dem ›Schwarzen September‹ sprechen.«

»Das wird ihm nicht gelingen.«

Beim Abschied lächelte Walid nicht mehr. Roscoe sah, daß der junge Mann sich über irgend etwas ärgerte, und erst später kam ihm der Gedanke, der Grund dafür sei vielleicht, daß er nicht deutlicher auf die Kunststoffprothese reagiert oder kein Verständnis für den vampirhaften Hussein gezeigt hatte — oder lag es daran, daß man gewöhnlich nur Leuten Komplimente über ihr gutes Englisch macht, die es nicht ganz beherrschen? Walids gewinnendes Lächeln mochte aus einem dieser Gründe von seinem Gesicht verschwunden sein — oder wegen etwas ganz anderem, Subtilerem, das über das Verständnis eines Engländers ging; denn im Umgang mit Arabern kommt es weniger auf die Worte als auf die Zwischentöne des Gesprochenen an.

In dieser Beziehung sind sie wie Frauen, und Roscoe fehlte das Talent, mit ihnen umzugehen. Er nahm die Menschen, wie sie sich gaben, und er sagte am liebsten offen, was er dachte. Bei Walid spürte er, daß er irgendwo eine unsichtbare Grenze überschritten hatte, aber er hatte keine Ahnung, womit. Beim Fortgehen überlegte er, was aus dem Studenten der Universität Bagdad einmal werden könnte, und kam zu dem Schluß, der junge Mann eigne sich wahrscheinlich am besten in einem der Luxushotels am Strand von Beirut. Hätte man ihm an jenem Morgen gesagt, was Walid Iskandar für Saladin tun würde, er hätte vermutlich kein Wort geglaubt.

4. Im Taxi

Das Taxi wartete noch auf der Klippe.

Als Roscoe auf das Auto zuging, fuhr ein zweiter Wagen an ihm vorbei. Der Wagen holperte durch die mit kupferfarbenem Staub gefüllten Schlaglöcher und umkreiste einmal langsam das Al-Fatah-Gebäude. Ohne anzuhalten, kam er zurück und fuhr in schnellem Tempo in Richtung Beirut davon.

Roscoe blickte dem Wagen verwundert nach. Dann weckte er seinen Fahrer und befahl ihm, dem anderen Fahrzeug zu folgen. Auf dem Rücksitz hatte er den aufdringlichen Amerikaner wiedererkannt, der ihn in London vor Marsdens Büro angesprochen hatte.

Die neuerliche Begegnung bestätigte Roscoes Verdacht. Der Mann im Wagen vor ihm konnte nicht länger als einen Tag in Beirut sein. Und schon war er hier herausgefahren — und das wohl kaum wegen der schönen Aussicht. Sein Interesse hatte eindeutig dem Hauptquartier der Al Fatah gegolten, und es war anzunehmen, daß auch seine Anwesenheit an der Stätte des Londoner Attentats nicht auf einem Zufall beruhte. Roscoe wurde vom Jagdfieber gepackt.

»Los, los, Yussef, treten Sie drauf! Folgen Sie ihm.«

»Schon gut, nur keine Aufregung.«

»Nicht zu nah heranfahren . . . ! So, das genügt.«

Roscoes Fahrer war für eine Verfolgungsjagd nicht gerade der geeignetste Mann. Er hieß Yussef Trabulsi und war ein wohlbeleibter Libanese mit einer besonderen Vorliebe für Gold; goldene Uhr, goldener Federhalter, goldener Ring und goldene Zähne. Sein eigentliches Geschäft war seine motorisierte Wechselstube. Er hatte Dollars, Pfund, D-Mark und Francs in der Brieftasche und wußte alle Wechselkurse auswendig. Als Roscoe ihn antrieb, legte er einen Rosenkranz, den er in der Hand gehalten hatte, neben sich auf den Sitz und protestierte energischer. »Die Fedajin sind ein lausiges Pack. Ich fahre Sie gern zum Schwimmen, zum Fischen, ins Kasino, in die Zedernwälder oder wo Sie sonst hinwollen. Möchten Sie ein hübsches Mädchen?«

»Nein, danke.«

»Wie viele Frauen haben Sie?«

»Keine Frauen.«

»Was ist los, sind Sie schwul?«

»Nein, Yussef, ich bin Geheimagent. Wenn Sie dem Wagen folgen, zahle ich den doppelten Fahrpreis.«

»In Pfund Sterling?«

»Wie Sie wollen.«

»Das Pfund ist krank.« Yussef wedelte mit seiner fleischigen Hand hin und her. »Haben Sie Dollars?«

Sie fuhren die breite, in die Stadtmitte von Beirut führende Küstenstraße entlang. Ein steifer Wind wehte von den Hügeln über der Stadt herunter, wirbelte weißen Staub durch die Luft, der aus einer unsichtbaren Wüste jenseits der Berge zu kommen schien und Papierfetzen, Zweige und trockenes Laub über die rote Erde auf den Strand zutrieb. Sogar der Chevrolet wurde von den Windböen erfaßt und geschüttelt. Yussef mußte das Lenkrad fester fassen, um den Wagen in der Spur zu halten. Aus dem Wasser erhoben sich, wie überdimensionale Plastiken von Henry Moore, gewaltige, vom Sand und von den Wellen glattgeschliffene Felsen, die fast ebenso hoch waren wie die Steilküste. Gessners Wagen fuhr etwa siebzig Meter vor ihnen.

»Etwas näher ran«, sagte Roscoe.

»Wollen Sie vielleicht den Basar oder die Moschee besichtigen? Ich mache es billig.«

»Folgen Sie nur immer dem Wagen.«

Das Gelände war jetzt beiderseits der Straße bebaut. Die Wohnblocks aus Beton standen hier enger zusammen als weiter draußen, und sie waren noch höher. Yussef bog von der Küstenstraße ab in den Strom der Linientaxis hinein. Das waren meist verbeulte alte Mercedes-Diesel, die auf bestimmten Routen durch die Stadt fuhren wie auf einem Schrottwagenrennen.

»Corniche Mazraa«, verkündete Yussef, »sehr schön, sehr teuer — wie Regent's Park.«

Sie fuhren an der sowjetischen Botschaft und am Hauptquartier der PLO vorbei, wendeten dann nach links, und der Wagen vor ihnen hielt an. Gessner stieg aus und verschwand in einer Nebenstraße.

»Halten Sie hier an«, sagte Roscoe, »und berichten Sie mir, wohin sie fahren. Im Hotel sehen wir uns wieder.«

Yussef nahm den Rosenkranz in die Hand und fuhr ab.

Roscoe folgte Gessner in einen ärmeren Bezirk, wo die Gebäude älter waren. Einige von ihnen wurden abgerissen und durch neue, höhere ersetzt, die, aus billigem Material gebaut, hinter windigen Holzgerüsten in die Höhe strebten. Die Autohupen veranstalteten ein mißtönendes Dauerkonzert, das vom Rattern der Preßlufthämmer übertönt wurde.

Roscoe sah, wie Gessner in einer Bar verschwand. Als er hineinkam, saß Gessner schon an einem Tisch und trank einen Milkshake. In einer Hand hielt er den zerknitterten Strohhalm, während er sich das Getränk aus dem Glas in die Kehle goß. Roscoe setzte sich zu ihm, und Gessner hob verwundert den Kopf, ohne sich die rosa Eiscreme von den Lippen zu wischen. Roscoe half seinem Gedächtnis auf. »Vorgestern in London; wir haben uns vor dem AAI gesehen.«

Gessner schnalzte mit den Fingern. »Natürlich, nach dem Bombenanschlag. Ich erinnere mich. Was für ein Zufall!«

»Die Welt ist klein.«

»Da haben Sie recht, Buddy. Sagen Sie, wie geht es Ihrem Freund?«

»Gut«, sagte Roscoe, »nur ein kleiner Kratzer.«

»Glück gehabt, was?«

»Ja.«

»Was war passiert?«

»Eine Paketbombe — aber man hat sie rechtzeitig gewarnt; ich nehme an, Sie haben davon in der Zeitung gelesen.«

Gessner starrte Roscoe an. »Das ist aber nett. Die Juden sind vielleicht doch nicht ganz so schlimm.« Dann grinste er breit und streckte Roscoe die Hand hin. »Sammy Gessner.«

»Stephen Roscoe.«

»Es freut mich, Sie kennenzulernen, Stephen.«

Sie waren die einzigen Gäste in der Bar. Gessner trank seinen Milkshake aus und verlangte eine Serviette. Er hatte den Hut abgesetzt und die schwarze Lederjacke ausgezogen, schwitzte aber trotzdem; ein starker, untersetzter Mann, den man nicht übersah. Unterarme und Brust waren schwarz behaart, aber auf dem Kopf hatte sich das Haar schon sehr gelichtet. Als Roscoe hereingekommen war, hatte er in Gessners Hosentasche den Griff eines Revolvers bemerkt.

Sie begannen ein vorsichtiges Gespräch. Roscoe erzählte, er sei in Beirut, um eine Reportage über den »Schwarzen September« zu machen.

»Was halten Sie von diesen Leuten, Stephen? Was schreiben Sie über solche Menschen?«

Roscoe wiederholte, was Hussein gesagt hatte: »Es sind Tiere!«

»Tiere! Ich freue mich, daß Sie das sagen.«

»Und weshalb sind Sie hier?«

Gessner schwieg einen Augenblick, dann lächelte er vielsagend. »Beirut ist eine hübsche Stadt, und es gibt hier einen ausgezeichneten Milkshake.«

Roscoe erwiderte das Lächeln, um zu zeigen, daß er ihn verstanden hatte.

Der Kellner brachte Servietten. Gessner wischte sich den Mund ab und wies mit dem Kopf auf das gegenüberliegende Gebäude. »Wissen Sie, was das ist?«

Es war ein Wohnblock, und auf den meisten Betonbalkons hingen Wäscheleinen. Im zweiten Stock stand an der Brüstung eines dieser Balkone eine Gruppe junger Araber in schwarzen Hemden oder Pullovern. Sie rauchten und unterhielten sich. »Nein«, sagte er. »Was ist das?«

»Die PFLP.«

»Ach so — die Marxisten.«

»Die drucken hier ihre Zeitschrift.«

»Ich hatte eigentlich die Absicht, mit diesen Leuten zu sprechen. Vielleicht sollte ich es jetzt tun — eine gute Gelegenheit.«

»Dann könnten Sie mir einen Gefallen tun.« Gessner zog ein Foto aus der Brieftasche. »Sehen Sie sich das an.« Es war eine Serie von Kontaktabzügen, die den gleichen Kopf von vorn und von der Seite zeigten. Sie sahen aus wie Polizeifotos.

»Wer ist das?«

Gessner wickelte einen Kaugummi aus und steckte ihn in den Mund. »Jemand, den ich gern treffen möchte.«

»Der Name?«

»Zeiti — mit Z. Er studiert in Berlin.«

»Und Sie glauben, daß er hier ist?«

»Möglich . . .«

»Wo treffen wir uns wieder?«

»Ich warte hier.«

»Ich meine, später — wenn ich ihn antreffe.«

Gessner kaute rasch und schob den Kaugummi im Mund hin und her. Es war für ihn wie ein Ventil, mit dem er Dampf ablassen konnte. Dabei blieb er ganz still sitzen. »Ich werde in der Nähe sein«, sagte er.

Roscoe stand auf, tat, als zögere er einen Augenblick, und gab ihm die Fotos zurück. »Wir Schreiberlinge dürfen uns da nicht einmischen, verstehen Sie?«

»In Ordnung. Das hatte ich ganz vergessen.«

»Jedenfalls werde ich hingehen und mich umsehen.«

»Tun Sie das.« Gessner hob die Hand und ballte sie zur Faust, wie es die Kommunisten tun. Dabei lächelte er sarkastisch. »Nehmen Sie sich in acht, Schreiberling.«

Roscoe ging über die Straße auf das Gebäude der PFLP zu. Er ließ sich Zeit, spürte aber doch ein leichtes Prickeln in der Wirbelsäule — wie ein Torero, der dem Stier den Rücken zugewendet hat.

5. Auf der anderen Seite der Straße

PFLP bedeutet *Popular Front for the Liberation of Palestine* — Volksfront für die Befreiung Palästinas. Es handelte sich um eine linksgerichtete Splittergruppe der Widerstandsbewegung, die das Ziel verfolgte, die arabische Welt auf dem Wege einer marxistischen Revolution zu einigen. Aber schon die Gruppe selbst war durch innere Streitigkeiten gespalten. Ihre Bedeutung war eigentlich nur noch eine historische. Die PFLP hatte als erste Organisation Terroranschläge im Ausland verübt, als ihre Guerillas 1970 drei Flugzeuge entführten, in Jordanien zur Landung zwangen und damit Hussein veranlaßten, Vergeltungsmaßnahmen zu ergreifen.

Aber Roscoe stellte fest, daß es hier lebendiger zuging als im Büro der Al Fatah. Die Leute diskutierten miteinander, es wurde auf Schreibmaschinen geschrieben und telefoniert, und in einem

Hinterzimmer hörte man eine Druckpresse laufen. Überall an den Wänden hing ein schwarzumrandetes Plakat mit dem Foto eines schnurrbärtigen, gepflegt aussehenden Mannes. Man sagte ihm, daß es Ghassan Kanafani sei, ein Intellektueller, der bei der PFLP eine führende Rolle gespielt hatte und im Juli ums Leben gekommen war, als sein Wagen von einer am Auspuff angebrachten Sprengladung zerrissen wurde. Seine Genossen wollten Kanafani nicht vergessen. Um die Trauer lebendig zu halten, hielten sie sich sein Gesicht vor Augen. Die meisten von ihnen trugen Schnurrbärte wie er, und Roscoe stellte fest, daß sie alle schwarz gekleidet waren. Schwarz und Rot sind die Farben der Revolution, dachte er; Tod und Zorn, Blut und Haß — oder deutete die Beschränkung auf nur zwei Farben die Grenzen an, die der revolutionären Presse gesetzt sind?

Während er auf ein Interview wartete, beobachtete Roscoe einen jungen Mann, der Briefumschläge frankierte und dem diese Beschäftigung offenbar tiefe Befriedigung zu bereiten schien. Nicht zum erstenmal dachte Roscoe, wie schön es sein mußte, sich ganz einer Sache zu verschreiben, keine Fragen mehr stellen zu müssen und mit seinen Freunden ins Paradies marschieren zu können. Doch was konnte einen Engländer noch begeistern? England — das war Fußball, Fernsehen, Leute, die in irgendwelchen Vororten ihre Autos wuschen. Der persönliche Einsatz, das war Blut auf einem Bürgersteig in Nordirland und die Frage, ob man den richtigen Mann getötet hatte.

Die Zeit verging, und die wie Mönche wirkenden, schwarzgekleideten und offenbar stark beschäftigten Männer gingen ein und aus, ohne ihn zu beachten.

Endlich fragte eine Stimme: »Mr. Roscoe?«

»Ja.«

»Kommen Sie bitte mit.«

Roscoe folgte dem jungen Mann, der die Briefe frankiert hatte, zeigte ihm seinen Presseausweis und wurde zu einem Mann namens Adnan Khadduri geführt. Khadduri war klein, trug eine

Stahlbrille und saß hinter einem großen Schreibtisch. Offenbar hatte gerade eine Besprechung stattgefunden, und als die Genossen das Zimmer verließen, erhob Adnan die Faust zum revolutionären Gruß. Die selbstbewußte Geste wirkte lächerlich — ein Intellektueller, der den Mann der Tat spielte.

Neben ihm saß Zeiti, ein ganz anderer Typ: dunkel, gut aussehend, hochgewachsen und sehr schlank. Er hatte sich bequem in seinem Stuhl zurückgelehnt. Das lange schwarze Haar, das jetzt länger war als auf Gessners Foto, trug er wie Che Guevara.

Roscoe stellte sich vor, Adnan neigte den Kopf und erklärte sich mit dem Interview einverstanden. Kaffee wurde bei der Volksfront nicht angeboten.

Die Wände waren mit Plakaten bepflastert. Auf dem einen sah man junge Burschen, die über ein Stacheldrahthindernis sprangen. Ein zweites trug die Inschrift LA JEUNESSE ACCUSE L'IMPERIA-LISME. Über der Tür hing das Foto einer Verkehrsmaschine, die auf einem Flugplatz in der Wüste explodierte — der Augenblick des Triumphs —, und in einer Ecke lehnte das von Einschüssen durchlöcherte Wappenschild einer amerikanischen Botschaft.

Adnan sprach ein gutes Englisch, aber er redete langsam und sehr konzentriert, wie jemand, der einen Schlaganfall erlitten hat. »Unsere Einigkeit ist stärker, als es den Anschein hat«, sagte er und meinte damit die verschiedenen Gruppen, aus denen sich die Widerstandsbewegung zusammensetzte. »Wir unterscheiden uns nur in unseren Methoden, das ist alles.« Als Roscoe ihn fragte, welches die Ziele seiner Organisation seien, antwortete er in einem Ton, der wie ein Gebet klang: »Ein vereinigtes Palästina; ein nicht religiös gebundener, demokratischer, sozialistischer Staat, in dem Araber und Juden als gleichberechtigte Bürger leben.«

Zu dem gleichen Ziel bekannte sich auch die Al Fatah, ließ dabei jedoch den Sozialismus aus. Für Roscoe klang das zu gut, um ehrlich zu sein. »Aber dieser Staat wird von Arabern beherrscht werden, weil sie in der Überzahl sind. Was Sie sagen, bedeutet in Wirklichkeit die Vernichtung Israels.«

»Nicht ganz, Mr. Roscoe. Was verschwinden muß, das ist der zionistische Staat. Die Juden dürfen bleiben.«

»Auch die aus Europa eingewanderten?«

»Ihnen werden wir es freistellen, zu gehen oder mit uns zusammenzuarbeiten.«

»Vielleicht werden sie dann nicht mehr am Leben sein . . .«

»Natürlich wird es vorher zu einem Krieg kommen, aber diesmal zu einem Volkskrieg, und danach werden wir nichts mehr von diesem ganzen rassistischen Unsinn hören.«

»Und was wird aus dem Land werden, das die Israelis besetzt haben?«

»Das Land wird dem Staat gehören«, sagte Adnan und erinnerte Roscoe dabei an Moses, der seinem Volk auf dem Berg Sinai das politische Eldorado prophezeit hatte. »Sie behandeln das als eine Rassenfrage, Mr. Roscoe, aber für uns gibt es so etwas nicht. Der Staat Israel ist eine imperialistische Aggression gegen unser Gebiet — von den Briten begonnen und von den Vereinigten Staaten fortgesetzt.«

Zeiti steckte sich eine lange Filterzigarette an und lehnte sich lächelnd zurück. Es war das Lächeln des Zynikers, der sich die idealistischen Theorien eines Freundes anhört. Er war nicht schwarz gekleidet, sondern trug einen unauffälligen, gutsitzenden und für einen Marxisten viel zu teuren Anzug.

Adnan blickte vor sich auf den Schreibtisch und schlug jedesmal, wenn er in seiner langsamen und gründlichen Art einen Gedanken ausgeführt hatte, mit der Faust auf die Tischplatte. »Es ist der amerikanische Kapitalismus, den wir besiegen müssen. Vielleicht wird es noch viele Jahre dauern, aber der Erfolg ist uns sicher, denn die gerechte Sache ist unbesiegbar.«

»Und wie viele Jahre werden es nach Ihrer Ansicht sein?«

»Zwanzig, vielleicht sogar fünfzig.« Adnan blickte auf und hob abwehrend die Hände. Der furchtsame kleine Mann stützte sich allein auf sein Dogma. »Ist das zu lange, wenn man es aus der historischen Perspektive betrachtet? Denken Sie daran, Mr. Roscoe, die Kreuzfahrer sind fast hundert Jahre in Palästina gewesen und die Juden nur fünfundzwanzig Jahre.« Zeiti unterbrach ihn: »Fünf!« sagte er.

Überrascht blickten sie zu ihm hinüber. Fünf Jahre — ja, das war richtig. Ganz Palästina war erst 1967 von den Israelis besetzt worden.

»Entschuldigen Sie«, sagte Roscoe, »heißen Sie nicht Zeiti?«

Einen kurzen Augenblick blieb Zeiti regungslos sitzen. Dann nahm er einen tiefen Zug aus der Zigarette und blies den Rauch durch die Nase aus. »Englischen Journalisten nenne ich meinen Namen nicht.«

»Ich habe nur gefragt, weil auf der anderen Straßenseite ein Mann auf Sie wartet, der Sie töten will.«

Die Stille wurde nur durch das Klappern der Druckpresse unterbrochen. Irgendwo läutete ein Telefon. Zeiti nahm einen letzten Zug und drückte die Zigarette aus. War das ein englischer Witz?

Adnan sah Roscoe an und senkte den Blick wieder auf die Schreibtischplatte. Nein, es war kein Witz.

Roscoe führte sie beide an das Fenster. »Er sitzt in der Bar dort drüben. Sein Name ist Gessner. Er hat Ihr Foto bei sich und ist bewaffnet. Er glaubt, ich sei auf seiner Seite.«

»Vielleicht sind Sie es auch«, sagte Zeiti.

Das Ironische an dieser Szene amüsierte Roscoe. Gehorsam hielt er die Arme zur Seite, um sich abtasten zu lassen. Damit, daß er Zeiti gewarnt hatte, war er zum erstenmal offen auf die Seite der Araber getreten. »Ich weiß, Sie müssen sehr vorsichtig sein. Ich schlage Ihnen deshalb vor, daß Sie hierbleiben und mich beobachten. Ich werde hinuntergehen, mit ihm reden und dann verschwinden.«

Zeiti fuhr sich mit allen zehn Fingern nervös durch die glänzenden rabenschwarzen Haare. Auch seine Augen waren schwarz, glänzend und wachsam. Er sagte: »Sie werden ihm verraten, wo ich bin.«

»Vielleicht. Sie können das nicht wissen. Aber was kann er schon tun? Er kann hier nicht hereinkommen und Sie erschießen, und er kann nicht ewig warten. Aber Sie können sich tarnen oder das Haus durch die Hintertür verlassen. Stimmt's?«

»Es stimmt.«

»Oder — wenn Sie Lust dazu haben — können Sie hinuntergehen und ihn fertigmachen.«

Zeiti blickte Roscoe scharf an. Er und sein Gegenüber waren Männer der gleichen Art. Auf seinem Gesicht leuchtete plötzlich ein verschwörerisches Lächeln auf. »Ich sehe, Sie tun das nicht zum erstenmal.«

»Sie irren; ich bin ein blutiger Anfänger.«

»Jedenfalls vielen Dank.«

Roscoe reichte ihm die Hand, verabschiedete sich und ging hinüber in die Bar. Sie war leer. Deshalb trat er wieder auf die Straße hinaus, blickte zum Büro der PFLP hinauf und spreizte die Finger, um anzudeuten, daß der Vogel ausgeflogen sei. Zeiti und Adnan standen auf dem Balkon. Sie winkten hinunter und gingen wieder hinein.

Einen Augenblick blieb Roscoe stehen und sah sich nach beiden Seiten um. Es war sehr heiß. Die Arbeiter auf dem Baugerüst hatten sich Lumpen vor die Gesichter gebunden, aber der Wind hatte nachgelassen. Roscoe verspürte Durst, ging in die Bar zurück und stellte sich an die Theke. Doch dann merkte er, daß er einen Fehler gemacht hatte. Es war dumm gewesen, den PFLP-Leuten ein Zeichen zu geben, denn Gessner war noch da. Die Augen des Mannes hinter der Bar hatten es ihm verraten. Ohne den Kopf zu drehen, richtete er sie ängstlich nach rechts auf eine mit Plastikstreifen verhängte Türöffnung.

»Geben Sie mir ein Bier.«

Der Mann an der Bar goß es ein. Die Plastikstreifen bewegten sich nicht. Roscoe war sprungbereit und hatte alle Muskeln in der Gewalt, aber nach außen ließ er sich nichts anmerken. Er spielte den lässigen Engländer, der sich müde an den Tresen lehnt.

Ohne zum Vorhang hinüberzusehen, trank er sein Bier, denn er wußte, daß Gessner nicht schießen würde. Sein von einem Adrenalinstoß aufgefrischtes Gehirn war jetzt wieder völlig wach. Es kam allein darauf an, bereit zu sein, ohne es zu zeigen. Gessner rührte sich immer noch nicht.

Vielleicht wartete er auf Zeiti — oder er hatte das Zeichen gar nicht gesehen. Aber als Gessner dann mit bleichen, zusammengekniffenen Lippen und geballten Fäusten durch den Vorhang kam, wußte Roscoe, daß dem Mann nichts entgangen war.

»Hallo! Ich dachte, Sie wären nicht mehr hier.«

Gessner sagte nichts. Er war wütend und zu selbstsicher, um seinen Zorn zu verbergen. Er ging schweigend weiter.

Roscoe ließ sich immer noch nichts anmerken, nahm aber den Ellbogen von der Bar und wandte sich Gessner zu. Im ersten Augenblick glaubte er, Gessner werde ihn mit dem Knie stoßen, aber dann war es doch die Faust.

Sein Gegner kam direkt auf ihn zu und wollte ihn zwischen den Beinen treffen, aber irgendwie ging der Schlag daneben, und die Faust landete krachend an der Bar. Er war sichtlich überrascht und konnte nur noch sehen, wie sich der Barmann duckte. Dann spürte Gessner einen schweren Schlag gegen den Kopf unmittelbar hinter dem Ohr. Zwar blieb er bei Bewußtsein, war aber nicht mehr fähig, sich zu bewegen. Jetzt wurden ihm die Beine unter dem Körper weggezogen, und er fiel mit dem Gesicht auf den gefliesten Boden. Der Engländer nahm ihm die Pistole ab. Gessner versuchte, sich zur Seite zu wälzen, aber die Gliedmaßen gehorchten ihm nicht mehr. Dann landete der Pistolengriff an seinem Kopf.

Roscoe steckte die *Smith and Wesson* in die Tasche. Zwei kleine Kinder standen in der offenen Tür. Sonst hatte niemand etwas gesehen. Der Barmann hob vorsichtig den Kopf über den Rand des Bartisches. »Bleiben Sie stehen«, sagte Roscoe, »und gießen Sie mir noch ein Bier ein.«

Der Mann starrte zu Gessner hinüber.

Roscoe lächelte ihm ermunternd zu. »Ein Bier — eins für Sie, eins für mich, okay?«

Der Barmann nickte und langte mit zitternden Händen nach den Gläsern.

Roscoe schleifte Gessner hinter den Plastikvorhang und durchsuchte seine Taschen. Er fand ein Päckchen Präservative, eine Schachtel King-Edward-Zigarren und einen Stadtplan von Beirut. Die Karte steckte er sich ein. Aus dem Paß war zu ersehen, daß Gessner sein richtiger Name war. Als Beruf war »Privatagent« angegeben. In dem Paß fand Roscoe ein für die Dauer von drei Wochen gültiges, am Dienstagmorgen auf dem Flughafen von Beirut ausgestelltes Touristenvisum für den Libanon. In der Brieftasche lagen die Fotos von Zeiti und ein Schnappschuß von zwei freundlich grinsenden kleinen Jungen, die in einem amerikanischen Fußballdreß auf einer Wiese posierten. Außerdem enthielt die Brieftasche einen Packen Geldscheine, eine Kreditkarte, einen amerikanischen Führerschein und mehrere Besuchskarten einer Firma in Paris. Roscoe nahm nur den Führerschein und eine Besuchskarte an sich. Was ihn am meisten interessierte, konnte er nicht finden: eine Adresse in Beirut oder einen Hinweis darauf, was Gessner in der Stadt suchte oder mit wem er Kontakt hatte. Doch jetzt war es Zeit, zu gehen. Das Bier war eingegossen. Roscoe trank schnell sein Glas aus, bezahlte und verließ das Lokal.

6. Im Saint-George

Der Arbeitstag war vorüber. Die Büroangestellten begannen die Straßen zu füllen. Roscoe war hungrig geworden und nahm ein Taxi zum Hotel, wo Yussef auf sein Geld wartete. Er behauptete, den anderen Wagen im Verkehr verloren zu haben.

»Macht nichts«, sagte Roscoe. »Schönen Dank.«

»Was bedeutet das? Sie sagten, das Doppelte!«

»Aber Sie haben ihn verloren.«

»Ich bin ihm gefolgt. Die verdammten Juden hätten mich umbringen können. Ich habe Sie zu den Fedajin gefahren. Sie müssen das Doppelte bezahlen.«

»Na schön.« Roscoe reichte ihm das Geld.

»Brauchen Sie heute abend ein Taxi? Kasino, schöne Mädchen?«

»Das werden wir noch sehen.«

Roscoe ging ins Hotel, wo ein Mann namens Giscard eine Nachricht für ihn hinterlassen hatte. Er lud ihn zum Lunch ins Saint-George ein. Roscoe machte sich sofort auf den Weg.

Der Landwind hatte sich gelegt, Himmel und See waren wieder blau. Rennboote jeden Typs hatten an den hölzernen Landungsstegen unmittelbar neben der Straße festgemacht. Roscoe trat auf einen leeren Steg hinaus und ließ Gessners Pistole ins Wasser fallen.

Das Saint-George war ein elegantes, altmodisches Hotel. Die Halle war holzgetäfelt, mit sauber geputzten Messingleuchtern und Lederklubsesseln ausgestattet, und die Klimaanlage erzeugte eine Temperatur, wie man sie im Winter in einem Londoner Klub antrifft. Uniformierte Pagen standen gelangweilt in dem lautlosen Luxus des weiten Raumes herum, und einer von ihnen führte Roscoe auf eine Terrasse, von der aus man die Bucht überblickte. Hier saßen reiche Libanesen, französische Geschäftsleute, Diplomaten, Auslandskorrespondenten, amerikanische Ölbosse und ein unbedeutender britischer Popstar unter einem Sonnendach beim Lunch. Wie immer befanden sich die hübschesten Mädchen in Begleitung alter, sonnengebräunter Männer. Auch Dominic Morley war da und beschäftigte sich mit einer Flasche Champagner.

Roscoe war dieser Anblick peinlich. Er hatte etwas von einem Puritaner, zweifellos das Erbe seiner Vorfahren aus Yorkshire. Als er dem Pagen durch die Gänge zwischen den rosa gedeckten Tischen und vorbei am Klappern der Bestecke folgte, dachte er an Adnan Khadduri und seinen Kampf für die Verbrüderung der Menschheit. Adnan hätte Saladin als Abenteurer bezeichnet.

An einem Ecktisch saßen Claudia und Giscard. Als Roscoe über die Terrasse auf sie zukam, überlegte sie sich, ob er ihr gefallen würde. Sie erwartete das nicht. Sie interessierte sich nicht für Offiziere, und der hochgewachsene Mann mit dem sauber gescheitelten strohblonden Haar war genau dieser Typ — altmodisch und lächerlich britisch. Sein Anzug spottete jeder Beschreibung — der typische Offizier in Zivil: das lose karierte Hemd, khakifarbene Kordhosen und Schnürstiefel. Ebenso wie ihr Vater konnte er sich wahrscheinlich nicht von seinen alten Sachen trennen. Sein gerötetes Gesicht zeigte, daß er sich noch nicht akklimatisiert hatte.

»Da ist er«, sagte sie.

Giscard sprang auf. »Ach, Mr. Roscoe. Darf ich mich vorstellen? Giscard. Und das ist Miss Lees. Ich höre, Sie sind sich schon begegnet.«

»Ja, das sind wir.«

»Bitte nehmen Sie doch Platz. Was wollen Sie essen?«

»Ach, irgendeinen Fisch — und grünen Salat, wenn's geht.«

»Hummer?«

»Nein, etwas mit Flossen; was man hier so fängt.«

Giscard suchte ein Fischgericht aus. Der Kellner fragte Roscoe, ob er im Hotel wohne.

»Nein, das tue ich nicht«, sagte Roscoe abweisend.

Claudia war enttäuscht. Mein Gott, dachte sie, ist der grob.

Roscoe sah, wie sich ihr Ausdruck veränderte, und nahm sich vor, freundlicher zu sein. Dieses Mädchen legt Wert auf gutes Benehmen, dachte er — recht hübsch, eine etwas nonnenhafte Schönheit . . .

Das gegenseitige Abtasten ging während des Essens weiter. Als Roscoe seinen männlichen Charme spielen ließ, kam Claudia zu dem Schluß, daß er gar nicht so übel war — und auch nicht dumm.

Er hatte sich offenbar recht gut über die Verhältnisse im Nahen Osten informiert. Auch Roscoe fand Gefallen an Claudia. Sie war sauber und kühl, trug ein adrettes Baumwollkleid und machte jetzt eher den Eindruck einer Krankenschwester als einer Nonne. Sie kniff die Augen zusammen, als brauche sie eine Brille, und dachte nach, bevor sie etwas sagte. Ihre Bemerkungen waren intelligent und ausgewogen — sie war ganz anders als die arme kleine Brown. Wahrscheinlich hatte das Mädchen studiert.

Er kannte Claudia schon jetzt besser als Giscard, der sie nicht so gut verstehen konnte, und es erstaunte ihn, daß sie sich Saladin angeschlossen hatte — wenn es wirklich so war. Da er es nicht genau wußte, vermied er dieses Thema und berichtete von seinem Gespräch mit Adnan.

»Ach ja«, sagte Giscard ohne Geringschätzung, aber auch ohne Begeisterung, »das arabische Erwachen. Sie alle reden davon, sogar die Al Fatah.«

Dieser kleine, stachelige, lederhäutige Franzose mit den müden Augen war Roscoe vom ersten Augenblick an sympathisch gewesen. »Und Sie glauben nicht, daß sich ihre Vorstellungen verwirklichen werden?« sagte er.

Giscard stocherte in seinen Zähnen herum. »Die Palästinenser sind noch nie bereit gewesen, das Richtige zu tun, bevor es zu spät war. Sie sind immer einen Schritt zurückgeblieben. Nun, da sie nicht mehr siegen können, wollen sie den Krieg. Aber sie haben ihre Chance schon 1967 verspielt.«

»Adnan spricht von Revolution.«

»Nun ja, es muß unbedingt ein Heiliger Krieg sein. Marx ist der Prophet.«

Dann erinnerte Giscard Roscoe an ein Ereignis, das er vergessen hatte. Es war die Volksfrontbewegung gewesen, die im Mai drei Japaner zum Flughafen von Lod geschickt hatte, ein Selbstmordkommando, das siebenundzwanzig Menschen im Warteraum niedergeschossen hatte, bevor die Sicherungskräfte eingreifen konnten.

»Nicht sehr schön, wie?«

Roscoe schüttelte den Kopf und wußte nicht recht, was er sagen sollte. Giscard warf den Zahnstocher weg und zündete sich eine gelbe Zigarette an.

»Wir haben etwas zu besprechen, aber ich möchte Ihnen noch eine Frage stellen, Mr. Roscoe. Wie lange werden es diese Menschen ohne Land aushalten? Ich meine, wie lange werden sie als Volk überleben?«

»Keine Ahnung.«

»Ich glaube, nicht mehr sehr lange. Sehen Sie, die Juden haben es gelernt, durch die Kraft einer Idee weiterzubestehen. Was hat sie zusammengehalten? Die Idee ihrer eigenen Bedeutung. Das war alles. Aber das Volk der Palästinenser ist nicht so stark und, wenn Sie wollen, nicht so verrückt.« Giscard beugte sich vor und ließ die Zigarette beim Sprechen zwischen den Lippen hängen. »Die Organisation, der wir angehören« — der Kreis, den er mit der Hand beschrieb, schloß Claudia ein —, »hat den Mut, dieser Realität ins Auge zu sehen. Wir haben ein praktikables Programm, mit dem wir einen Teil des Landes zurückgewinnen können, und wenn wir Erfolg haben, werden die Palästinenser einen Platz auf der Landkarte finden. Verstehen Sie? Eine Regierung, eine Hauptstadt, einen Sitz bei den Vereinten Nationen . . .«

Giscard wurde von einem unbestimmten Geräusch unterbrochen, von einem dumpfen Schlag, der die ganze Stadt erschütterte und noch einmal zu spüren war, als sein Echo von den die Bucht umgebenden Bergen widerhallte. Es mußte ganz in der Nähe gewesen sein. Claudia glaubte, es sei ein Flugzeug gewesen, das die Schallmauer durchbrochen hatte. Roscoe wußte als Fachmann, daß es eine Explosion war.

Der Kellner brachte den Kaffee und die Rechnung. Giscard bezahlte und setzte sich auf, um mit seiner Belehrung fortzufahren. Seine Augen fesselten Roscoe, und trotz der Resignation, die sich in ihnen auszudrücken schien, funkelte darin eine gewisse Hartnäckigkeit. Es waren die Augen eines Mannes, der behauptet, die

Erde sei eine flache Scheibe, und an dieser Theorie festhält, obwohl die Menschen ihm nicht mehr zuhören wollen. Roscoe hatte diesen Blick bei Marsden gesehen und würde ihn auch bei Saladin feststellen, bei Männern, die weiter für ein Land kämpften, das es nicht mehr gab.

Claudia goß den Kaffee ein. Der Wein hatte ihre Wangen gerötet. Irgendwo in der Stadt heulte eine Sirene, das aufdringliche Horn eines Krankenwagens oder Polizeiautos.

Giscard zündete sich noch eine Zigarette an und sah sich auf der Terrasse um, die inzwischen fast ganz leer geworden war. »Mr. Roscoe, sind Sie auf unserer Seite?«

»Soweit ja.«

Claudia sah Roscoe an, aber die herausfordernde Frage hatte seinen Ausdruck nicht verändert. Seine Augen blickten sie an, ohne zu zwinkern.

Giscard beugte sich zu Roscoe hinüber und sagte mit leiser Stimme: »Morgen abend müssen Sie uns helfen.«

»Morgen abend?«

»Wir werden einen Mann nach Israel einschleusen. Wir müssen ihn nur über die Grenze schaffen — dann kommen wir nach Beirut zurück.«

Roscoe schwieg einen Augenblick. Dann sagte er, er müsse mehr wissen, bevor er sich beteiligen könne.

»Aber selbstverständlich. Was wollen Sie wissen?«

»Alles, was ich wissen muß. Was haben Sie vor; wann, wo und wie? — Ich habe diese Bedingung ganz klar vorher gestellt.«

»Gut, stellen Sie Ihre Fragen.«

»Ich möchte Ihnen nicht zu nahe treten, aber ich würde die Antwort lieber von Saladin selbst hören.«

»Ah«, das hatte der Franzose nicht erwartet. »Das ist eine neue Bedingung.«

»Das stimmt.«

»Sie bestehen darauf, ihn selbst zu sprechen?«

»Ja.«

Giscard nickte. »Ich werde sehen, was ich tun kann«, sagte er, setzte sich zurück und zog nachdenklich an seiner Zigarette.

Roscoe blickte zur Seite. Die ganze Zeit hatte ihn schon ein Mann am Nachbartisch irritiert, ein geschniegelter Levantiner im beigefarbenen Anzug, der allein zu Mittag aß und die Beiruter Zeitung *Daily Star* las. Er hatte für seine Mahlzeit ebenso lange gebraucht wie sie, und die zusammengefaltete Zeitung hatte während der letzten halben Stunde an einer Wasserkaraffe gelehnt, ohne daß er sie angerührt hätte; ein langsamer Leser — und ein langsamer Esser. Als Giscard aufstand und hinausging, verließ er das Restaurant.

Alleingelassen, gingen Roscoe und Claudia zu einer Mole, die unterhalb der Hotelterrasse in die Bucht hinausführte. Claudia setzte sich in den Schatten eines Schirms, und Roscoe borgte sich im Hotel eine Badehose und sprang ins Wasser. Mit kräftigen Kraulzügen schwamm er hinaus, ging dann in die Brustlage, wendete und legte sich auf den Rücken, bis ihm die Kühle des Wassers durch den ganzen Körper drang. Als er herauskletterte, reichte Claudia ihm ein Handtuch.

»Sagen Sie, was halten Sie von ihm?«

»Giscard? Er gefällt mir ganz gut.« Roscoe rieb sich energisch und methodisch ab. Er begann mit dem Oberkörper und endete unten bei den Zehen. »Haben Sie Saladin kennengelernt?«

Claudia war diese Frage offenbar peinlich. »O ja, er hat auf mich starken Eindruck gemacht.« Sie wechselte das Thema und fragte Roscoe, was er von den Plänen der Organisation halte.

»Politisch klingt alles sehr vernünftig.«

»Ja, aber wird es sich durchführen lassen? Es gibt soviel Haß — Sie haben keine Ahnung, wie schlimm das ist.«

»Vielleicht ist es den Versuch wert. Wir haben sicher eine bessere Chance als Adnan.«

»Ach ja, der arme Adnan.«

Roscoe rollte das nasse Handtuch zusammen, legte es sich unter den Kopf und streckte sich auf einer Luftmatratze zu Claudias

Füßen aus. »Man braucht Leute wie Adnan wirklich nicht zu bedauern. Diese Melodie geht ihnen nicht mehr aus dem Kopf, und solange sie sie hören, sind sie glücklich.«

»Und wie steht es mit Ihnen? Hören Sie keine Musik?«

»Es tut mir leid; nicht einen Ton.«

Claudia lächelte und lehnte sich auf dem Liegestuhl zurück. »Wenn man es sich genau überlegt, dann ist Idealismus eigentlich Männersache. Finden Sie nicht?«

»Meinen Sie?«

»Ich glaube schon. Frauen können sich nicht so leicht über Tatsachen hinwegsetzen.«

»Das ist ihr Pech«, sagte Roscoe.

Claudia stieß ihn mit dem nackten Fuß leicht in die Rippen. »Ich meine nur — sie verfolgen vielleicht auch ein Ideal, wissen aber viel besser als die Männer, weshalb sie es tun.«

Roscoe konnte nichts dazu sagen, denn die Frauenseele war für ihn ein ungelöstes Rätsel.

Claudia betrachtete den neben ihr liegenden Mann mit den langen, knochigen Gliedern, der zwar nicht besonders attraktiv aussah, dessen Muskeln sich aber auch noch nicht unter einer Fettschicht verbargen. Gesicht und Hände waren von der Feldarbeit gebräunt, aber die Haut an seinem Körper war weiß. Die Intimität der Situation versetzte sie in eine seltsame Erregung. Zwei einander völlig fremde Menschen hatten sich hier zu einem haarsträubenden Unternehmen zusammengefunden. Claudia freute sich, daß Roscoe sich doch nicht als so grob und unhöflich erwies, wie es zunächst den Anschein gehabt hatte.

Auch Roscoe war von Claudia beeindruckt. Saladin mußte ein guter Psychologe sein.

Es war kurz vor 16 Uhr. Über der Stadt lag eine braune Rauchwolke, die allmählich über die Bucht zog und sich auflöste. Giscard war nicht wiedergekommen. Nachdem er zwanzig Minuten auf der Luftmatratze gelegen hatte, stand Roscoe auf und zog sich an. »Ich werde mich etwas umsehen.«

»Sollten wir nicht lieber hier warten?«

»Ich bleibe in der Nähe.«

Claudia packte ihre Sachen zusammen. »Dann gehe ich ins Hotel zurück. Der Wein hat mir den Rest gegeben.«

In der Halle begegneten sie Dominic Morley. Sein Gesicht war von der Hitze gerötet, und man merkte ihm seine Enttäuschung deutlich an. Offenbar war es ihm nicht gelungen, die Verbindung zum »Schwarzen September« herzustellen. Roscoe fragte ihn, welche Schwierigkeiten er habe.

»Die verdammten Araber! Wenn mir das in Saigon passiert wäre, dann hätte ich es schon aufgegeben.«

Claudia sah ihn verwundert an. Um die Flüchtlinge zu beeindrucken, trug er einen schmutzigweißen Leinenanzug und ein rosa Halstuch aus Chiffon. Erregt erzählte er ihnen, was er an diesem Tage erlebt hatte. Man hatte ihm die Tür vor der Nase zugeschlagen, seine Anfragen unbeantwortet gelassen und Verabredungen nicht eingehalten. Er fragte, ob sie die Explosion gehört hätten, und sagte, ein Universitätsprofessor namens Owdeh sei dabei getötet worden; ein Mann aus dem Lager der Gemäßigten, den er habe interviewen wollen. »Ich habe wirklich nur Pech!«

Roscoe horchte auf. »Bassam Owdeh?«

»Ja. Kennen Sie ihn?«

»Ich hatte gehofft, ihn kennenzulernen.«

»Daraus wird nichts mehr. Heute nachmittag ist sein Wagen hier in der Stadt explodiert. Der arme Kerl wurde dabei in tausend Stücke gerissen.«

7. Nekrolog

Claudia berührte die Angelegenheit kaum, denn sie kannte Bassam nicht. Aber Roscoe wurde hellhörig. Seine Sinne schärften sich, und er nahm seine Umgebung deutlicher wahr als zuvor. Er kannte dieses Gefühl und genoß es. Er war wieder in seinem Element und entschlossen, den Auftrag zu übernehmen, denn das Risiko reizte ihn.

Er überlegte, welche Folgen der Anschlag auf ihren Plan haben konnte, denn Marsden hatte gesagt, Bassam sei die Schlüsselfigur.

Claudia blieb im Hotel zurück, während sich Roscoe auf den Weg machte, um festzustellen, was geschehen war. Die Trümmer des gesprengten Wagens standen auf der Rue Omar Ben Abed el Aziz vor dem Eingang des AUB. Feuerwehrautos und Polizeifahrzeuge — eine ähnliche Szene wie vor dem Büro von Marsden, aber die Menge war größer, und die Menschen waren aufgeregter. Sie kamen ihm vor wie eine Herde von Tieren, die sich durch ein Raubtier oder einen Waldbrand bedroht fühlen. Er sah eine Gruppe europäischer Journalisten und ließ sich von ihnen den Hergang schildern.

Bassam Owdeh hatte in einem durch einen kleinen Palmengarten von der Straße getrennten Wohnblock der Universität gewohnt. Er selbst hatte kein Auto besessen, sondern sich gewöhnlich von seiner Freundin Leila fahren lassen. Aber er hatte ihren Morris oft aus der Tiefgarage geholt und vor das Gartentor gestellt. Heute um 15.20 Uhr war die Sprengladung detoniert, als er am Steuer saß. Die durch die Explosion beschädigten Wohnungen waren schon geräumt, aber bis auf einen kleinen Zimmerbrand und ein paar weggerissene Wasserleitungsrohre war der Schaden unerheblich. Man hatte die Leiche schon fortgebracht, und jetzt warteten die Journalisten auf Leila Riad.

Der Mann, der Roscoe den Hergang schilderte, war der griechisch-amerikanische Korrespondent Nick Cassavetes. Als Leila aus dem Hause kam, überschüttete Cassavetes sie mit Fragen. Aber sie wollte nicht antworten. Sie schüttelte nur den Kopf und suchte Schutz hinter den Polizeibeamten, die sie in ihre Mitte genommen hatten.

Nachdem sie abgefahren war, wurde die Geschichte von Bassam Owdehs Tod weitergegeben, ausgeschmückt und in ihre Einzelheiten zerpflückt. Die Journalisten, die am längsten gewartet hatten, interessierten sich am meisten für die technischen Details. Wie war die Sprengung ausgelöst worden? Durch die Zündung des Wagens oder durch eine Zeitbombe? Die Polizei hatte angeblich einen Wecker in den Trümmern gefunden. Cassavetes wollte es ganz genau wissen, aber Roscoe hatte genug gesehen. Er wandte sich zum Gehen, bemerkte aber dann den Mann, der ihm schon beim Mittagessen aufgefallen war, den langsamen Zeitungsleser und Esser. Er stand am Straßenrand. Roscoe zog Cassavetes am Ärmel. »Sagen Sie mir, wer ist das?«

»Wer?«

»Der Lange da drüben.«

»Der im hellen Anzug?«

»Ja, der.«

Cassavetes schüttelte den Kopf. »Keine Ahnung. Ich kenne ihn nicht. Übrigens, haben Sie das mit dem Wecker gehört?«

»Ja. Interessant, nicht wahr?«

»Ja, wirklich.«

»Okay. Vielleicht sehen wir uns später noch.«

Roscoe ließ Cassavetes stehen, drängte sich durch die Menge und ging zum Saint-George zurück. Der Mann im hellen Anzug folgte ihm und beschleunigte seine Schritte. Roscoe wartete, bis er dicht hinter ihm war, drehte sich um und blieb stehen, bereit, ihn mit den Füßen zu treten, zu schlagen oder zwischen die am Straßenrand geparkten Autos zu springen. Aber der Mann lächelte und streckte ihm die Hand entgegen.

»Guten Tag, Mr. Roscoe.«

»Guten Tag. Wer sind Sie?«

»Ich heiße Anis Kubayin. Aber Sie kennen mich nur unter dem Namen Saladin.«

8. Stabsbesprechung

Roscoe hätte nicht sagen können, was er erwartet hatte. Vielleicht einen älteren, weißhaarigen, würdigen Herrn, aber bestimmt nicht diesen Dandy im beigefarbenen Mohairanzug. War das wirklich die Persönlichkeit, von der Marsden so ehrfürchtig gesprochen hatte?

Saladin — Roscoe nannte ihn nur so — war schon über fünfzig, aber sein Haar war nicht grau, sondern tiefschwarz, ölig und im Stil von Valentino eng an den Kopf angebürstet. Bei näherer Betrachtung sah man ihm sein Alter an und erkannte, daß er nicht ganz gesund war. Seine gelbliche Gesichtshaut zog sich straff über die Backenknochen. Hals und Wangen waren eingefallen. Das machte sein Äußeres noch unglaubwürdiger. Er sah aus wie ein alternder Gigolo, der zuviel gefastet hat, um schlank zu bleiben.

Nachdem er sich vorgestellt hatte, nahm er eine türkische Zigarette aus einem goldenen Etui und steckte sie umständlich in eine Spitze. Claudia, die auf die Hände der Männer achtete, die ihr begegneten, behauptete später, Saladin habe schöne Hände. Aber Roscoe starrte auf seine breite Seidenkrawatte, die im Wind flatterte und an der er das Etikett von Saks in New York bemerkte.

Aber auch Saladin sah sein Gegenüber mit freundlichem, reserviertem Lächeln prüfend an. »Willkommen in Beirut«, sagte er, um sich sofort für sein seltsames Betragen im Hotel zu entschuldigen. »Verstehen Sie bitte; wir müssen vorsichtig sein.«

»Selbstverständlich«, sagte Roscoe, der sich bisher noch nicht hatte beeindrucken lassen. Dann richtete er Marsdens Empfehlungen aus, die Saladin mit leichtem Kopfnicken entgegennahm, als habe er nichts anderes erwartet.

»Wie geht es Jimmy?«

»Eine kleine Platzwunde am Kopf, die genäht werden mußte. Sonst geht es ihm gut.«

»Ja, ich habe davon gehört. Ekelhaft.«

Damit kam das Gespräch auf Gessner. Roscoe berichtete über sein Abenteuer vom Vormittag, und Saladin schien sich lebhaft dafür zu interessieren. Er blätterte die Papiere aus Gessners Brieftasche durch. »Und er wollte Zeiti auflauern?«

»Ja.«

»Zeiti ist einer von unseren Leuten. Wußten Sie das?«

»Nein, das wußte ich nicht.«

Saladin dachte einen Augenblick nach, sagte dann aber nichts mehr zu diesem Thema.

Vor dem Saint-George stand Saladins Wagen; derselbe weiße Mercedes mit den getönten Scheiben, den Claudia am Kloster gesehen hatte. In dem Wagen saßen drei Männer. Der erste war Giscard, die anderen stellte Saladin vor: »Das ist Bernard Refo, ein guter amerikanischer Freund.«

Öl oder CIA? dachte Roscoe, stellte aber keine Fragen, sondern reichte ihm die Hand.

Der dritte war unverkennbar semitischer Abstammung. Er lächelte milde hinter den dicken Brillengläsern. »Und das ist Arnold Cohen, der demnächst in unserem Auftrag nach Israel gehen wird«, sagte Saladin und lächelte ebenfalls. Alle lächelten. »Wenn man bedenkt, daß er eben noch das Opfer eines so scheußlichen Anschlags gewesen ist, dann geht es ihm eigentlich recht gut — finden Sie nicht auch?«

Roscoe begriff sofort. Auch er lächelte, als er dem dritten Mann die Hand schüttelte. »Mr. Owdeh — wie ich annehme?«

Die Männer brachen in schallendes Gelächter aus. Sie fuhren in ausgelassener Stimmung durch die Stadt auf die in den Bergen gelegenen Vororte zu. Roscoe mußte jetzt einen fachmännisch gefälschten britischen Paß begutachten. Er war mit Bassams Foto versehen und auf den Handelsreisenden Arnold Cohen aus London ausgestellt. In dem Paß war ein israelisches Einwanderungsvisum eingeheftet, datiert auf Donnerstag, den 14. September. Das war morgen.

Saladin sagte, dies sei die sicherste Art und Weise, jemanden verschwinden zu lassen, ohne daß weitere Fragen gestellt würden. Die mit den richtigen Kleidern und Papieren versehene, bei einem Sprengstoffattentat verstümmelte Leiche eines Unbekannten wurde von Freunden identifiziert. Damit war der Professor für Orientalistik Bassam Owdeh gestorben, ermordet von Zionisten in Beirut. Zwei Tage später kam der britische Jude Arnold Cohen von London nach Israel, eine ganz klare Sache.

Das Manöver gefiel Roscoe. Eine in ihrer Sprengkraft genau berechnete Explosion, eine verkohlte Leiche, keine Verletzten — das war die Arbeit eines Fachmanns, wahrscheinlich des Amerikaners. Weshalb hatte man dann auch noch ihn — Roscoe — angeworben? Ein Fachmann war genug. Vermutlich durfte sich Refo in Israel nicht sehen lassen. Aber diese Vermutung hat sich nie bestätigt.

Auf der Fahrt besprachen sie kurz, wie und wo die Grenze überschritten werden sollte. Giscard erläuterte die Situation anhand einer Karte. Dann faltete Bassam eine zweite Karte auseinander. Es war die mit der Hand gezeichnete Skizze des Grenzabschnitts, an dem er über den Zaun gehen wollte. Die Gründlichkeit dieser Leute imponierte Roscoe.

Am Spätnachmittag saßen die fünf Männer auf der Terrasse einer Villa in den Bergen oberhalb von Beirut. Es war ein kleines, luxuriös eingerichtetes Wohnhaus, das Saladin nach seiner Rückkehr aus den Vereinigten Staaten gemietet hatte. Im Garten patrouillierte der Zigeuner, den Claudia vor dem Kloster getroffen hatte, mit einem alten .303-Gewehr. Von hier überblickte man die Bucht und die Stadt, deren Geräusche gedämpft heraufklangen.

Nur hin und wieder hörte man das Hupkonzert der Taxis. Mit Einbruch der Dämmerung flammten die ersten Lichter auf. Saladin sagte, der Zigeuner werde mit zur Grenze gehen — »ein brauchbarer Bursche«. Mit einem Seitenblick gab er Roscoe zu verstehen, daß Bassam nicht zu wissen brauche, was sie beide wußten: »Auch ein gewisser Zeiti wird dort sein. Er ist auf Probe bei uns. Behalten Sie ihn also im Auge.«

Roscoe nickte.

»Nun, meine Herren, soviel über die Grenze. Mr. Roscoe hat darum gebeten, ganz ins Vertrauen gezogen zu werden, und ich glaube, wir müssen dieser Bitte entsprechen.«

Giscard, Bassam und Refo nickten zustimmend.

»Wenn er unsere Vorschläge angehört hat, steht es ihm frei, unser Angebot abzulehnen und nach England zurückzukehren. In diesem Fall muß ich mich auf seine absolute Diskretion verlassen.«

Die anderen hatten nichts einzuwenden.

»Nun, Stephen, was wissen Sie schon?«

Roscoe wiederholte kurz, was Marsden und Giscard ihm von den politischen Zielen Saladins erzählt hatten.

Saladin zündete sich eine Zigarette an und hörte zu. Wenn er einen Zug nahm, leuchtete die Glut im Dämmerlicht auf. »Ja«, sagte er, »das ist es in großen Zügen. Wir wollen einige Grenzberichtigungen vornehmen. Dabei soll es auch in Zukunft einen zionistischen Staat geben, eine zwar bedauerliche, aber wohl unabwendbare Tatsache.«

Die Unverfrorenheit dieser Äußerung erschütterte Roscoe einigermaßen, reizte ihn jedoch weder zum Lachen noch zum Widerspruch, denn er befand sich bereits unter dem unerklärlich starken Einfluß der Persönlichkeit Saladins. Trotz seines lächerlichen Anzuges hatte dieser Mann eine überzeugende Art. Er erläuterte seine politischen Pläne und erklärte dann, weshalb die von Bassam zu übernehmende Aufgabe so wichtig sei. Er sollte in Israel und in den besetzten arabischen Gebieten Anhänger werben, und dieser Werbefeldzug sollte Anfang November seinen Höhepunkt erreichen. »Je langsamer wir uns organisieren, desto leichter können wir scheitern, und zwar entweder durch Verrat oder durch Gegenmaßnahmen der Zionisten. Wir müssen uns beeilen, und wir müssen durch dramatische Aktionen die Aufmerksamkeit der Öffentlichkeit erregen. Das werden Sie, Stephen, vielleicht nur schwer verstehen. Aber Ihr Landsmann Lawrence hat einmal gesagt, man könne die Araber durchaus für eine Idee begeistern. Nun, das stimmt. Aber glauben Sie mir, man muß es stilvoll machen. Ich habe keine Chance, wenn mir nicht eine Heldentat gelingt. Und dazu brauche ich Sie.«

»Eine Heldentat?« wiederholte Roscoe kühl, ohne gesehen zu haben, ob Saladin bei diesem Wort gelächelt hatte oder nicht.

»Eine Heldentat«, lautete die ebenso kühle Antwort. »Wollen wir hineingehen?«

9. Das Objekt

Die Besprechung ging im Hause weiter.

Refo wußte hier augenscheinlich Bescheid. Er fragte, was jeder trinken wollte, und holte die Flaschen aus einer kleinen Bar. Er war etwa vierzig Jahre alt, einsilbig und verschlossen — so zugeknöpft wie sein bis zum Hals geschlossenes Hemd. Roscoe wußte immer noch nicht recht, was er von ihm halten sollte. Wahrscheinlich war er ein Agent des CIA. Das gefiel ihm nicht. Refo würde sich wahrscheinlich als nützlich erweisen, solange alles gutging, würde aber sicher sofort verschwinden, wenn die geringsten Schwierigkeiten auftraten, um nach Jahren als amerikanischer Vizekonsul in Manila oder Monrovia aufzutauchen — nur möglichst weit weg.

Bassam war Roscoe ein Rätsel — ein freundlicher, schüchterner

Mensch, der sich ständig an den Möbeln stieß. Manchmal verfolgte Bassam das Gespräch aufmerksam und mit eifrigem Kopfnicken, aber dann starrte er plötzlich gedankenverloren vor sich hin und schien gar nicht zu bemerken, wie unbequem er dasaß.

Saladin entrollte zwei Karten und legte sie auf den Tisch. Die erste war eine Karte von Israel und seinen Nachbarstaaten, die zweite ein Stadtplan von Jerusalem. Dann bat er seine Gäste um Aufmerksamkeit.

»Wir kommen jetzt zu besagter Heldentat, meine Herren. Ich will hier noch einmal genau sagen, worum es geht.« Wieder öffnete er das flache goldene Etui, nahm eine Zigarette heraus und sprach erst weiter, als er sie in die kurze Bernsteinspitze gesteckt hatte. »Zunächst müssen die kompromißbereiten Kräfte ihre Stärke beweisen, und zwar so eindrucksvoll, daß es Golda Meir vom Stuhl reißt. Wir müssen Schlagzeilen machen und die Welt in Atem halten. Deshalb muß das Unternehmen in Israel stattfinden. Doch um die gewünschte politische Wirkung zu erzielen, muß es eine sorgfältig ausgewogene Aktion sein. Sie muß drastisch genug sein, um die Leute in den Flüchtlingslagern auf meine Seite zu bringen, aber nicht so drastisch, daß die Juden es ablehnen, mit uns zu verhandeln. Was würden Sie vorschlagen?«

Die Frage überraschte Roscoe. »Was wir auch tun werden, ich glaube, nichts wird ihr besonderes Wohlgefallen finden.«

Saladin hob den Finger und widersprach. »Nicht unbedingt. Ein kühnes Unternehmen, das keine blutigen Opfer kostet, wird in gewissen israelischen Kreisen vielleicht sogar Beifall finden. Diese Leute könnten sagen, das ist ein Araber, mit dem wir reden können; ein Mann, der für sein Volk spricht, aber keine Kinder abschlachtet.«

»Und keine Sportler.«

»Auch keine Sportler.«

»Ich nehme an, ich soll irgend etwas sprengen.«

»Fahren Sie fort.«

»Ein militärisches Gebäude?«

»Zu scharf bewacht.«

»Also ein öffentliches Gebäude.«

»Wollen wir sehen, was sich da anbietet.« Saladin beugte sich über den Stadtplan. Sein schwarzes Haar glänzte im Lampenlicht, und er duftete nach einem teuren Parfüm. »Dies ist die Stadtmitte von Jerusalem«, sagte er. »Der westliche Teil ist seit 1948 in jüdischem Besitz. Hier liegt die Knesset, daneben der Amtssitz von Frau Meir. Dort haben wir das Innenministerium, hier das Außenministerium, dahinter das Ministerium für Sozialfürsorge und da drüben den Sitz des Bürgermeisters.« Er macht eine Pause, als überlegte er, welches dieser Gebäude sich am besten für einen Sprengstoffanschlag eignete. Dann legte er die Hand auf die Ostseite. »Dieser Teil gehörte zu Jordanien, aber seit 1967 hat man die Zahl der jüdischen Bewohner erheblich vermehrt. Die Juden haben ›Tatsachen geschaffen‹, wie sie es nennen. Hier und hier haben sie Wohnsiedlungen gebaut.« — Die Bernsteinspitze fuhr auf der Karte hin und her. Die Zigarette brannte immer noch nicht. — »Ebenso hier, und das alles auf arabischem Gebiet.«

»Wir wollten doch jedes Blutvergießen vermeiden«, sagte Roscoe.

Saladin sah sich nach ihm um. »Nehmen wir an, das Gebäude steht leer; ein auf arabischem Gebiet errichtetes Regierungsgebäude, das noch nicht bezogen ist. Wie wäre das?«

»Besser.«

»Wie wäre es also damit, mein vorsichtiger englischer Freund?« fragte Saladin, nahm einen goldenen Kugelschreiber und zog in einem als felsig bezeichneten Gebiet einen kleinen Kreis. »Auf dem Stadtplan ist es noch nicht eingezeichnet. Aber hier steht ein israelischer Neubau; acht Stockwerke hoch, das Häßlichste, was ich je gesehen habe. Zeigen Sie die Fotos, Bernard.«

Refo nahm einen Umschlag aus seiner Aktentasche und reichte ein paar Fotos herüber. Sie zeigten einen von verschiedenen Seiten aufgenommenen quaderförmigen Betonbau mit kleinen rechteckigen Fensterlöchern.

Niemand sagte etwas, während Roscoe sich die zwölf Aufnahmen ansah und dabei überlegte, wieviel Sprengstoff er dafür brauchen würde. »Es sieht aus wie ein Gefängnis«, sagte er und blickte überrascht auf, als die anderen lachten.

Saladin sagte, die Presse habe dieses architektonische Monstrum »Alcatraz« genannt, und die Öffentlichkeit habe diesen Namen übernommen. »Sogar in Israel hat es Proteste gegeben.«

»Und was soll da rein?«

»Die Israelis haben versucht, das zu verschleiern«, antwortete Saladin. Zuerst sei behauptet worden, das Gebäude gehöre zur Universität, und die Baukosten seien in der Knesset über das Budget des Erziehungsministeriums verbucht worden. Beim Bau habe sich jedoch herausgestellt, daß es ein Bürohaus war, und jetzt sei der Verwendungszweck unbekannt. »Unbekannt ist er natürlich nur der Öffentlichkeit.«

Roscoe lächelte. »Aber Sie kennen ihn.«

»Allerdings. Haben Sie schon etwas vom Shin Beth gehört?«

»Das ist der israelische Geheimdienst.«

»Richtig. Er entspricht Ihrer Abteilung MI5.« Saladin tippte auf den Kreis, den er in den Stadtplan eingezeichnet hatte. »Das ist das neue Hauptquartier des Shin Beth. Offiziell wird es als Fernmeldezentrale der Post bezeichnet werden, aber nach unseren Informationen sollen in den obersten fünf Stockwerken der Shin Beth und die Sonderabteilung untergebracht werden, außerdem bestimmte Kommandostellen der Armee.«

Roscoe nahm die Fotos in die Hand. »Das also ist unser Operationsziel.«

»Das ist es — und ich will es nicht nur beschädigen, es muß dem Erdboden gleichgemacht werden.«

Saladins Augen blitzten, und Giscard schlug mit der flachen Hand auf den Tisch. Auch ihn hatte die Begeisterung erfaßt, und er sagte leise — unwillkürlich in seine Muttersprache zurückfallend: »plat!«

Roscoe betrachtete den Kreis auf der Karte und die in der Nähe gelegenen Straßen und Gebäude. »Das wird einen ziemlich lauten Knall geben.«

»Je lauter, desto besser«, sagte Saladin. »Wie Sie sehen, liegt das Gebäude recht frei. Es wird also kaum etwas anderes in Mitleidenschaft gezogen. Wir haben die Baupläne hier. Wenn Sie die Aufgabe übernehmen wollen, möchte ich sie Ihnen zeigen, damit Sie wissen, was für Material Sie brauchen.«

»Kann ich sie jetzt schon sehen?«

»Selbstverständlich.«

Refo legte die Pläne auf den Tisch, Saladin nickte ihm zu, und er erläuterte im einzelnen Plan und Zweck des Bauwerks. Es war die Absicht der Israelis, die drei unteren Stockwerke der Post zu überlassen. Der übrige Teil des Gebäudes werde im Lauf der Zeit vom Geheimdienst übernommen. Es seien zwei Aufzüge vorgesehen; einer für die Bediensteten der Post, der nur in die von ihnen benutzten Stockwerke führte; der andere für die Leute des Geheimdienstes. Dieser zweite Aufzug würde an den unteren Etagen vorbeifahren und vom Keller direkt in den oberen Teil des Gebäudes hinaufgehen. In eine im Keller untergebrachte Tiefgarage führte eine Rampe. Auf der einen Seite des Dachs befände sich ein Landeplatz für Hubschrauber, auf der anderen ein kleines, mit allen technischen Mitteln ausgestattetes, schalldichtes Vernehmungszentrum.

Roscoe wandte sich wieder an Saladin. »Ich nehme an, tagsüber wird dort gearbeitet.«

»Ja. Die Arbeiter sind Araber.«

»Wir müßten es also in der Nacht tun.«

»Ja.«

»Ist die Baustelle bewacht?«

Refo zeigte auf den Plan. »Zwei Posten; einer hier am Eingang, der andere im Keller.«

»Wie oft werden sie abgelöst?«

»Alle vier Stunden.«

Roscoe schwieg einen Augenblick. Dann sah er Saladin an und

lächelte unmerklich.»In diesem Fall werden wir sie vorzeitig ablösen müssen.«

Saladin strahlte.

»Ich verstehe Sie nicht ganz«, sagte Refo.

Roscoe drehte sich nach ihm um. »Würden Sie im Dunkeln einen Araber von einem Juden unterscheiden können?«

»Ich glaube nicht.«

»Und nehmen wir an, der Araber trägt israelische Uniform — und er begrüßt Sie auf hebräisch...«

Refo begriff.

Saladin blickte auf und sah, daß die anderen einverstanden waren. Dann nahm er einen Notizblock und fragte:»Wieviel Mann brauchen Sie?«

»Vier oder fünf«, sagte Roscoe.»Das sollte genügen.«

»Müssen sie militärisch ausgebildet sein?«

»Nein, die Ausbildung übernehme ich. Und dazu brauche ich eine gewisse Zeit.«

»Müssen sie Englisch sprechen?«

»Nur einer.«

Saladin notierte etwas.»Diese Ausbildung — dazu brauchen Sie einen Ort, wo Sie nicht gestört werden.«

»Das ist richtig.«

»Und dazu die notwendige Ausrüstung.«

»Ja.«

Saladin wandte sich an Refo.»Das heißt zwei Versorgungslinien nach Beirut und Aqaba.«

»Kein Problem«, sagte Refo.

Roscoe fragte:»Weshalb nach Aqaba?«

Saladin ging zur zweiten Karte hinüber. Ja, sagte er, es müsse Aqaba sein, weil man größere Mengen von Material am besten über die Grenze schaffen könne, wenn man sie südlich von Eilat dort überschritt, wo nur ein schmaler Wasserarm Jordanien von Israel trennt. Hier werde der Grenzabschnitt nicht allzu scharf bewacht. Von der Landungsstelle konnten die Saboteure ein Versteck erreichen, um dort zu warten und in der folgenden Nacht auf der Straße nach Jerusalem weiterzugehen. Dann würden sie die Grenze nach Jordanien zum zweitenmal überschreiten. Dieses Unternehmen dürfte nicht länger als zwei Tage dauern. Es gebe zwar noch eine ganze Reihe von Details zu besprechen, aber dies sei die Grundidee. Er fragte Roscoe, was er davon halte.

Roscoe bat erst einmal um einen Drink.

Saladin setzte sich. Er sah müde aus. Jetzt zündete er sich endlich die Zigarette an.

»Wenn uns das gelingt«, sagte er, »dann wird es das größte Unternehmen sein, das einem palästinensischen Kommando je gelungen ist. Aber Stephen«, und dabei nahm er Roscoe beim Arm und sah ihn durchdringend an, »was noch wichtiger ist: die Weltöffentlichkeit wird auf unserer Seite sein. Vergessen Sie nicht, die Annexion von Jerusalem durch Israel ist von den Vereinten Nationen einstimmig verurteilt worden . . .«

Roscoe nickte etwas ungeduldig. Er brauchte nicht überzeugt zu werden. Und als Refo ihm das Glas brachte, wandte er sich der praktischen Durchführung des Unternehmens zu. Er ging auf alle Details ein, verlangte bestimmte Änderungen und erklärte sich nach einer Stunde bereit, die Aufgabe zu übernehmen.

10. Magnolien

Nach der Besprechung fuhr er mit Giscard in die Stadt zurück. Die anderen blieben in der Villa. Roscoe hatte sich mit Claudia zum Essen verabredet, kam aber eine Stunde zu spät. Das machte ihm allerdings nicht viel aus, denn sie hatte sich beim Lunch an dem kleinen Täuschungsmanöver mit Saladin beteiligt. Jetzt mußte auch er sie hinters Licht führen. Saladin hatte verlangt, man solle sie zwar von dem Grenzübertritt Bassams in Kenntnis setzen, ihr aber nichts von dem geplanten Sprengstoffanschlag sagen. Roscoe wollte jetzt mit Giscard zu Abend essen, aber als sie ins Hotel kamen, saß Claudia mit einem Buch in der Bar und wartete auf ihn. Bei seiner Entschuldigung lächelte sie freundlich und sagte, es sei schon gut. Sie meinte es sogar ehrlich, und das rührte ihn. Brown hätte einen Wutanfall bekommen.

Als die Drinks auf dem Tisch standen, erzählte Giscard, daß Bassam von den Toten auferstanden sei und als Arnold Cohen nach Israel gehen werde. Er sagte, sie könne bis nach Tyros mitfahren, und verabschiedete sich dann.

Es war eine sternklare, warme Nacht. Der Vollmond stand strahlend über der Stadt. Nachdem Roscoe sich gewaschen und umgezogen hatte, holte er Claudia zu einem Spaziergang an die Bucht ab.

Sie fragte, wie Saladin ihm gefallen habe.

»Sie hatten recht; ich bin von ihm beeindruckt.«

»Die Sache beim Lunch tut mir leid. Es war eigentlich recht albern.«

»Nun, sie müssen vorsichtig sein.«

»Ja, das glaube ich auch.«

Roscoe fragte, was sie am Nachmittag unternommen habe.

»Ich habe geschlafen. Sie glauben also, man solle die Sache ernst nehmen?«

»Ja natürlich. Warum nicht?«

»Ich weiß nicht. Mir ist es irgendwie fremd und unerklärlich. Da werden Autos gesprengt, in denen Leichen sitzen, es werden Pässe gefälscht — vielleicht bin ich hier in etwas völlig Sinnloses und Nutzloses hineingeraten.«

»Nutzlos? Das würde ich nicht sagen. Vielleicht ist es ungewöhnlich.«

»Ja, sehr.«

»Das kann schon sein. Aber die Palästinenser sind in einer

schlimmen Lage. Und überlegen Sie, welche anderen Möglichkeiten es für sie gibt.«

»Ich kann mir kaum vorstellen, daß ein einziger Mann viel daran ändern wird.«

»Das werden die Leute wahrscheinlich auch von Lenin gesagt haben.«

»Lenin! Ich glaube, man kann die beiden wirklich nicht miteinander vergleichen.«

»Nun, das wird sich zeigen«, sagte Roscoe, dem der Vergleich eigentlich auch nicht gefiel.

»Sie glauben tatsächlich, daß Saladin Erfolg haben könnte?«

»Ich denke, er hat eine Chance. Jedenfalls habe ich die Absicht, ihm zu helfen.«

Claudia dachte nach und ging schweigend neben ihm her. Plötzlich erhellte sich ihr Gesicht. »Also gut. Wenn das so ist, werde ich es auch tun. Ich muß aber gestehen, daß ich mich fürchte. Sie wissen gar nicht, wie sehr es mich erleichtert, mit einem Menschen darüber zu sprechen, den ich verstehen kann.«

Roscoe lächelte. »Den meisten Menschen fällt es schwer, mich zu verstehen.«

Claudia erwiderte das Lächeln und sagte: »Stimmt das wirklich? Nun, wenigstens sind Sie Engländer.«

Das Restaurant war in einem alten arabischen Haus am Hafen; dicke weiße Wände, reich geschnitzte Türen, ein offener Innenhof. Sitzkissen vor niedrigen Tischen, neben denen Bottiche mit grünen Pflanzen standen. Das ganze Menü wurde auf einmal serviert: kleine Schälchen mit den verschiedensten Pasteten, *shish kebab*, Oliven, Bällchen aus Ziegenkäse, Salate, Gemüse und kleine flache, ungesäuerte Brote. Claudia kannte das Gericht, und während sie die Speisen aussuchte, fragte Roscoe, weshalb sie sich Saladin angeschlossen habe. Sie erzählte ihm von Nahr al Bared. »Das ist einer der Gründe. Aber manchmal denke ich, ich tue es nur, weil ich meiner selbst überdrüssig bin.«

»Überdrüssig?«

134

»Ja. Ich bin so langweilig.«

»Unsinn!«

»Nein, ich meine es ganz ernst. Ich habe immer nur abseits gestanden. Ich habe darauf gewartet, daß etwas geschieht, aber nichts geschah. Manchmal habe ich versucht etwas geschehen zu lassen, aber entweder verlor ich die Nerven oder brachte alles durcheinander. Als ich nach Cambridge ging, träumte ich davon, einen ›Salon‹ zu haben. Ich wollte die intelligentesten Leute um mich versammeln. Sie sollten zu mir kommen, ich wollte sie mit dem besten chinesischen Tee bewirten und ihren Gesprächen zuhören. Aber wissen Sie, was geschah?«

»Nein, was?«

»Es tauchten lauter langweilige Männer in Dufflecoats auf, die ich nicht mehr loswerden konnte.«

Roscoe lachte. Dann fragte Claudia, was ihn zu Saladin geführt habe.

»Ich werde dafür bezahlt.«

»Oh!«

Der Kellner brachte den Wein. Als er gegangen war, fragte Claudia, wofür Roscoe bezahlt würde. Er wich aus und sagte, da es gefährlich werden könne, brauche Saladin einen Mann mit militärischen Erfahrungen. Damit kamen sie auf Roscoes Vergangenheit zu sprechen. Er hatte das Gefühl, Claudia habe nichts für Soldaten übrig, und versuchte, mit wenigen Worten darüber hinwegzugehen. Aber sie wollte ihn nicht kränken, und sie war neugierig. Deshalb zeigte sie sich absichtlich beeindruckt.

»Sie haben ein aufregendes Leben geführt!«

»Ach nein. Meistens war es recht ruhig. Wirklich aufregend war es nur selten.«

Claudia hielt ihm ihr Glas hin, und bald war die Flasche leer. Roscoe bestellte eine zweite, und sie wechselten das Thema. Sie sprachen von der Vergangenheit, lachten und wunderten sich darüber, daß sie so rasch Freundschaft geschlossen hatten. Es war sogar mehr. Stephen Roscoe und Claudia Lees entdeckten eine

Zuneigung füreinander, die so schnell wuchs, daß es sie fast verlegen machte. Aber abgesehen von einer gewissen Vorsicht auf beiden Seiten, gab es nichts, was ihnen im Wege stand. Nachdem jeder dem anderen ein kleines Stück von sich gezeigt hatte, wußten beide, daß ihnen auch der Rest gefallen würde. Sie hatten das Gefühl, sich schon lange zu kennen. Vielleicht entsprach jeder einer insgeheim gehegten Idealvorstellung des anderen. Claudia gefiel Roscoes Lachen. Sein Gesicht veränderte sich vollkommen dabei. Und er war begeistert, bei ihr einen besonderen Sinn für Humor festzustellen. Er fragte sie, ob sie einen Bauchtanz sehen wollte.

»Einen Bauchtanz?«

»Ja! Einen Bauchtanz.«

»Gern.«

Yussef hatte ihm ein Lokal empfohlen, und nach dem Essen gingen sie hin. Es war eine etwas schäbige Bar an der Strandpromenade. Das Haus war rot und türkisfarben angestrichen. Dicht vor der Bühne saßen ein paar junge Araber, die sich mit Whisky betranken. Die Huren hockten dichtgedrängt um einen Tisch. Sie trugen Kunststoffperücken und Netzstrümpfe. Die Ventilatoren an der Decke wirbelten den Zigarettenrauch durcheinander, und eine alte, bucklige Frau drängte sich durch die Tische und verkaufte Magnoliengirlanden. Claudia nahm eine in die Hand und legte sie sich um den Hals, so daß Roscoe sie kaufen mußte. Dann führte er sie an einen Tisch im hinteren Teil des Lokals. Dort setzten sie sich und bestellten Bier.

Auf der Bühne stand ein Sänger, der eine frappierende Ähnlichkeit mit dem Präsidenten Sadat hatte: der gleiche kurz gestutzte Schnurrbart und der gleiche elegante dunkle Anzug. Aber er war bei seinem Publikum beliebter. Die Leute klatschten und verlangten eine Zugabe nach der anderen, während er mit dem Mikrofon in der Hand eine melancholische arabische Melodie sang. Sie zog die Zuhörer in ihren Bann. Die weiche Stimme des Sängers ging die Tonleiter hinauf und hinunter und verweilte immer wieder auf der Dominante. Zur Begleitung spielte eine aus fünf Mann bestehende Band — zwei Geigen, ein Tamburin, eine Zither und eine Bongotrommel. Ein Gespräch ließ die laute Musik nicht zu.

Nach einer halben Stunde trat die Bauchtänzerin auf, ein fülliges, weißes, weiches Mädchen. Mit den Händen streichelte sie die Luft und ließ das Becken lustlos kreisen. Die Zuschauer applaudierten und feuerten sie an wie bei einem Fußballspiel. Sie machte immer wieder Pausen, steigerte sich aber dann zu einem halbherzigen Höhepunkt. Sie öffnete die Lippen, hielt die Augen geschlossen, ließ die schweren Brüste über dem fest geschnürten Korsett hüpfen und die weißen Hüften beben. Roscoe und Claudia tauschten ein kühles britisches Lächeln.

Die Vorstellung wurde unterbrochen, als einer der betrunkenen Männer eine Flasche auf die Bühne warf und von dem Tamburinspieler auf die Straße befördert wurde.

Roscoe und Claudia gingen in die Nacht hinaus. Es war kühler geworden. »Der märchenhafte Orient«, sagte er.

»Das Land der Venus«, erwiderte Claudia. »Dies ist ihr Geburtsland.«

»Es kommt mir hier überhaupt recht venerisch vor.«

»Ich bekomme fast Sehnsucht nach Israel.«

»Dort gibt es wohl keine Bauchtänze?«

»Wo denken Sie hin!«

Claudia hängte sich bei ihm ein, und sie gingen eine schmale Straße entlang. Ein Sportwagen brauste vorbei, und die an den Wänden hängenden Plakate mit dem Bild von Nasser flatterten im Luftzug. Der Wagen erinnerte sie an die Dinge, die es in Israel nicht gab. »Keine Sportwagen, keinen Jet-set, keine eleganten Modegeschäfte. Auch das Essen ist recht einfach — und man trinkt keinen Alkohol.«

»Wird man mich überhaupt ins Land lassen?«

»Wollen Sie auch nach Israel?«

»Vielleicht. Es hängt davon ab, welchen Auftrag er für mich hat.«

»Israel wird Ihnen nicht besonders gefallen, das kann ich Ihnen sagen. Es ist sehr langweilig dort — und irgendwie zum Fürchten . . . Nein, das hätte ich nicht sagen sollen. Es gibt vieles, das man wirklich bewundern muß. Vielleicht liegt es nur an mir.« Die fröhliche Stimmung war vergangen. Roscoe hatte Claudia in ihrem Entschluß bestärkt, und nun kamen ihm selbst die Zweifel. »Ich bin kein Antisemit.«

»Wir auch nicht. Wir sind Antizionisten. Das ist etwas anderes.«

»Hoffentlich.«

»Ich bin nicht einmal gegen die Israelis«, sagte Claudia. »Sie verlangen nur zuviel.«

»Und keiner von uns wagt, dagegen zu protestieren, weil wir uns schuldig fühlen. Wir sind schließlich dafür verantwortlich, daß sie hier sind.«

»Ist das wirklich so? Können wir etwas dafür — Sie oder ich? Ich halte nichts von der Kollektivschuld, besonders wenn sie auch noch auf die nächste Generation vererbt werden soll. Die Gegenwart läßt sich aus der Vergangenheit erklären, aber man sollte nicht von Schuld sprechen. Wir sollten es jedenfalls nicht tun . . .«

»Nein, sicher nicht. Aber irgendwie geht mir die Sache gegen den Strich. Viele meiner besten Freunde . . . Na, Sie wissen schon.«

»Ja, es ist schwierig.«

Als sie ins Hotel kamen, gab ihnen der verschlafene Portier die Schlüssel. Für Roscoe war ein in braunes Packpapier eingewickeltes Päckchen abgegeben worden. Es war keine Briefmarke darauf, nur sein Name in Blockschrift. Er nahm es und wog es in der Hand. Dann gingen sie zum Aufzug. »Ich erwarte Sie um acht Uhr«, sagte er. »Giscard wird uns mit dem Wagen abholen.«

»Ein eigenartiger Mensch, nicht wahr? Ich habe das Gefühl, in ihm schlummert irgendeine Kraft, die sich befreien will.«

»Aber das gilt wohl für jeden von uns?«

Der süßliche Magnolienduft begleitete sie durch den Korridor. Claudias Stimmung schien ebenso schnell zu verwelken wie die

Blumen, die sie um den Hals trug. Sie blieb an ihrer Zimmertür stehen. »Gute Nacht, Stephe, und vielen Dank. Es tut mir leid, daß ich so trübsinnig geworden bin.« Sie lächelte und gab ihm die Hand. »Aber ich bin wirklich sehr froh, daß Sie gekommen sind.«

Roscoe verabschiedete sich und ging in sein Zimmer. Er stellte die Klimaanlage ab und öffnete die Fenster, dann setzte er sich auf das Bett und horchte nach nebenan auf die Geräusche, die sie machte. Er stellte sich ihre blasse, reine Haut und ihre sanfte Stimme vor — und das etwas gezwungene, spöttische Lächeln. Als er hörte, daß sie das Licht ausschaltete, öffnete er das Päckchen. Es war sein Browning. Marsden hatte offenbar einen Freund bei einer Fluggesellschaft.

Roscoe überprüfte den Mechanismus der Pistole und steckte sie unter die Matratze. Er war zufrieden mit dem Ablauf des Tages und freute sich auf den nächsten. Vor dem Einschlafen überdachte er noch einmal die einzelnen Schritte des Grenzübertritts von Bassam Owdeh nach Israel. Es mußte eigentlich gelingen. Aber ein paar Fragen blieben noch offen — sie betrafen Zeiti.

11. Verdacht in Gaza

Saladin suchte nach Antworten auf die gleichen Fragen, aber in diesem Augenblick kam die größte Gefahr nicht vom »Schwarzen September«. Seine Pläne wurden vielmehr durch den scharfsinnigen und energischen Major Michel Yaacov gefährdet, der im gleichen Augenblick, als Roscoe und Claudia Beirut am Morgen verließen, die Berichte über den Tod von Bassam Owdeh in den israelischen Zeitungen las.

Yaacov saß in seinem Büro in der israelischen Kommandostelle am Gaza-Streifen. Das Zimmer hatte kahle graue Wände, an denen Landkarten hingen, und war mit einem Schreibtisch und zwei Sesseln möbliert. Von außen sah das Haus ebenso schlicht aus, ein festungsartiges Bürogebäude am Stadtrand. Das sogenannte Teggart Building war eines von vielen sich ähnelnden Häusern, die die Briten in den letzten schwierigen Jahren ihres Mandats in Palästina hatten bauen lassen. Es waren leicht zu verteidigende Betonkästen, die die israelische Armee nach dem Sechstagekrieg als Verwaltungsgebäude im besetzten Gebiet verwendete.

Im Rahmen dieser Verwaltung hatte Yaacov eine im Verhältnis zu seinem Alter und Rang recht hohe Stellung inne. Er verdankte sie vor allem der Tatsache, daß er ein guter Kenner arabischer Verhältnisse war. Er war in Algerien geboren und aufgewachsen. 1947 war er mit seinen Eltern nach Frankreich gekommen und im Alter von siebzehn Jahren nach Israel ausgewandert. Den größten Teil seines Lebens hatte er unter Arabern zugebracht. Er kannte ihre Lebensgewohnheiten, ihre Religion und ihre Geschichte. Er sprach ihre Sprache und war mit ihrer Mentalität vertraut. Seine Loyalität gehörte uneingeschränkt dem Staat Israel, aber er glaubte an eine gemeinsame Zukunft der beiden semitischen Völker. Diese Zukunft lag in weiter Ferne — zuerst mußte ein Krieg gewonnen werden. Wenn es aber zur Versöhnung kam, wollte er dabei eine Rolle spielen. Yaacov war von grenzenlosem Ehrgeiz erfüllt.

Er war ein gutaussehender junger Mann. Er hatte dichtes schwarzes Haar, braune Augen, eine sanfte Stimme und kleidete sich mit eleganter Nachlässigkeit. Er trug eine ungebügelte olivgrüne Uniform, gab sich jedoch überlegen und männlich.

Seine Assistentin im militärischen Stab von Gaza war die hübsche Ayah Sharon. Sie stand im Rang eines Feldwebels. Als sie an diesem Vormittag mit dem Kaffee in sein Büro kam, studierte er die israelischen Zeitungen, die alle auf der ersten Seite einen zweispaltigen Bericht über den Tod von Bassam Owdeh brachten.

»Shalom«, sagte sie, ohne aufzublicken. Dann legte sie ihm

einige Papiere auf den Schreibtisch und ging hinaus. Über den braungebrannten Beinen wippte der kurze Khakirock, und an den Handgelenken klingelten goldene Armreifen. Die israelische Armee läßt sich mit keiner anderen Armee der Welt vergleichen.

Yaacov trank seinen Kaffee und las weiter.

Bassam tat ihm leid. Er dachte an den Spaziergang, den er mit ihm im Park von Oxford unternommen hatte. Ihre Diskussionen hatten zu nichts geführt, aber sein Tod war ein Verlust für Yaacov. Hätte Bassam die Dinge etwas ruhiger betrachten können, dann wäre er einer jener Araber gewesen, mit deren Hilfe sich im Nahen Osten möglicherweise etwas Neues aufbauen ließ. Wer hatte Bassam umgebracht? Für einen arabischen Racheakt war das Attentat allzu perfekt ausgeführt, und wenn es der Mossad gewesen war, dann war ihm ein Fehler unterlaufen. Der Mossad beobachtete Bassam. Das wußte er. Aber er wollte ihn nicht töten.

Yaacov sprach mit Tel Aviv, aber der Mossad behauptete, nichts mit der Sache zu tun gehabt zu haben. Yaacov wandte sich wieder den Zeitungen zu.

Das Foto war schon alt. Bassam war inzwischen viel dicker geworden und trug eine andere Brille. Sogar das Foto in seinen Akten war neueren Datums als das Bild in der Presse.

Yaacov war stolz auf seinen scharfen Verstand. Wie ein guter Schachspieler freute er sich, wenn er jemandem begegnete, mit dem es sich zu spielen lohnte. Aber bis jetzt war es noch keinem Araber gelungen, ihn zu täuschen. Es war nicht schwer, mit einem Araber fertig zu werden, denn die Araber sagen stets ganz offen, was sie vorhaben, und verlieren dann im Eifer des Gefechts das Ziel aus den Augen. Ein Jude, so meinte er, wisse dagegen immer genau, was er wolle, hüte sich aber, es offen auszusprechen. Vielleicht lag es daran, daß die Juden immer in Gesellschaften hatten leben müssen, die ihnen feindlich gesinnt waren. Paradoxerweise standen die Araber in dem Ruf, verschlagen zu sein. Aber aus dem gleichen Grund, aus dem man ihnen nicht trauen konnte, waren sie auch so leicht zu besiegen. Sie waren pervers, aber, so meinte Yaacov, nicht verschlagen.

Ein typisches Beispiel war dieses Foto — eine Stümperei. Es war so irreführend, daß man sich fragen mußte, weshalb — besonders wenn man daran dachte, daß dieser Mann Mitglied einer neuen Widerstandsbewegung war. Und dann durfte man nicht vergessen, daß Bassam fließend hebräisch sprach . . .

Yaacov stand auf, ging ans Fenster und nahm die Haltung ein, die typisch für ihn war, wenn er nachdachte. Sein Verdacht verhärtete sich, bis er seiner Sache so gut wie sicher war.

Für einen Mann, der an eine gemeinsame Zukunft aller Semiten glaubte, war das, was er hier sah, entmutigend. Die Folgen der militärischen Besetzung zeigten sich in Gaza besonders schmerzlich. Von den Höhen rings um die verwahrloste, weitläufige arabische Stadt blickten israelische Wachtposten auf sie hinunter, und auf den Straßen, die von israelischen Pistenhobeln eingeebnet worden waren wie Feuerschutzstreifen, fuhren israelische Armeejeeps auf und ab. In Gaza spürte man den Haß, und das war immer so gewesen. Hier hatten schon die alten Feinde des Volkes Israel gelebt, die Philister. In Gaza hatte Samson den Tempel seiner Feinde über sich zusammenstürzen lassen.

Aber heute beschäftigte sich Yaacov weder mit der Zukunft noch mit der Vergangenheit. Er dachte darüber nach, was er von Saladin wußte. Er kannte einen Bericht, dem zufolge der wohlhabende palästinensische Araber Anis Kubayin diesen ausgefallenen Decknamen angenommen hatte. Aber sonst wußte er nicht mehr als das, was er im St. Anthony's College gehört hatte. Wer dieser Saladin auch sein mochte, Bassam und Marsden arbeiteten für ihn. Zeiti hatte sich ihnen angeschlossen und war nach Damaskus geflogen, wo die Agenten des Mossad seine Spur verloren hatten. Und Marsden hatte in England einen Mann angeworben, den man bisher noch nicht kannte. Die Lage komplizierte sich dadurch, daß sich die verrückten Leute von den »Söhnen Zions« und ihr reisender Killer Gessner eingeschaltet hatten. Gessner hatte sich durch das Gespräch in Kensington Gardens bestimmt nicht einschüchtern lassen. Es war ihm fast gelungen, Marsden umzubringen, und wie es hieß, war er noch in Beirut, um Zeiti vor die Pistole zu bekommen. Ihm mußte man das Handwerk legen. Nachdem Bassam von der Bildfläche verschwunden war, konnte Zeiti einen wahrscheinlich zu Saladin führen.

Yaacov ging zurück an den Schreibtisch, rief Ayah Sharon herein und diktierte einige Anordnungen. Noch am gleichen Vormittag rief sie in Lod an und schickte ein besseres Foto zum Flughafen. Auch Ashdod und Haifa wurden alarmiert. Dann überlegte sich Yaacov, wo Bassam sich verstecken könnte, falls er ihm doch durchs Netz schlüpfen sollte — wahrscheinlich in einer größeren Stadt...

Aber damit eilte er den Ereignissen zu weit voraus. Deshalb ging er wieder an seine normale Tagesarbeit. Irgendwie wünschte er, Bassam möge Erfolg haben, aber er wußte: das war unmöglich.

12. Tyros

Yaacovs Stolz war seine Intelligenz, aber seine Schwäche lag darin, daß er ihr zu sehr vertraute. Er neigte dazu, seine Feinde mit den Maßstäben seiner eigenen Logik zu messen. Er kam deshalb nicht auf den Gedanken, daß Bassam die Grenze im Norden überschreiten könnte, weil erstens die israelische Armee sich darauf vorbereitete, in der entgegengesetzten Richtung hinüberzugehen, und weil sich zweitens der ganze Südlibanon praktisch im Kriegszustand befand, wobei die Fedajin und die libanesische Armee, die versuchte, die Palästinenser im Zaum zu halten, einander bekämpften.

Nach München hatten sich alle Beteiligten für eine neue Runde in diesem von drei Parteien geführten Krieg bereitgestellt. Jeden Augenblick konnte es losgehen. Claudia empfand es wie die Stille vor dem Sturm. Sie hatten das unruhige Beirut hinter sich gelassen, und jetzt fuhr sie mit Roscoe in einem gemieteten Volkswagen nach Süden. Ihr Begleiter war der Zigeuner, und sein faltiges Gesicht in ihrem Rücken irritierte sie.

Die Landschaft war schön und still. Alles war viel weicher als im Norden. In der Küstenebene erstreckten sich die Orangenhaine vom Strand bis an die Berge. Die Früchte waren fast reif, aber noch nicht gelb und versteckten sich zwischen den dunkelgrün glänzenden Blättern. Neben der Straße standen hohe Eukalyptusbäume. Parallel dazu lief die verfallene Eisenbahnlinie, die früher Kairo mit Istanbul verbunden hatte. Eben hatten sie Sidon hinter sich gelassen, eine ruhige Stadt, die sich um eine mächtige Kreuzfahrerburg drängte. Claudia öffnete das Handschuhfach. »Was ist das?«

Es ärgerte Roscoe, daß sie die Waffe gefunden hatte. »Wie Sie sehen, eine Pistole.«

»Ihre?«

»Ja.«

Sie nahm den Browning in die Hand; ein schweres Ding aus blauschwarzem Stahl. Es fühlte sich kalt an. »Haben Sie sie schon einmal benutzt?«

»Nein, sie ist noch nicht getauft.«

»Einen passenderen Ausdruck finden Sie wohl nicht.« Claudia legte die Pistole zurück und schloß das Handschuhfach.

Wenige Minuten später waren sie in Sarafand, wo Bassam und Zeiti sie erwarteten.

Claudia hatte angenommen, es sei eine Stadt, aber es war nur ein Fischerdorf; primitive Häuser an einer Bucht, mit starken Farben bemalte Boote auf dem seichten, spiegelnden Wasser. Ringsum Bananenpflanzungen und dichte grüne Hecken, hinter denen sich angeblich Fedajineinheiten verbargen. Giscard hatte erzählt, die

Israelis kreuzten hier täglich mit ihren Patrouillenbooten vor der Küste. Einmal hätten sie am Strand sogar ein Picknick veranstaltet. Claudia glaubte das. Die Geschichte mit dem Picknick war typisch. Die Israelis erzählten selbst gern von derlei Heldentaten. Sie wollten ihren Gegnern mit solchen Husarenstücken den Schneid abkaufen.

Roscoe ließ den Wagen am Straßenrand stehen und ging auf eines der Fischerhäuser zu. Von außen war es ein einfacher Lehmwürfel, aber die Inneneinrichtung war recht wohnlich; zwei Zimmer, die Betten gegen die Wand gestellt, ein Schrank, Kunststoffblumen und ein Bild von Nasser. Der alte Mann, der hier wohnte, forderte sie auf, sich auf eine Matte zu setzen. Bassam und Zeiti hatten sich schon niedergelassen und schlürften Kaffee.

Claudia fiel auf, daß Zeiti Roscoe zuerst überrascht ansah und dann sehr freundschaftlich begrüßte. Es war komisch zu sehen, wie Bassam sich zu tarnen versuchte. Er trug eine dunkle Brille und hatte eine Kefia mit einer schwarzen Doppelkordel auf dem Kopf wie ein Ölscheich. Die Reisetasche griffbereit neben sich, saß er mit gekreuzten Beinen auf der Matte wie jemand, der auf seine Hinrichtung wartet.

Der Zigeuner hockte sich vor die Hütte.

Die Sonne schien vom wolkenlosen Himmel herab, und es war sehr heiß. Am Strand stand eine Reihe von Palmen, und unter den herabhängenden Wedeln hingen die Datteln in dicken Trauben von leuchtendem Orange. Durch die offene Haustür sah Claudia, wie sie sich im Wasser spiegelten, bis der Zigeuner einen Stein hineinwarf und das Spiegelbild zerstörte. Der alte Mann in der Hütte war recht gesprächig und bot Roscoe und Zeiti selbstgedrehte Zigaretten an. Über die Fedajin wußte er nichts Gutes zu sagen. Er rieb die Handflächen aneinander, um anzudeuten, daß sie für ihn nichts als Staub seien.

Claudia hörte traurig zu. Das war die Wirklichkeit, die hinter den Schlagzeilen stand. Flüchtlinge und Bauern stritten sich um ihr kümmerliches Auskommen und waren zu oft enttäuscht worden, um noch an eine Wendung zum Besseren zu glauben. Die meisten Menschen auf der Welt lebten wie dieser alte Mann, und überall hing ein Heiliger an der Wand. Hier war es Nasser, anderswo Kennedy, Lenin, Johannes XXIII.

Dann fuhr sie mit Roscoe und Zeiti weiter nach Tyros, wo Saladins militärischer Kontaktmann auf sie wartete, um sie einzuweisen.

»Der arme Bassam«, sagte Zeiti. »Er hat schreckliche Angst.«

»Hätten Sie nicht auch Angst?« Claudia stellte sich instinktiv auf die Seite des dicklichen Professors. Sie hatte den Eindruck, der Kampf gegen die Juden sei für Zeiti eine Art Hobby. Ebensogut hätte er Rennfahrer sein können.

Je weiter sie die Küste hinunterfuhren, desto spärlicher wurde der Verkehr. Die Felder waren weniger ordentlich bestellt, die Häuser verwahrlost. Tyros lag da wie ausgestorben. Außerhalb der palästinensischen Elendsviertel war die Stadt tot und verlassen. Bis auf die Knochen abgemagerte Hunde streunten in den Gassen herum. Der Hafen war leer. Nur zwei graue Kriegsschiffe ankerten in der Einfahrt.

Saladins Kontaktmann war der libanesische Offizier Hourani. Seine Frau stammte aus der Familie Kubayin. Er lud die Ankömmlinge in ein staatliches Restaurant am Strand zum Essen ein. Anhand einer Landkarte stellte Roscoe die Lage an der Grenze dar und tat dabei so, als sei Roscoe ein Journalist, der hier die üblichen Informationen erhielt. Claudia bemerkte, daß Morley an einem anderen Tisch die echten Presseinformationen bekam. Sie winkte ihm zu, aber er beachtete sie nicht. Er trug immer noch seinen Safarianzug. Sie hörte, wie ihm gesagt wurde, das Filmen an der Grenze sei von den Militärbehörden verboten worden.

Roscoe und Zeiti zeichneten sich auf der Karte die Straßensperren, die libanesischen Stellungen, die von den Fedajin besetzten Geländestreifen und die israelischen Grenzposten ein, über die Hourani sie in französischer Sprache unterrichtete. Das waren militärische Geheimnisse, und daß er sie preisgab, ließ ihn schwitzen

— oder war es nur die Hitze? Durch die großen Glasfenster blickte man auf den langen Strand hinaus, der sich bis zur Grenze erstreckte.

Nach dem Essen fuhren Roscoe und Zeiti nach Sarafand zurück und ließen Claudia in Tyros. Sie wollte sich die Ausgrabungen ansehen. Dieser kleine Hafen war früher der Mittelpunkt der Welt gewesen. Phönizier, Griechen und Römer hatten jeweils eine neue Stadt auf den Trümmern der vorher zerstörten aufgebaut, und jedesmal war Tyros glänzender und prächtiger geworden. Hier waren die berühmten Zedern für den Tempelbau Salomos auf die Schiffe verladen worden, und von hier aus war Dido über das Meer gesegelt, um Karthago zu gründen . . .

Claudia interessierte sich für Geschichte. Sie genoß es, zwischen den Ruinen umherzuschlendern und die Torbögen, Zisternen und Sarkophage, das römische Mauerwerk und die herrlichen, hohen, grüngeäderten Säulen zu betrachten. In der Phantasie stellte sie sich das alte Tyros vor. Die Kolonnaden füllten sich vor ihrem inneren Auge mit einer geschäftigen, bunten Menschenmenge. Ein paarmal dachte sie an Roscoe. Sie wußte, daß sie ihm gefiel. Das gab ihr ein Gefühl der Sicherheit, als hätte sie Geld auf der Bank. Aber sie sah keine Veranlassung, es abzuheben.

13. Nachtmarsch

Bassam nach Israel zu bringen war schwieriger, als Roscoe geglaubt hatte.

Das erste Problem bestand darin, so nahe an die Grenze heranzukommen, daß man zu Fuß weitergehen konnte. Um die Straßensperren südlich von Tyros zu umgehen, fuhren sie nach Sidon zurück und dann landeinwärts. Dabei kamen sie im Süden auf eine Nebenstraße, die dicht an die Grenze heranführte. Auf der Karte sah der Umweg einfacher aus, als er in Wirklichkeit war. Als sie endlich in südlicher Richtung weiterfuhren, war es Nacht, und die Straße erwies sich als einfache Fahrspur, die sich bergauf und bergab durch die bewaldeten Hügel des Zentrallibanon schlängelte. Roscoe fuhr so schnell wie möglich, um die Nachtstunden auszunutzen, aber um die Federn des Volkswagens zu schonen, mußte er das Tempo oft verringern, Hänge hinunterfahren und tiefen Schlaglöchern ausweichen. Der Vollmond schien hell und tauchte die Landschaft in ein farbloses Licht. Endlich waren sie auf dem letzten Bergrücken und blickten in südlicher Richtung nach Israel hinein. Dort lagen die Hügelketten wie erstarrte Meereswellen fern unter dem Mond. Die Straße führte steil bergan und endete in Nabatiya.

In der Ortschaft befand sich eine Kommandostelle der Fatah. Daneben lag ein großes Flüchtlingslager. Nabatiya wurde oft von der israelischen Luftwaffe mit Bomben angegriffen. Aber in dieser Nacht war alles ruhig. Auf dem Gehsteig lagen schlafende Menschen wie weggeworfene Kleiderbündel. Roscoe und seine Freunde wurden bei ihrer Fahrt durch den Ort von niemandem aufgehalten, bis sie eine Stelle erreichten, an der die Straße in Serpentinen zum Fluß Litani hinunterführte. Oben am Hang stand ein verfallenes Bauernhaus, das genau der Beschreibung Giscards entsprach. Vor ihnen lag eine libanesische Verteidigungsstellung, und weiter unten am Fluß befand sich der Kontrollposten. Hier mußten sie den Wagen stehenlassen.

Roscoe stellte den Volkswagen neben der Straße unter ein Vordach des Hauses, während Zeiti und der Zigeuner ihm zu Fuß über die von vielen Reifenspuren zerfurchte Piste folgten. Innerhalb von fünf Minuten hatten sie sich warme Sachen angezogen und die Waffen überprüft. Zeiti brachte eine automatische Mauserpistole zum Vorschein, die er mit einem Anschlagkolben verlängerte. Roscoe stellte fest, daß er sehr geschickt mit der ungewöhnlichen Waffe umging. Bassam war unbewaffnet. Er nahm nur seine Reisetasche mit. Die übrige Ausrüstung bestand aus einer kleinen ausziehbaren Leiter, einer Taschenlampe, einer Karte, einem Nylonseil, einem Kompaß mit Leuchtziffern und einem Fernglas. Diese Gegenstände hatte Giscard besorgt. Roscoe beschmierte sich das Gesicht mit einer dunklen Paste, und der Zigeuner machte dazu eine Bemerkung auf arabisch, die Zeiti zum Lachen brachte. Niemand hatte daran gedacht, Verpflegung mitzunehmen, aber der Zigeuner hatte eine Flasche Wasser bei sich.

Theoretisch leitete Bassam das Unternehmen, aber da es hier um praktische Dinge ging, übernahmen Roscoe und Zeiti die Führung. Sie verließen sich dabei weitgehend auf die Instinkte des Zigeuners.

Nachdem sie den Wagen abgeschlossen hatten, setzten sie sich in Marsch. Der Zigeuner ging voran, Bassam folgte, und dann kamen Roscoe und Zeiti mit der Leiter. Zeiti hatte sich die Mauser an einem improvisierten Riemen über die Schulter gehängt. Es war jetzt 22.00 Uhr. Gegen 2.00 Uhr morgens wollten sie an der Grenze sein. Bis dorthin waren es zirka zehn Kilometer. Im Mondschein ließ sich diese Strecke ganz gut bewältigen, und Roscoe hatte keine Bedenken.

Zunächst ging es gut voran. Die Erdschollen auf dem gepflügten Acker waren von der Sonnenhitze ausgetrocknet und hart. Die Bauern, die einst das Land hier bestellt hatten, waren geflohen, und jetzt wucherten nur noch Disteln und Unkraut, das ihnen bis zum Gürtel reichte und raschelte, als sie hindurchgingen. Vor ihnen fiel das Gelände steil zum Flußufer ab. Auf der gegenüberliegenden Seite des Tales stieg es in einer Entfernung von etwa drei Kilometern höher an als auf dieser Seite. Am Horizont sahen sie ein Licht. Mit dem Fernglas stellte Roscoe fest, daß es zu einer Tankstelle gehörte. Sie peilten es mit dem Kompaß an, aber dann steckte der Zigeuner den Kompaß in die Tasche und folgte seinem Ortsinn. Der Hang war steinig und mit Gebüsch bewachsen. Das Mondlicht erleichterte ihnen zwar die Orientierung, machte es aber unmöglich, sich zu verstecken. Hourani hatte sie davon unterrichtet, daß die Libanesen und die Fedajin sich dieses Gebiet gegenseitig streitig machten und daß es gelegentlich zu Schießereien zwischen ihnen käme.

Beim Hinuntergehen sahen sie den Talgrund unter sich. Hier wuchsen Orangen und Zypressen bis an den gegenüberliegenden Hang. Das Rauschen des Flusses kam näher und hörte sich an wie das Stimmengewirr der Zuschauer bei einem Fußballspiel. Nun tauchte die Straße auf. Sie führte im Bogen zu einer rechts der Marschrichtung gelegenen Behelfsbrücke. Auf der Brücke war ein libanesischer Militärposten stationiert, der jetzt von den Scheinwerfern eines Lastwagens beleuchtet wurde. Roscoe sah durch das Fernglas hinüber; der übliche gestreifte Schlagbaum und ein Postenhäuschen, Soldaten mit bis an die Knöchel reichenden Mänteln und hinter ihnen eine Sandsackbarrikade. Aus den Sandsäcken ragte der Lauf eines schweren Maschinengewehrs. Wahrscheinlich ein amerikanisches Modell. An dem MG war ein Scheinwerfer befestigt.

Unter der Führung des Zigeuners liefen sie über die Straße und zum Fluß hinunter. Wenige Augenblicke befanden sie sich völlig ungedeckt auf freier Fläche zwischen der Straße und dem Orangenhain. Das Brausen des Wassers wurde immer lauter. Dann fingen die Hunde an zu bellen.

Im Halbkreis vor der Straßensperre hatte man wahrscheinlich drei oder vier Hunde festgebunden, die ein besseres Warnsystem darstellten als jeder Wachtposten. Um den Lastwagen hatten sie sich nicht gekümmert, aber jetzt schlug der Hund unmittelbar neben dem Fluß zuerst an. Die anderen stimmten ein, und plötzlich hallte das wütende Hundegebell laut durch die Dunkelheit. Der Orangenhain lag dicht vor ihnen. Roscoe wollte weiterlaufen, um in den Schutz der Bäume zu kommen, aber der Zigeuner reagierte richtig. Er ließ sich auf den Boden fallen, und schon nach wenigen Sekunden leuchtete ein Suchscheinwerfer auf. Mit seinem hellen Lichtkegel überstrahlte er das Licht des Mondes.

Jetzt hatte der Scheinwerfer sie erfaßt. Sie preßten sich fest an den Boden und drückten die Gesichter in die Erde. Roscoe sah, wie Zeiti mit dem Finger den Abzug seiner Mauser suchte. Dafür war es zu spät.»Rühren Sie sich nicht!« zischte er ihm zu. Roscoe lauschte mit angespannten Sinnen in die Dunkelheit. Im Mund schmeckte er Erde. Neben ihm lag Bassam mit zitternden Beinen. Ringsumher war alles in das blendendweiße Licht des Scheinwerfers getaucht. Die Hunde bellten immer noch, ein Soldat rief etwas, dann war es plötzlich wieder dunkel. Der Scheinwerferkegel wanderte weiter und suchte den Talboden ab. Endlich wurde das Licht ausgeschaltet.

Mit dem nächsten Sprung waren sie im Orangenhain und liefen durch das hohe Gras zwischen den Baumreihen. Dabei schlugen ihnen die tiefhängenden Früchte gegen die Köpfe. Sie sprangen über einen Wassergraben und kamen in eine jüngere Pflanzung, die nur geringe Deckung bot, und dann an eine Reihe hoher Zypressen, die sich wie dunkle Speerspitzen gegen den blassen Himmel abzeichneten. Wieder fingen die Hunde an zu bellen, aber diesmal stieg der Zigeuner weiter über eine Mauer und in einen Graben, in dessen tiefem Schatten sie bis an den Fluß hinunterkamen.

Der Litani war an dieser Stelle reißend, aber nicht tief. Nach einer Verschnaufpause gingen sie stromaufwärts und ließen den Grenzposten hinter sich, bis sie an eine Stelle kamen, wo das Wasser über große Steine schäumte. Der Zigeuner kletterte zuerst hinüber. Er spannte das Seil zwischen zwei Bäume an beiden Flußufern, damit Bassam und Zeiti, die mit Waffen und Ausrüstung folgten, sich festhalten konnten. Zuletzt kam Roscoe, der sich ein Ende des Seils um den Leib gebunden hatte.

Sie brauchten eine Stunde, um den Hang über dem Flußufer hinaufzuklettern. Er war sehr steil und stieg über scharfkantige Felsen und mit dornigem Gestrüpp bewachsen unmittelbar neben dem Fluß auf. Oben legten sie sich erschöpft in den Schatten der Tankstelle. Bassam schwankte wie ein Betrunkener. Er war am Ende seiner Kräfte. Jetzt war es 0.30 Uhr.

Von hier aus führte der Weg wieder bergab, und sie konnten sehen, wohin sie gingen. Auf der Höhe hatten sie den Eindruck, als breitete sich vor ihnen der ganze nahöstliche Kriegsschauplatz aus, eine riesige, vom Mond beschienene Arena. In der Ferne funkelten die Lichter in den Dörfern wie Biwakfeuer einer lagernden Armee. Auf der arabischen Seite hatten sie eine gelbliche Färbung, in Israel waren sie grünlichblau. Dicht vor ihnen lag Metullah, die am weitesten im Norden gelegene israelische Siedlung. Sie konnten die von Wachtürmen und einem Drahtzaun umgebenen Bungalowreihen deutlich erkennen. Am Ortsrand beleuchteten Bogenlampen das Vorfeld auf der libanesischen Seite, und in unregelmäßigen Zeitabständen flammten Suchscheinwerfer auf. Die Stille der Nacht verringerte die Entfernungen. Deutlich hörte man, wie der Fahrer eines Wagens auf der israelischen Seite den Gang wechselte. In einem Dorf zur Linken fiel eine Tür ins Schloß. In einer Entfernung von mehreren Kilometern bellte ein Hund, und ein zweiter antwortete.

Zeiti zündete sich eine Zigarette an, und der Zigeuner reichte die Flasche herum, aber das Wasser stillte kaum den Durst. Es floß ihnen die Kehle hinunter und ließ den Mund schleimig und belegt. Bassam hatte sich auf den Rücken gelegt.

»Wir sollten jetzt weitergehen«, sagte Roscoe.

Zeiti blickte auf die Uhr. »Ja, wir haben nicht mehr viel Zeit.«

Sie sahen noch einmal auf die Karte, standen auf und gingen den Hang hinunter auf die israelische Grenze zu.

14. Der Zaun

Sie waren erst wenige Meter gegangen, als der Zigeuner die Hand hob und ihnen bedeutete, schnell in den Schatten der Tankstelle zurückzulaufen.

Zeiti beugte sich zu Roscoe hinüber und flüsterte ihm hinter der vorgehaltenen Hand zu:»Fedajin!« Zwei Minuten später tauchten sie aus der Dunkelheit auf. Acht Mann kamen in einer Reihe den Hang herauf. Man erkannte deutlich die gebogenen Magazine der sowjetischen Schnellfeuergewehre. Einer trug einen Granatwerfer. Sie gingen in zwanzig Meter Entfernung an der Tankstelle vorbei und verschwanden nach links. Wie Soldaten, die sich müde und gelangweilt an einem Manöver beteiligen, stapften sie durch die Nacht.

Unwillkürlich hatte Roscoe die Pistole gezogen und entsichert. Das war sinnlos, aber es beruhigte ihn, den Stahl in der Hand zu spüren.

Sie durften nicht zu sehr hetzen. Ein dichter Wolkenschirm hatte sich vor den Mond gelegt und das Licht gedämpft. Bassam war todmüde, und seine Beine waren weich wie Gummi. Beim Bergabgehen knickten ihm die Knie ein, und er stürzte ein paarmal. Er war nicht nur erschöpft, sondern hatte auch furchtbare Angst, besonders vor den Hunden. Wenn einer anfing zu bellen, zuckte er zusammen. Dann blieb er zitternd stehen, bis die anderen ihn aufforderten weiterzugehen. Roscoe war nicht mehr so zuversichtlich. Bassam stand kurz vor dem Nervenzusammenbruch, und es war schon nach 3.00 Uhr. Bis zum Morgengrauen mußten sie ihn über die Grenze gebracht haben, und die Dämmerung setzte gegen 4.00 Uhr ein.

Als sie an die Grenze kamen, hatten sie nur noch zwanzig Minuten Zeit. Auf dem letzten Stück ging es über steinigen Boden durch deckungsloses Gelände. Auf der israelischen Seite sahen sie

Apfelplantagen und dahinter ein Fichtengehölz. Am Rande des Wäldchens und fast im Schatten der Bäume versteckt stand ein Wachturm, der den Grenzstreifen überblickte. Bassam, der sich beruhigt hatte, zählte die Wachtürme, flüsterte etwas auf arabisch und wandte sich dann an Roscoe.

»Das ist er.«

Roscoe nickte und sah zu dem nur noch etwa hundert Meter entfernten Zaun hinüber. Sein Mund war trocken.

Die israelische Grenze ist eine geschickt angelegte vielfache Todesfalle. Das Haupthindernis ist ein acht Fuß hoher Maschendrahtzaun, über dem ein dreifacher Stacheldraht befestigt ist. Hinter dem Zaun stehen in bestimmten Abständen gepanzerte Wachtürme. Sie sind von israelischen Soldaten oder Grenzpolizisten besetzt. Auf der Innenseite des Zauns läuft ein sandiger Streifen. Er wird von den motorisierten Grenzpatrouillen benutzt, die ihn ständig auf Fußspuren untersuchen. Hier fährt auch täglich ein Fahrzeug entlang, an dessen Heck ein breiter Besen aus Zweigen angebracht ist, der den Sand glättet. Beiderseits des Sandstreifens sind Minenfelder angelegt. Die dort verlegten Stolperdrähte lösen Leuchtraketen aus. Außerdem sind auf beiden Seiten der Grenze kleine elektronische Geräte angebracht, die jedes Geräusch aufnehmen. Der Zaun steht unter Strom und ist mit unbemannten automatischen Maschinengewehren verbunden, die zu feuern beginnen, wenn der Draht irgendwo beschädigt wird.

Hunderte von Fedajin sind an diesem Todesstreifen gestorben, aber Roscoe und seine Freunde hatten gegenüber den anderen Kommandos, die die Grenze zu überwinden suchten, einen entscheidenden Vorteil. Der Posten auf diesem Turm war ein Agent Saladins, ein junger sephardischer Jude bei der Grenzpolizei, der sie über alle Einzelheiten seines Abschnitts informiert hatte und bereit war, ihnen hinüberzuhelfen. Er sollte um 4.00 Uhr morgens abgelöst werden. Sie hatten also nur noch fünfzehn Minuten Zeit.

Jetzt mußten sie besonders vorsichtig sein. Sie krochen dicht am Boden über glatte Steine und trockenes Gras weiter, eine

Schlange aus schwitzenden Menschenleibern. Roscoe war so erschöpft, daß er seine Umgebung nicht mehr deutlich genug wahrnahm. Bei jeder Atempause hätte er am liebsten den Kopf auf den Sand gelegt, um zu schlafen.

Zweimal schon hatten sie versucht, dem israelischen Posten mit der Taschenlampe ein Zeichen zu geben, hatten aber keine Antwort bekommen. Sie wagten sich daher nicht näher an den Zaun heran. Wenn es der falsche Wachturm war, dann würde die Antwort das Aufflammen eines Scheinwerfers und eine Geschoßgarbe sein.

»Versuchen Sie es noch einmal«, flüsterte Bassam.

Roscoe legte die Pistole auf einen Stein, nahm die Taschenlampe in die Hand, richtete sie geradeaus und ließ sie dreimal kurz aufblitzen.

Keine Antwort.

Roscoe wiederholte das Signal. Gespannt starrten sie zu den dunklen Umrissen des Fichtenwäldchens hinüber. Da war es endlich, ein kurzes grünes Aufleuchten im schwarzen Schatten der Bäume. Sie standen auf und gingen bis an den Zaun. Dabei beobachteten sie genau den runden Ausguck auf dem Wachturm.

Ein rotes Licht.

Dicht vor dem Zaun blieben sie stehen. Roscoe sah, wie sich jenseits des Zauns in den Fichten etwas bewegte. Vielleicht war es ein Tier. Bassam hatte es auch gesehen.

Der Posten bündelte den Lichtkegel seiner Taschenlampe und beleuchtete damit eine Stelle am Zaun rechts von ihnen. Sie gingen hinüber und warteten. Hier konnten sie von den anderen Wachtürmen aus nicht gesehen werden, denn sie wurden von einer Bodenwelle und den Bäumen verdeckt.

Wieder sahen sie es in den Baumwipfeln grün aufleuchten — das Signal, das sie aufforderte, über den Zaun zu klettern.

Bassam umarmte Zeiti und ergriff Roscoes Hand. »Auf Wiedersehen und vielen Dank.«

Er zitterte am ganzen Körper.

Zeiti stellte die Leiter an den Zaun und lehnte sie gegen den obersten Stacheldraht. Dann hielten er und der Zigeuner sie fest, während Bassam ungeschickt hinaufstieg. Der dicke Professor war nervös. Unsicher stand er auf der wackeligen Leiter. Der Draht, auf dem sie lag, war nicht straff genug gespannt. Oben hielt er an und beugte sich nach der Tasche hinunter. Roscoe reichte sie ihm. Bassam warf sie hinüber und richtete sich auf, um auf die andere Seite hinunterzuspringen. Aber dann verlor er den Mut, bückte sich und klammerte sich an der obersten Sprosse fest.

Zeiti trieb ihn zur Eile, und Roscoe rief: »Springen!«

Aber Bassam bebte vor Angst. Er hatte die Leiter hinuntergedrückt, die sich nun in den anderen Drähten verfing. Das löste den Alarm aus. Sie merkten nicht gleich, was geschehen war, denn sie hörten keine Glocken oder Sirenen, nur eine hebräische Stimme im Lautsprecher auf dem Wachturm. Dann wurde ein Motor angelassen. Es folgten zwei dumpfe Schüsse. Roscoe wußte sofort, was das bedeutete, aber jetzt war es zu spät. Bassam war schon gesprungen oder vielmehr gefallen, als die Leuchtraketen über ihnen zerbarsten und die ganze Szene beleuchteten. Er hatte sich mit dem Fuß im Draht verfangen, in der Luft überschlagen und lag rücklings auf dem Sand. Offenbar konnte er sich nicht rühren.

Der Motor gehörte zu einem Fahrzeug der Grenzpolizei, das am Zaun entlang auf sie zugefahren kam.

Jetzt gab es nur noch eine Möglichkeit. Da Zeiti und der Zigeuner die Leiter festhielten, stieg Roscoe hinauf und sprang hinüber. Im gleichen Augenblick kam ein Mann von der israelischen Seite auf ihn zugelaufen. Er hatte einen Tannenzweig in der Hand. Roscoe machte sich auf einen Angriff gefaßt, aber der Mann rannte an ihm vorbei, hob Bassams Tasche auf und fing an, den Sandboden im grellen Schein der Leuchtraketen glattzufegen. Roscoe faßte Bassam um die Brust und zog ihn von dem Sandstreifen herunter. Der andere Mann verwischte die Spuren, warf den Zweig fort, ergriff Bassams Füße, schwenkte ihn herum und übernahm die Führung. »Dorthin!« rief er. »Schnell!« Er rannte durch das

Stacheldrahthindernis auf den Waldrand zu. Dabei stöhnte er vor Anstrengung. Er hatte nur Hemd und Hose an, war klein und untersetzt — und behielt klaren Kopf.

Auch Zeiti tat das Richtige. Im Fortlaufen rief er:»Bis morgen...« Dann wurde seine Stimme durch einen Feuerstoß vom Wachturm übertönt. Am Waldrand blickte Roscoe zurück und sah, wie er mit der Leiter über den steinigen Boden fortlief. Der Zigeuner folgte ihm dicht auf den Fersen. Der Posten auf dem Turm schoß mit Leuchtmunition nach links, um die Streife abzulenken.

Bassam war nur noch halb bei Bewußtsein, als er von Roscoe und dem Fremden durch die Fichten den Hang hinuntergetragen wurde. Das Streifenfahrzeug hatte sie fast eingeholt. Neben den Feuerstößen des Wachtpostens hörte man jetzt das Knattern eines schweren Maschinengewehrs. Wieder wurden Leuchtraketen abgeschossen, dazwischen hallten einzelne Gewehrschüsse, und dann war es plötzlich still. Nun ließ Roscoe Bassam los, zog die Pistole. Er ließ sich auf die Erde fallen und blickte den Hang hinauf. Sie waren etwa vierzig Meter in den Wald hineingelaufen. Am Zaun gingen einige Polizisten hin und her. Neben dem Wachturm stand ihr Fahrzeug, ein plumper, mit heller Tarnfarbe gestrichener Kastenwagen. Die letzten Leuchtraketen fielen zu Boden, dann war es dunkler als zuvor.

Das also ist Israel, dachte Roscoe. Wenigstens habe ich meinen Paß.

Teil III
Alarm

15. September bis 25. Oktober 1972

1. Schulfreunde

Die Streife ließ sich von dem Posten im Wachturm Meldung erstatten. Auf dem Streifenwagen war ein schwenkbarer Suchscheinwerfer angebracht, und während der Lichtkegel durch die Baumwipfel fuhr, drückte Roscoe das Gesicht in die herb duftenden Fichtennadeln und preßte sich an die weiche israelische Erde wie ein verlorener Sohn, der endlich in die Heimat zurückgekehrt ist. Aber die Gefahr war vorüber. Nach wenigen Minuten fuhr die Streife ab. Der Mann auf dem Wachturm war abgelöst worden.

Bassam hatte sich fast ganz erholt, aber als sie durch den Wald gingen, stützte er sich mit einer Hand auf Roscoes Schulter. Der zweite Mann trug die Tasche und führte sie einen Hang hinunter zu einem kleinen Lastwagen, den er neben der Straße zwischen den Bäumen versteckt hatte. Sobald sie außer Hörweite des Grenzpostens waren, stellte Bassam ihn vor.

Er hieß Eytan Horowitz. Als Roscoe ihn später besser kennenlernte, erregte er seine Bewunderung — ein warmherziger, großzügiger Mensch mit einer geradezu kindlichen Begeisterungsfähigkeit. Er war Professor an der hebräischen Universität von Jerusalem und Spezialist für Bewässerungsanlagen.

Horowitz wohnte in einem Kibbuz im Norden. Dorthin fuhren sie jetzt. Horowitz saß am Steuer und rauchte eine zerkaute alte Shagpfeife.

Er und Bassam kannten sich seit frühester Jugend. Ihre Familien waren in Haifa Nachbarn gewesen, und beide Jungen hatten die dortige britische Schule besucht. Aber 1948 hatten sie sich getrennt. Kurz vor dem Abzug der Briten war Vater Horowitz einem arabischen Racheakt zum Opfer gefallen. Drei Tage später waren die Eltern Owdehs bei einem jüdischen Bombenangriff auf Haifa ums Leben gekommen. Der verwaiste Bassam war in den Trümmern der Stadt von einem katholischen Priester aufgegriffen

und zu Verwandten in den Libanon gebracht worden. Horowitz'
Mutter heiratete wieder und ging nach Europa zurück, während
der Sohn in einem Kibbuz blieb.

In Großbritannien hatten sich die beiden Männer wiedergefunden. Sie hatten ein Jahr gemeinsam das St. Anthony's College
besucht. Dort hatte Horowitz eine Arbeit verfaßt, in der er den
Vorschlag machte, eine Behörde einzurichten, die für die Wasser-
versorgung im ganzen Nahen Osten verantwortlich sein sollte.

»Und wann war das?« wollte Roscoe wissen.

»Das war 1963, nicht wahr?« sagte Bassam.

»Ja, 1963«, antwortete Horowitz und wandte sich an Roscoe:
»Seither haben wir uns natürlich ein paarmal wiedergesehen — auf
Tagungen und Konferenzen.«

»Aber heute zum erstenmal in Palästina«, sagte Bassam, »jedenfalls seit unserer Schulzeit — ein denkwürdiger Tag.«

Horowitz nahm die Pfeife aus dem Mund. »Es hätte blutig
enden können — nur weil wir zu ungeschickt waren, einen Drahtzaun zu überklettern.«

Beide lachten und stießen sich freundschaftlich in die Rippen.
Bassam gab zu, daß er nie ein guter Sportler gewesen sei, und
Horowitz sagte, zu Hause müßten sie sofort eine Flasche köpfen.
»Zionistischen Fusel, genau das richtige für einen Moslem.«

Roscoe war gerührt. Typisch englisch, dachte er, Sportlichkeit —
eine Flasche Fusel, aber doch nicht ganz so verrückt. Und dazu
auch noch britische Fairneß, das war in dieser Gegend sicher nicht
so oft zu finden ...

Nach wenigen Minuten erreichten sie den Kibbuz Kfar Allon.
Es war eine saubere, aus modernen Häusern bestehende Siedlung.
Die Hauswände und die Baumstämme waren weiß gekalkt wie auf
einem Kasernengelände. Der Wagen hielt vor einem Bungalow.
Vor der Tür stand eine junge Frau mit verängstigtem Gesicht.
»Mein Gott, was für eine Nacht«, sagte sie. »Ich habe die ganze
Zeit gewartet ...«

Horowitz strich ihr übers Haar. »Kommen Sie, gehen wir hin-

ein.« Er ging voraus, schloß die Tür und stellte seine Gäste vor.
»Das ist Arnold Cohen.«

»Hallo«, sagte sie, ohne zu lächeln.

». . . und Stephen Roscoe.«

»Hallo! Es freut mich, Sie kennenzulernen. Möchten Sie sich die Hände waschen?«

Sie hieß Rachel und stammte von der amerikanischen Ostküste, ein mageres und etwas nervöses Geschöpf. Sie führte die Männer in ein kleines, in skandinavischem Stil spärlich möbliertes Wohnzimmer. Hier stellte Roscoe fest, daß der Bungalow in drei winzige Wohnungen aufgeteilt war. Eine Küche gab es nicht und auch nur ein Schlafzimmer, denn Kfar Allon war ein typischer Kibbuz — die Mahlzeiten wurden gemeinsam eingenommen, und die Kinder lebten in besonderen Kinderhäusern. Rachel Horowitz hatte eine dreijährige Tochter, aber nichts in der Wohnung ließ darauf schließen.

Wie versprochen, brachte Horowitz eine Flasche, aber sie waren zu müde, um sie auszutrinken. Roscoe schlief auf dem Teppich, während Bassam auf der Couch schnarchte. In dem kleinen Raum roch es nach ihrem Schweiß.

2. Kibbuz

Als Roscoe am Vormittag am Aussichtsfenster des Bungalows stand, kam es ihm vor, als sei er noch gar nicht aufgewacht. Der Kibbuz Kfar Allon wirkte auf ihn wie ein Traumbild.

Es war vollkommen still. Sie befanden sich hoch in den Bergen oberhalb der im Norden des Landes gelegenen Stadt Kiryat Shemona. Vor dem Fenster wuchsen üppige, im Sonnenlicht scharlachrot glühende Cannas — und dann diese Mädchen, die in Shorts über die Kieswege gingen. Zwei kamen mit einer Milchkanne vorbei. Sie lachten, als sie durch den Halbschatten liefen, die Milch überschwappte und ihnen an die Beine spritzte. Andere arbeiteten in der Obstplantage. Hinter den Obstbäumen sah Roscoe eine grüne Fläche, vielleicht Luzerne. Durch das Feld zogen sich die Metallrohre einer Berieselungsanlage. Dazwischen lagen rechteckige Fischteiche. In der blauvioletten Ferne erkannte er in der vor Hitze flimmernden Luft den kahlen, zerklüfteten Gipfel des Berges Hermon.

Mädchenbeine und künstlicher Regen — das war Israel: die Antwort auf Ghetto und Vernichtungslager. Was hier entstanden war, ließ sich nicht so leicht zerstören.

Bassam stellte sich neben ihn ans Fenster. Er reckte sich und sagte: »Ist das nicht schön?«

Roscoe nickte. »Wie ein Traum.«

»Es entspricht genau meiner Erinnerung. Ich hatte daran gezweifelt.«

»Sie haben wirklich etwas daraus gemacht.«

Bassam nahm eine abwehrende Haltung ein. »Palästina ist nie eine Wüste gewesen«, sagte er und zeigte auf die Obstpflanzung. »Das war alles arabisches Land — sie haben es erst 1948 übernommen.« Dann wies er nach Norden auf die dürren braunen Hügel im Libanon, die erstaunlich nah vor ihnen lagen. »Die Menschen da drüben haben früher hier gelebt. Stellen Sie sich das vor. Schlimm genug, seine Heimat zu verlieren, aber zusehen zu müssen, daß andere die Ernte einbringen ...« Er sprach den Satz nicht zu Ende, wie er es manchmal tat. »Nein«, sagte er, »das können Sie sich nicht vorstellen. Die Briten wissen nicht, was es bedeutet, ein Flüchtling zu sein.«

Rachel Horowitz hatte ihnen einen Zettel gekritzelt und zwischen zwei Gläser mit Orangensaft gesteckt. »Es muß ein eigenartiges Gefühl sein«, sagte Roscoe, »zurückzukommen.«

Bassam stand noch am Fenster. »Ja, es ist ein seltsames Gefühl«

sagte er, drehte sich dann rasch um, holte ein Taschentuch hervor und lächelte unter Tränen. »Mein Gott, Mr. Cohen, Sie werden sich umstellen müssen!«

Roscoe begann, diesen etwas wunderlichen Intellektuellen zu respektieren, der sein gesichertes Leben aufgab, um den Bauern die Obstbäume wiederzugeben, die ihnen gehörten. Zwar wußte auch er, daß die Juden sie gepflanzt hatten, aber das hatte für ihn keine Bedeutung.

Bassam schnaubte sich die Nase und nahm ein Glas mit Orangensaft in die Hand. »Übrigens muß ich Ihnen noch für alles danken, was Sie in der vergangenen Nacht getan haben. In solchen Situationen stelle ich mich an wie ein Idiot.«

Roscoe hob die Schultern. »Hätte ich die Leiter festgehalten, dann wäre Zeiti mitgekommen.«

»Ich muß Ihnen trotzdem danken. Es steht nicht im Vertrag.«

»Apropos Vertrag«, sagte Roscoe, »ich möchte, daß Sie sich das Gebäude sehr genau ansehen.«

»Den ›Alcatraz‹?«

»Ja. Ist das möglich?«

»Warum nicht.«

»Ich will alles wissen, jede Einzelheit: Wie viele Bauarbeiter sind dort beschäftigt? Wann kommen sie, wann gehen sie? Wie weit ist die Arbeit? Gibt es ein Baugerüst? Wo ist es angebracht?«

Bassam hörte aufmerksam zu und nickte bei jeder einzelnen Frage.

»Gibt es Anzeichen dafür, daß das Haus zum Teil schon bezogen ist? Wird es nachts verschlossen? Ist es schon an die elektrische Stromversorgung angeschlossen? — Eine Frage liegt mir besonders am Herzen.«

»Und welche?«

»Gibt es Aufzüge?«

»Zwei, denke ich.«

»Ja, aber sind sie schon eingebaut? Wenn nicht, werden Sie die

Lifts wahrscheinlich außerhalb des Gebäudes sehen können. Sie sehen aus wie zwei große viereckige Kästen.«

»Ist das so wichtig?«

»Ja. Ich will es Ihnen zeigen.« Roscoe suchte und fand ein Stück Papier und einen Bleistift. Er zeichnete eine flüchtige Skizze. »Das Gebäude ist eine Konstruktion aus Stahlbeton. Auf diesen senkrechten Trägern steht es. Und gegen seitliche Erschütterungen wird es von den Aufzugsschächten abgestützt. Sehen Sie diese Querträger? Wenn wir sie sprengen und kleinere Ladungen hier an der Seite anbringen, kippt das Ganze einfach um.«

»Den Hang hinunter?«

»Ja, den Hang hinunter.«

Bassam lachte aufgeregt. »Darauf freue ich mich jetzt schon.«

»Ja, das wird vermutlich recht lustig.« Roscoe knüllte das Papier zusammen, warf es ins Klosett und zog die Wasserspülung. Als er zurückkam, sagte er: »Nun erzählen Sie mir etwas von Saladin. Was ist er von Beruf?«

»Er ist Geschäftsmann und kommt aus Amerika.«

»Ach wirklich?«

»Die Familie stammt allerdings aus Jerusalem. Dort ist sie schon seit Jahrhunderten ansässig.«

»Dann ist sie wohl recht angesehen?«

»Ja, sehr. Es waren Kaufleute. Nach 1948 standen ihre Häuser im falschen Teil der Stadt. Deshalb wanderten sie zunächst nach Beirut und dann in die Vereinigten Staaten aus. Das heißt, mit Ausnahme von Saladin. Er blieb in Jericho und arbeitete in einem Lager.«

»Ist das so ungewöhnlich?«

»O ja«, sagte Bassam, »die Leute in den Lagern sind arm. Dem Mittelstand ging es besser, und das Bürgertum hat in der Widerstandsbewegung die Führung übernommen. Saladin ist überzeugt, daß die Menschen in den Lagern keine so harten Bedingungen stellen würden, wenn sie etwas zu sagen hätten.«

»Das wird sich bald herausstellen.«

»Allerdings. Dann haben die Israelis 1967 auch Jericho besetzt — und das war für uns alle ein Wendepunkt. Nasser konnte uns nicht mehr helfen, deshalb schlossen wir uns entweder der Al Fatah an oder gaben auf. Saladin hat aufgegeben. Er ging nach Chikago und verdiente beim Import von Stahltrossen aus Deutschland einen Haufen Geld. Dort habe ich ihn auch kennengelernt. Ich hielt damals Gastvorlesungen an der Northwestern.«

»Weshalb ist er zurückgekommen?«

»Er ist ein Todeskandidat.«

»Ein Todeskandidat?«

»Ja, leider.«

»Was bedeutet das?«

»Ich weiß es nicht genau — er spricht nicht darüber. Irgendeine Art Krebs.«

»Seit wann ist er krank?«

»Ich glaube, seit etwa zwei Jahren — vielleicht etwas länger oder kürzer.«

»Also noch nicht sehr lange.«

»Nein. Aber wir haben nicht mehr viel Zeit.«

Während sie weitersprachen, duschten sie, rasierten sich und zogen sich an. Rachel Horowitz hatte Roscoe ein frisches Hemd hingelegt. Bassam hatte sich in London neu eingekleidet, und seine Reisetasche enthielt alles, was er brauchte, sogar ein Käppchen, das er sich jetzt auf den Hinterkopf drückte. »Nun, wie sehe ich aus?«

»Jeder Zoll ein Jude!«

»Schwein!«

Sie lachten und setzten sich. Bald mußte Horowitz kommen, der ihnen versprochen hatte, sie durch den Kibbuz zu führen. Für Bassam war das ein erster Test. Er sollte hier als Vertreter einer Londoner Reisegesellschaft auftreten, dessen Aufgabe es war, Rundreisen durch das Heilige Land zu organisieren. Offiziell waren Horowitz, sein alter Freund Cohen und der Journalist Roscoe zusammen von Tel Aviv hierhergekommen. Das war die Geschichte, auf die sie sich geeinigt hatten.

Es war heiß im Zimmer, und die Stille irritierte Roscoe. Die Luft schien elektrisch geladen wie vor einem Gewitter. Er dachte an Claudia, die unerreichbar weit in Tyros zurückgeblieben war, und stellte sich vor, was sie jetzt tat. Er hatte das Bedürfnis, sie zu beschützen, wußte aber, daß es ihr nicht recht sein würde.

Bassam rauchte eine von Rachels Zigaretten und versuchte, ein paar hebräische Sätze zu sprechen. Dann kam Horowitz zurück, und Roscoe konnte sich diesen ungewöhnlichen Israeli etwas genauer ansehen. Er war breitschultrig, untersetzt und kräftig. Das freundliche Gesicht mit dem Doppelkinn war sonnengebräunt, und sein dichtes krauses Haar war tiefschwarz. Er redete unaufhörlich und war von einem offenbar nicht zu bändigenden Tatendrang besessen. Die Besichtigung des Kibbuz war für ihn ein großer Spaß. Nachdem sie sich ihre Rollen noch einmal vergegenwärtigt hatten, gingen sie aus dem Haus und den im Halbschatten liegenden Fußweg entlang und besuchten zuerst den Sekretär des Kibbuz in seinem Büro, der sie spüren ließ, daß er anderes zu tun hatte, als sich mit ihnen zu unterhalten.

Horowitz hatte seit seiner Jugend in diesem Kibbuz gelebt, stand sich aber nicht besonders gut mit den Leuten, die hier etwas sagen hatten. Sie schätzten ihn zwar als tüchtigen modernen Landwirt, lehnten jedoch seine radikalen Ansichten ab.

Dann besuchten sie die Wäscherei und das Bekleidungslager. Hier waren die emanzipierten israelischen Frauen damit beschäftigt, Kleidungsstücke zu flicken. Die gewaschene und gebügelte Wäsche lag sauber zusammengefaltet auf einem Regal, wo jedes Fach mit dem Namensschild eines Kibbuzmitgliedes gekennzeichnet war. Das erinnerte Roscoe an seine Schulzeit.

Anschließend besichtigten sie Unterstände, die für den Fall eines arabischen Angriffs gebaut worden waren. Daneben lagen die moderne Turnhalle und ein Gebäude, in dem Obst verpackt und verladen wurde. Neben einem Berg von Äpfeln stand ein verdrießlich aussehender junger Mann, der sich darüber beschwerte, daß die freiwilligen Helfer Pot rauchten. Es waren junge Leute aus

Europa und Amerika, die für eine bestimmte Zeit nach Israel kamen, um in einem Kibbuz zu arbeiten. Horowitz erzählte, daß sie hier nicht beliebt seien. Ihre Hilfe wurde zwar gebraucht, denn die Mitgliederzahl ging zurück, aber auch diese jungen Menschen zogen, nachdem sie alles gesehen hatten, wieder fort.

»Rachel war eine von ihnen, und ich fürchte, manchmal bereut sie es, hiergeblieben zu sein.«

Rachel war in der Schule, wo sie die jüngste Klasse unterrichtete. Hier machte sie einen glücklichen Eindruck.

Es war ein helles, modernes Schulgebäude. Die Kinder benahmen sich wie Kinder überall in der Welt. Der Unterricht wurde heute im Freien abgehalten. Ein kleines Mädchen mit einer Schleife im Haar lief ihnen entgegen und ließ sich von Horowitz in die Arme nehmen. Er preßte die Kleine an sich wie ein Bär, und sie quietschte vor Vergnügen, als er sie im Gesicht mit den Bartstoppeln kitzelte. Roscoe fragte nach ihrem Namen.

»Lois«, sagte Horowitz mit Vaterstolz.

Rachel zündete sich eine Zigarette an. »Ach, das tut gut«, sagte sie, legte den Kopf zurück und schloß die Augen, während sie tief inhalierte. »Gut, gut — nun, Mr. Cohen, hätten Sie Lust, in einen Kibbuz zu ziehen?«

Bassam brauchte ein paar Sekunden, um sich die Antwort zu überlegen. Er sah sie verständnislos an und blickte dann auf seine Füße, als wollte er sich vergewissern, daß sie noch da waren. »Ja sicher«, sagte er, »aber ich weiß nicht, ob ich die ärztliche Eignungsprüfung bestehen würde.«

Rachel sah ihn von der Seite an, und Roscoe hatte einen Augenblick das Gefühl, sie wisse Bescheid. Aber Horowitz fand es nur komisch. Er lachte so sehr, daß er seine Tochter auf den Boden stellen mußte. Dann läutete die Schulglocke, und Lois rannte fort in ihre Klasse.

Von der Schule gingen sie zum Kuhstall. Ein Freiwilliger aus England spritzte mit einem Wasserschlauch den Mist aus den Ständen. Sein Gesicht war noch blaß, und Roscoe erinnerte sich, ihn irgendwo gesehen zu haben. Dann erkannte er den schüchternen jungen Mann wieder, der ihm in Golders Green begegnet war. Es war der junge David Heinz.

Da es Zeit war, zum Lunch zu gehen, begrüßte Roscoe ihn nicht, und auch David sagte nichts. Vielleicht war er zu schüchtern. Aber er sah den drei Männern nach, als sie aus dem Kuhstall gingen.

»Wollen wir essen gehen?« fragte Horowitz.

»Eine gute Idee«, antwortete Roscoe. Auf dem Weg in den Speisesaal überlegte er, was Charles Heinz, dessen Ehrgeiz darin bestand, englischer als die Engländer zu sein, veranlaßt haben konnte, seinen Sohn in einen Kibbuz zu schicken. Er konnte diese Frage nicht beantworten, aber sie beunruhigte ihn auch nicht weiter. Er glaubte, der junge Mann habe ihn nicht erkannt, aber auch das hätte sicher nichts geschadet. Daß Roscoe sich in Israel aufhielt, stand in keinem Widerspruch zu dem, was er Charles Heinz im Klub erzählt hatte. Deshalb sagte er auch den anderen nichts, und als sie sich in dem überfüllten Speisesaal des Kibbuz Kfar Allon an ihre Portion Hammelragout mit Weißkohl setzten, war es ihnen viel wichtiger, darüber nachzudenken, wie sich Bassam Owdeh bei seinem ersten Auftritt bewährt hatte.

3. Ein Wiedersehen

Alles hatte geklappt. Bassam hatte seine Rolle als durchreisender britischer Jude ausgezeichnet gespielt. Er war ein nüchterner Familienvater und Geschäftsmann, lebte in St. John's Wood, suchte aber eine billigere Wohnung am südlichen Flußufer. Er ging regelmäßig in die Synagoge, sprach hebräisch und bewunderte Israel und seine tüchtigen jungen Staatsbürger. Er hatte diese Rolle gründlich studiert und spielte sie perfekt. Roscoe und Horowitz klopften ihm anerkennend auf den Rücken. Bassam strahlte stolz, und als sie in die Wohnung zurückkamen, beglückwünschten sie einander. Es gab noch einiges zu besprechen, aber zunächst ruhten sie sich aus, während Horowitz Kaffee kochte und versuchte, ihnen das Leben im Kibbuz in den vorteilhaftesten Farben zu schildern.

»Kinder werden von ihren Eltern verwöhnt. Es ist schmerzlich, das zuzugeben, aber meist ist es so. Nach meiner Auffassung ist die Familie keine so gute Einrichtung. Unsere Frauen sind frei, und niemand muß allein alt werden. Wir Juden haben schon immer gute Ideen gehabt, und der Kibbuz ist die Verwirklichung einer ausgezeichneten Idee. Ich glaube, er ist das Modell für die künftige Gesellschaftsform. Deshalb deprimiert es mich so, zu sehen, daß wir zu nationalistischem Denken und rassistischen Vorstellungen zurückkehren, zu all dem primitiven Unsinn, dessen Opfer wir selbst so oft geworden sind. Das ist alles so töricht.« Er kniete auf dem Fußboden und versuchte, die elektrische Kaffeemaschine in Gang zu bringen. »Beim Mittagessen habt ihr gesehen, wie das ist — Cowboys oder Indianer, wir oder sie. Das sind alles sehr nette junge Leute, aber sie haben ihr ganzes Leben lang nur gelernt, die Araber zu hassen.«

Bassam hatte Verständnis dafür. »Seltsamerweise empfinde ich sie nicht als meine Feinde«, sagte er. »Mir tun sie ebenso leid wie dir. Es ist das gleiche Gefühl, wie ich es habe, wenn ich einen Aufmarsch des Al Fatah sehe.«

Roscoe sagte, er glaube nicht, daß man die Juden dafür verantwortlich machen dürfe, was der Staat Israel heute sei. Als Horowitz das hörte, ließ er die Arme sinken und blies die Backen auf. War er entsetzt über die Dummheit der Welt, oder war es nur so mühsam, eine Kaffeemaschine in Gang zu setzen? »Nun ja, wen soll man schon verantwortlich machen? Ich meine, ich kann Golda Meir und Dayan verstehen — sie glauben, ohne einen Staat können wir nicht überleben. Die Geschichte hat sie gelehrt, daß jedes Mittel recht ist, diesen Staat auszubauen und zu stärken. Das verstehe ich. Meine Verwandten sind fast alle von den Nazis umgebracht worden. Aber ich teile nicht die offizielle Meinung; ich glaube vielmehr, daß sie unseren Untergang bedeuten kann.«

»Sehen Sie doch mal nach, ob der Stecker richtig festsitzt«, sagte Roscoe.

»Der Stecker? Ach ja, der Stecker. Vielen Dank.« Horowitz beugte sich hinunter, konnte sich aber nicht auf das technische Problem konzentrieren. »Eines Tages werden sich die Araber organisieren — und dann sind wir mit einem Schlag wieder in Deutschland.«

»Wir bemühen uns darum«, sagte Bassam leichthin.

Horowitz tat, als habe er die Spitze nicht bemerkt. Er stand mit einem tiefen Seufzer auf, als es in der Kaffeemaschine zu brodeln begann. Dann nahm er die Pfeife heraus und suchte in seinen Taschen nach dem Tabak. Er hatte vergessen, was er tun wollte, und starrte aus dem Fenster auf die Obstplantage, die Blumen und die Bungalows. Die Farben waren so frisch wie auf einem Farbdiapositiv. Er stand da und blickte hinaus, als habe er etwas ganz Ungewöhnliches wahrgenommen. Dann sagte er ganz langsam und betonte dabei jedes Wort: »So gut es auch angefangen haben mag, die Besiedlung von Palästina durch uns war ein imperialistisches Abenteuer, das nicht in die Zeit paßt. Und auf die Dauer kann das nicht gutgehen.«

Bassam und Roscoe saßen da und schwiegen. Eine Minute lang sagte niemand etwas, und auch draußen war es still. Nicht einmal ein Hund bellte. Dann wandte sich Horowitz um und deutete mit dem Pfeifenstiel auf seine beiden Gäste.

»Wenn dieser Krieg weitergeht, wird sich die ganze Welt daran beteiligen müssen. Man wird die Juden dafür verantwortlich machen, und das wird neue Verfolgungen auslösen — schlimmere, als wir sie je erlebt haben.«

Bassam nickte mit ernstem Gesicht.

Roscoe blickte auf die Kaffeemaschine. »Ich denke, der Kaffee wird jetzt fertig sein.«

»Ja, bitte, gießen Sie sich eine Tasse ein — ja, meine Freunde, deshalb unterstütze ich Saladin: um der Juden willen. Ich liebe diese Menschen, und ich liebe dieses Land. Aber ich weiß, wenn wir hierbleiben wollen, müssen wir es mit anderen teilen. Wir brauchen eine ganz neue Initiative. Wir brauchen das Vertrauen derjenigen, die die Gefahr erkannt haben, und wir brauchen Ideen. Wir müssen einen neuen Kibbuz aufbauen, in dem Juden und Araber gemeinsam arbeiten. Und wir müssen den Müttern die Kinder fortnehmen . . .«

Bassam kicherte. »Da würde ich auch mitmachen.«

Horowitz fand den Tabak in einer Schublade, setzte sich und lächelte zufrieden. »Keine schlechte Idee, nicht wahr?«

Als sie sich zusammensetzten, um den Auftrag, den sie von Saladin erhalten hatten, im einzelnen durchzusprechen, war Roscoe erneut gerührt — wie man sich etwa davon rühren läßt, wenn ein schwarzer und ein weißer Mann Freundschaft schließen. Im übrigen beruhigte es ihn festzustellen, wie fachmännisch sie die Sache anpackten. Die von Horowitz und Bassam getroffenen Vorbereitungen waren bis ins letzte Detail vernünftig und logisch. Beide schienen dieses Vorhaben für die wichtigste Aufgabe ihres Lebens zu halten. Beide besaßen eine außergewöhnliche Intelligenz und machten Gebrauch davon. Sie hatten eine lange Liste von Kontaktpersonen mit Adressen und Telefonnummern, dazu ein System von Symbolen, mit denen die einzelnen Anhänger Saladins nach ihrer Bedeutung klassifiziert wurden. Man konnte daraus ersehen, welcher politischen Richtung der Betreffende angehörte und auf welche Weise der Kontakt mit ihm aufgenommen werden konnte. Auf einer anderen Liste standen die Namen von Journalisten, die ähnlich gekennzeichnet waren. Außerdem hatten Bassam und Horowitz je einen Kalender mit einem Zeitplan, auf dem der stufenweise Fortgang der Werbekampagne für jede Woche eingetragen war. In einem Haus in Tiberias befand sich eine Drukkerei für die Herstellung von Flugblättern. Bassam hatte Entwürfe für Anzeigen mitgebracht, deren Format dem der hebräischen und arabischen Tageszeitungen entsprach. Eine kürzlich in Tel Aviv gegründete Firma hatte die Anzeigen schon bezahlt. Das Bankkonto dieser Firma war echt, aber die Namen der Geschäftsführer und deren Unterschriften waren falsch. Bassam und Horowitz hatten je ein auf dieses Konto ausgestelltes Scheckbuch, um über die für das Unternehmen benötigten Summen verfügen zu können. Außerdem trug Bassam eine Menge Bargeld bei sich, das eigentlich bis zur Erledigung seines Auftrags reichen müßte.

Sie hatten bestimmte Sicherheitsmaßnahmen getroffen. Alle schriftlichen Mitteilungen wurden chiffriert. Der Schlüssel änderte sich täglich. Für Telefongespräche waren Kennworte verabredet, die ebenfalls jeden Tag wechselten. Für den Fall, daß einer der Gesprächsteilnehmer vermutete, das Gespräch werde überwacht, gab es ein Warnzeichen. Wenn die Verbindung zwischen ihnen abriß, konnte sie mit Hilfe einer Kleinanzeige in der Zeitung *Jerusalem Post* wieder aufgenommen werden. Im ganzen Land waren tote Briefkästen eingerichtet. Dazu gab es sichere Treffpunkte in bestimmten Häusern, unter anderem auch in Claudias Wohnung. Wie Yasser Arafat sollte Bassam ständig unterwegs sein. Neben dem auf den Namen Arnold Cohen ausgestellten Paß hatte er einen Personalausweis bei sich, in dem er als arabischer Bürger Israels bezeichnet war. Auch Horowitz verfügte über falsche Papiere. Jeder hatte in der Brieftasche eine Vorrichtung, die den Inhalt auf Knopfdruck in Flammen aufgehen ließ. Sie waren so gut auf das Unternehmen vorbereitet, wie das bei Amateuren nur möglich war. Roscoe gewann den Eindruck, daß ein Fachmann die Hand im Spiel hatte. Dabei dachte er an Refo.

Die Besprechung dauerte den ganzen Nachmittag und wurde nur unterbrochen, als Rachel von der Schule nach Hause kam. Als sie fortging, um mit den freiwilligen Helfern Basketball zu spielen, ging die Arbeit weiter. Nachdem sie zurückgekehrt war, kochte Rachel auf der einzigen elektrischen Platte in der Wohnung eine Gemüsesuppe. Roscoe hatte geglaubt, sie sei nicht in das Vorhaben eingeweiht, aber jetzt zeigte es sich, daß sie Bescheid wußte, jedoch nichts damit zu tun haben wollte. Sie servierte die Suppe und stellte dazu einen Teller Oliven und ein paar Scheiben Brot auf den Tisch. Horowitz holte eine Flasche Wein, sie tranken auf gutes Gelingen und auf Saladin. Dann brachte Horowitz Roscoe zurück an die Grenze.

Um den Wachtposten nicht noch einmal in eine gefährliche Lage zu bringen, wählte Roscoe einen anderen Übergang, eine gut gedeckte Stelle zwischen den Wachtürmen. Als er über den Zaun kletterte, wurde der Alarm wieder ausgelöst, aber diesmal konnte sich Roscoe leichter in Sicherheit bringen: Er brauchte nur zu laufen. Im Licht der Tankstelle orientierte er sich und benutzte den gleichen Weg, auf dem er am Vortag gekommen war. Bald nach Mitternacht kam er an das verlassene Bauernhaus, setzte sich auf den Rücksitz des Volkswagens, wartete auf den Zigeuner und Zeiti und schlief darüber ein. Er hatte angenommen, sie würden an diese Stelle zurückkommen, aber das sollte sich als Irrtum enthüllen.

Plötzlich wurde er durch eine gewaltige Detonation geweckt.

4. Im Zentrum des Orkans

Der gegen die Al Fatah gerichtete Vergeltungsschlag, den man seit München erwartete, hatte seinen Anfang genommen. Im ersten Morgengrauen des 16. September stürmten drei israelische Panzerkolonnen über die Grenze in den Libanon, und Roscoe befand sich im Angriffsstreifen des im östlichen Abschnitt vorgehenden Verbandes. Dieser stieß bei Metullah gegen das Fatah-Kommando in Nabatiya vor.

Die Hauptkräfte der Fedajin hatten sich in die befestigten Unterstände am Berg Hermon zurückgezogen, aber die libanesische Armee leistete den Israelis energischen Widerstand und belegte ihren Vormarschweg mit massiertem Artilleriefeuer. Eine libanesische Batterie beschoß die von der Brücke über den Litani heraufführende Straße unterhalb des Punktes, an dem Roscoe und seine Freunde zu dem Bauernhaus abgebogen waren. Auf die erste Granate folgte sehr bald eine zweite, und dann lag das Gelände beiderseits der Straße unter schwerem Artilleriebeschuß.

Nach wenigen Augenblicken war sich Roscoe darüber im klaren, in welcher Lage er sich befand. Er sprang aus dem Volkswagen und lief während einer kurzen Feuerpause auf einen Felseinschnitt zu, den er am unteren Teil des Hanges gesehen hatte. Hier warf er sich unter einen Kameldornbusch und fühlte, wie die Dornen ihm den Rücken entlangkratzten, als er sich zwischen die Steine preßte. Eine Zeitlang behielt er den Kopf unten, dann aber hob er ihn vorsichtig, um zu sehen, wie sich das Gefecht entwickelte.

Die Israelis griffen mit Centurion-Panzern an, die in einer Kolonne hintereinander herfuhren. Ein Panzer war von einer Granate getroffen worden und hatte sich auf der Straße quergestellt. Bald war er zur Seite geräumt, und die Kolonne fuhr rasch weiter. Die israelischen Soldaten zeigten die typische Kaltblütigkeit junger Kibbuzniks.

Die Panzer rollten weiter, aber eine kleine Abteilung Infanteristen, die ihnen gefolgt war, durchsuchte das Bauernhaus. Die Männer fanden den Volkswagen, prüften ihn und ließen ihn dann stehen. Das Artilleriefeuer hatte aufgehört. Die israelische Infanterie rückte mit stärkeren Kräften nach, aber nun wurde es still, und nichts rührte sich mehr auf der Straße. Der beschädigte Centurion-Panzer lag ein gutes Stück unterhalb des Bauernhauses am Hang.

Roscoe ging zu seinem Wagen zurück und nahm die Karte

heraus. Er hörte den Gefechtslärm im Norden an der nach Nabatiya führenden Straße. Dort war ihm also die Durchfahrt versperrt. Aber es gab einen anderen, direkteren Weg nach Tyros auf einer Straße, die zu benutzen Hourani ihnen abgeraten hatte. Jetzt wollte Roscoe es doch versuchen und fuhr zum Fluß hinunter. Er ließ sich durch die Zurufe der israelischen Mechaniker, die sich an dem liegengebliebenen Panzer zu schaffen machten, nicht aufhalten. Der Posten auf der Brücke war von israelischer Grenzpolizei besetzt. Hier blieb nur eine Möglichkeit. Er gab Vollgas und raste, ohne auf irgendwelche Zeichen zu achten, an den Männern vorbei. Als er den Hang hinauffuhr, hörte er eine Trillerpfeife und einen Geschoßeinschlag in das Heck des Wagens. Aber niemand machte sich die Mühe, ihm zu folgen. Er vertraute auf sein Glück und die durch das Gefecht verursachte allgemeine Verwirrung. Die steinige Straße führte in westlicher Richtung durch das öde Bergland südlich des Litani nach Tyros.

Immer wieder begegnete er israelischen Soldaten. Starke Luftwaffenverbände beteiligten sich an den Kampfhandlungen und griffen weiter nördlich irgendwelche Erdziele an. Die Infanterie durchkämmte jedes kleine Bergdorf. Die Soldaten verhörten die Bewohner, nahmen Verdächtige fest und zerstörten jedes Gebäude, in dem sie Anzeichen dafür fanden, daß es von den Fedajin benutzt worden war. Sie waren mit NATO-Selbstladegewehren und Uzi-Maschinenpistolen bewaffnet, mit denen sie sicher umzugehen wußten. So tüchtig diese Männer sein mochten — es war die schäbigste Armee, die Roscoe je gesehen hatte. Die Männer hatten lange Haare, waren unrasiert und trugen unansehnliche, verblichene grüne Uniformen. Die großen amerikanischen Stahlhelme hatten sie ins Genick geschoben. Sie kamen Roscoe vor wie Piraten, und sie glichen in dieser Hinsicht ihrem Befehlshaber Dayan, dessen Kennzeichen die schwarze Augenbinde war. Die Araber standen verschüchtert herum und sahen schweigend zu, wie ihre Häuser in Schutt und Asche fielen.

Vor der Ortseinfahrt von Juwaiya wurde Roscoe von einem

israelischen Offizier angehalten, der ihm sagte, er dürfe hier nicht weiterfahren. Die Fedajin hatten sich in der Ortschaft verbarrikadiert und schossen schon den ganzen Nachmittag und Abend von ihren Schlupfwinkeln aus auf die vorrückenden Verbände. Die Israelis hatten bereits zwei Tote und sechs Verwundete, die sie mit Hubschraubern ausflogen. Wieder legte sich Roscoe auf den Rücksitz seines Wagens und schlief.

Am nächsten Morgen fuhr er weiter und kam dabei an zerschossenen Häusern vorbei, deren Mauern zum Teil eingestürzt und auf die Straße gefallen waren. Wieder traf er den israelischen Offizier, der gerade dabei war, Gefangene auf einen Lastwagen zu verladen. Unter ihnen entdeckte Roscoe ein bekanntes Gesicht. Es war Walid Iskandar, der Sprecher der Al Fatah, den er in Beirut kennengelernt hatte. In seinem hellen Stadtanzug fiel er in der Masse der anderen Gefangenen besonders auf.

Am vernünftigsten wäre es gewesen weiterzufahren, aber als alter Soldat wollte Roscoe in diesem ungleichen Kampf nicht nur die Rolle des Zuschauers spielen. Das ging ihm energisch gegen die Ehre. Deshalb hielt er an und stieg aus dem Wagen. Mit überzeugend britischem Tonfall protestierte er gegen die unerhörte Behandlung seines Dolmetschers, der durch die Kampfhandlungen von ihm getrennt worden war. Der israelische Leutnant sah ihn gelangweilt an und begriff nicht recht, was er wollte. Der junge Mann war von den Anstrengungen der letzten vierundzwanzig Stunden völlig erschöpft. Aber Roscoe ließ nicht locker. Er zog den Presseausweis aus der Tasche, den Marsden ihm gegeben hatte. »So dürfen Sie die Presse nicht behandeln.«

»Der Mann war bewaffnet.«

»Natürlich. Wir müssen uns schützen.« Roscoe zog seinen Browning aus der Tasche und zeigte ihn dem Offizier.

Der Leutnant nahm den Presseausweis, prüfte ihn mißtrauisch und gab ihn Roscoe zurück. Dann rief er Walid zu sich und sah sich die Plakette an, mit der er gekennzeichnet war. »Dieser Mann gehört zur Al Fatah.«

»Unsinn! Er arbeitet für mich. Ich verlange, daß Sie ihn sofort freilassen.«

Walid beobachtete die Auseinandersetzung mit traurigen schwarzen Augen. Er hatte sich in sein Schicksal ergeben, freute sich wahrscheinlich aber doch darüber, daß irgend jemand sich für ihn interessierte. Der Offizier nahm ihm die Plakette ab, die man ihm an einer Schnur um den Hals gehängt hatte, und sagte ihm kühl, er solle sich in Roscoes Wagen setzen. Die Israelis hatten es eilig. Diese Einheit war durch den nächtlichen Überfall aufgehalten worden und würde ohnedies als letzte wieder an der Grenze sein.

Roscoe startete den Wagen und fuhr weiter.

Walid war undankbar. Auf der Fahrt durch Juwaiya fragte Roscoe ihn, was er hier getan habe.

»Ich habe für mein Land gekämpft.«

Am Stadtrand sahen sie einen Wagen, der von einem israelischen Panzer überrollt worden war. Unter dem verbogenen Blech ragten menschliche Glieder hervor. Sieben Personen hatten in dem Auto gesessen.

Walid war entsetzt und schrie zornig auf. Roscoe begann, am Sinn all dieser Kämpfe zu zweifeln. Obwohl er in Nordirland gewesen war, glaubte er noch an bestimmte soldatische Ehrbegriffe. Nun fragte er sich, ob er nicht doch besser zu Hause geblieben wäre.

In den Außenbezirken von Tyros wurde Roscoe an einer libanesischen Straßensperre festgenommen. Wieder zeigte er den Presseausweis vor, aber das nützte nichts. Die libanesischen Soldaten waren sehr aufgebracht und hätten ihn fast verprügelt, wenn Walid nicht eingegriffen hätte. Er hielt ihnen eine lange Rede auf arabisch. Die Libanesen waren zuerst nicht sicher, was sie tun sollten, ließen ihn dann aber frei. Als sie weiterfuhren, bedankte sich Roscoe. Dann sah er wieder ein bekanntes Gesicht. An einem Taxi auf der anderen Seite der Straßensperre stand Dominic Morley. Er hatte sich drei Tage lang nicht rasiert.

»Die Kerle wollen mich nicht durchlassen. Was ist da los?«

»Das erzähle ich Ihnen später«, rief Roscoe. »Keine Zeit!«

»Alles vorbei?«

»Ja, leider.«

Tyros war voll von Menschen, die vor dem israelischen Angriff geflohen waren. Nachdem er Walid am Marktplatz abgesetzt hatte, fuhr Roscoe zum Hafen. Dort saß Claudia mit Saladin in der Bar eines Hotels. Als Roscoe in der Tür erschien, sprangen sie auf. Claudia zögerte einen Augenblick und fiel ihm dann um den Hals. Das überraschte Roscoe.

»Wir glaubten, Sie seien nicht mehr am Leben«, sagte sie.

Roscoe spürte ihre Wange an seinen Bartstoppeln und wurde sich bewußt, daß er, seit er Israel verlassen hatte, kaum an etwas anderes hatte denken können als an dieses nette englische Mädchen, das hier auf ihn wartete. »Schön, Sie wiederzusehen«, sagte er.

Claudia drückte ihn noch einmal an sich und ließ ihn dann los. Nun kam Saladin auf ihn zu, reichte ihm die eine Hand und legte ihm die andere auf die Schulter. Roscoe erkannte, daß Bassam ihm die Wahrheit gesagt hatte. Das Feuer in Saladins Augen war nicht nur Ausdruck eines politischen Fanatismus. Saladin hatte den brennenden, lebenshungrigen Blick eines Sterbenden.

Roscoe setzte sich und berichtete. Dabei unterbrach ihn Saladin nur ein einziges Mal, um zu fragen, was er von Eytan Horowitz hielt.

»Ein guter Mann.«

»Aber?«

Roscoe lächelte, als wäre er beim Falschspielen erwischt worden. Einem Araber entgeht auch nicht die geringste Unsicherheit. »Nun«, sagte er, »das ist nicht meine Sache, aber ich weiß nicht recht, was man ihm zumuten kann. Der Anwendung von Gewalt wird er sich vielleicht widersetzen.«

Saladin nickte. »Das bestätigt meinen Eindruck.«

Claudia hörte aufmerksam zu, und die Männer ließen das Thema fallen.

Saladin bestellte etwas zu trinken und ließ sich von Roscoe über alle Einzelheiten seiner Reise nach Israel berichten — von Sarafand zum Kibbuz Kfar Allon und wieder zurück nach Tyros. »Gute Arbeit«, sagte er, »sehr gute Arbeit. Aber wo ist mein kleiner Zigeuner?«

»Irgendwo da draußen und macht sich unsichtbar.«

»... während Sie nicht schnell genug zurückkommen konnten, um diese junge Dame zu beschützen.«

»Genau.«

»Hoffentlich kommt er durch.«

»Er gehört zu den Leuten, die immer wieder durchkommen.«

Der Kellner brachte Bier und drei Gläser, dazu Karotten und Pistazien, eine libanesische Spezialität. Claudia knabberte an einer Karotte, und Roscoe goß sich ein Glas Bier ein und trank es in einem Zuge aus.

»Und wie steht es mit Zeiti? Ist das auch ein guter Mann?« fragte Saladin.

»Nützlich. Bassam hält große Stücke auf ihn.«

»Aber Sie halten ihn für einen Spion?«

Roscoe stellte das Glas auf den Tisch und sah Saladin mit dem gleichen erstaunten Blick an, den Claudia schon im Saint-George an ihm bemerkt hatte. »Warum glauben Sie das?«

»Sagen wir, Sie haben Ihre Zweifel.«

»Zweifel? Ja, vielleicht; aber Sie dürfen mich nicht fragen. Ich bin gerade eben erst aus dem Flugzeug gestiegen. Für mich sieht ein Araber aus wie der andere.«

Claudia fand diese Bemerkung unverschämt, aber Roscoe meinte es wirklich so, und Saladin kannte die Engländer. Er lachte in sich hinein, nahm einen kleinen Schluck Bier und wischte sich mit dem Zeigefinger die Lippen ab.

»Mein Freund, Sie haben recht mit Ihren Zweifeln. Er ist ein Spion.«

Claudia mußte sich zusammennehmen, um sich ihre Überraschung nicht anmerken zu lassen. An diese Art männlicher Verschwiegenheit hatte sie sich erst zu gewöhnen. Sie waren die einzigen Gäste in der Bar, und auch das Hotel war schwach besetzt. Für Touristen war es zu gefährlich und für die Flüchtlinge zu teuer. Hier hatte sie jeden Abend mit Morley gesessen und sich über die Bedeutung der Nachrichtenmedien unterhalten.

Saladin wartete auf Roscoes Antwort, aber da er nichts sagte, fuhr er fort. »Zeiti ist Mitglied des ›Schwarzen September‹. Er unterrichtet seine Leute über jeden Schritt, den wir tun.«

Roscoe fragte, was Saladin unternehmen wolle.

»Vorläufig nichts. Solange er bei uns ist, werden sie uns keinen anderen Spitzel schicken.«

»Ich nehme an, diese Leute wollen wissen, wer Sie sind.«

»Wahrscheinlich wissen sie das schon. Deshalb werde ich morgen eine Pressekonferenz einberufen und dann verschwinden.«

»War es nicht etwas voreilig«, fragte Roscoe, »Zeiti mit uns an die Grenze zu schicken? — Ich meine, wenn Sie das schon gewußt haben.«

»Ich wußte es noch nicht. Ich habe es erst gestern erfahren. Hat er den Paß gesehen?«

»Nein, ich glaube nicht.«

»Gut. Sie müssen ihn im Auge behalten. Sorgen Sie dafür, daß ich am Leben bleibe — wenn Sie es können.«

Roscoes Achtung vor Saladin wuchs. Er erkannte, daß sogar der modische Anzug nur Ausdruck seines Lebenswillens war. Er sollte den körperlichen Verfall verdecken. Wie seltsam und wie widersprüchlich war das alles! Dieser Mann muß sterben und will um jeden Preis am Leben bleiben, dachte er, während ich lebendig und gesund mit dem Tode spiele.

Saladin blickte zum Hafen hinaus, wo ein Fischerboot über das seichte Wasser auf sie zukam. »Bassam ist ein sehr tapferer Mann«, sagte er. »Hoffentlich werden diese verdammten Israelis ihn nicht festnehmen.«

Roscoe beobachtete das Boot, das dicht am Kai vorüberfuhr. Er überlegte, was er tun würde, wenn sich ein Scharfschütze darin versteckt hatte. Seine Sorge war unbegründet. Das Boot fuhr weiter — aber man konnte nie wissen . . . Saladin stand auf. »Würden Sie uns bitte entschuldigen, Miss Lees? Ich möchte mir diesen Walid noch einmal ansehen.«
»Selbstverständlich.«
Claudia blickte ihnen nach. Ein seltsames Paar; dieser dunkelhaarige, exotisch wirkende, gutaussehende Mann und daneben der schlanke, hochgewachsene englische Gentleman. Museumsstücke, dachte sie, und es wurde ihr zum erstenmal bewußt, daß Roscoe ihr etwas bedeutete. In seiner Gegenwart fühlte sie sich viel wohler als allein. Sie versuchte, sich einzureden, das läge nur an der gefährlichen Situation, und wollte sich nicht eingestehen, daß er sie glücklicher machte oder — was Gott verhüten mochte — ihr das Gefühl gab, eine Frau zu sein.

5. Ein Augenblick Frieden

Saladin fuhr mit Roscoe in seinem Mercedes zurück nach Tyros. Überall dort, wo die Israelis zugeschlagen hatten, ließen sich neue Anhänger werben. Die Menschen waren so erregt, daß mancher bereit war, alles zu riskieren, nur um sich zu rächen.

Auf dem Weg in die Stadt erzählte er, was er über Gessner in Erfahrung gebracht hatte. Die Firma in Paris war eine Deckadresse für die jüdische Selbstschutzorganisation »Söhne von Zion«. Diese Organisation verfolgte Zeiti, weil er an dem Mordanschlag von München beteiligt gewesen war. Mit diesen Leuten war nicht zu spaßen. Sie hatten schon etwa fünfzehn Menschen umgebracht.

Aber Gessner interessierte Roscoe im Augenblick nicht besonders. Roscoe wollte wissen, ob Horowitz in den Plan, den »Alcatraz« zu sprengen, eingeweiht war.

Saladin sagte, er wisse noch nichts davon. »Aber ich glaube, wir werden ihn bald einweihen müssen. Bassam wird es tun, wenn er glaubt, daß der richtige Zeitpunkt gekommen ist.«

»Das ist ein neuer Unsicherheitsfaktor.«

»Richtig. Beunruhigt Sie das?«

»Nein, aber wenn wir es ihm schon sagen müssen, dann möglichst bald. Ich muß wissen, wie er sich dazu stellt, bevor wir über die Grenze gehen.«

Saladin hatte Verständnis für diese Bedenken. Er verfügte über mehrere Möglichkeiten, die Verbindung mit Bassam aufzunehmen, und zwar durch Mittelsmänner in Rom und London, wo Marsden zur Tarnung eine Reiseagentur eingerichtet hatte, bei der Arnold Cohen angestellt war. Außerdem bestand Funkverbindung zwischen Horowitz in Israel und Giscard im Libanon. Die Geräte wurden täglich zu einer bestimmten Zeit eingeschaltet. Jeder Funkspruch wurde verschlüsselt und die Verbindung selbst nur in dringenden Fällen aufgenommen.

Dann fragte Roscoe, was als nächstes auf dem Programm stand. Saladin sagte, Roscoe könne sich ein paar Tage freinehmen. In einer Woche werde er das Kommando zusammengestellt haben. Dann stehe auch das Übungsgelände zur Verfügung. Bis dahin sollte Roscoe sich ausruhen und seine Aufgabe im einzelnen vorbereiten.

Saladin stellte den Wagen ab, und sie gingen zusammen über den Markt, wo eine große Menschenmenge versammelt war. Alles sprach von den israelischen Greueltaten. Walid stand allein abseits der Menge und beteiligte sich nicht an den erregten Diskussionen. Roscoe dachte, er habe ihn vielleicht falsch beurteilt. »Überlassen Sie das mir«, sagte Saladin. »Sie werden von mir hören. Ich schlage vor, Sie kümmern sich jetzt um Miss Lees.« Er hob eine Augenbraue und sah Roscoe an wie jemand, der Verständnis für ein kleines Abenteuer hat. »Haben Sie genug Geld bei sich?«

»Ja, Jimmy hat mir etwas gegeben.«

»Also dann auf Wiedersehen und vielen Dank.«

Roscoe ging zu Fuß zum Hotel. Dort stellte er sich unter die Dusche, während Claudia sich umzog. Als er in ihr Zimmer kam, trug sie ein weißes, am Halsausschnitt und am Rocksaum mit Spitzen besetztes Baumwollkleid. Sie sah ihn kokett von der Seite an und drehte sich im Kreis wie eine Tänzerin, so daß der Rock sich bauschte. Sie sagte, sie habe das Kleid in einem palästinensischen Andenkenladen gekauft, um diesen Leuten zu helfen.

Sie hatte einen guten Geschmack — und hübsche Beine. Roscoe gefiel das. Brown kannte er nur in Hosen.

Sie setzten sich in den Volkswagen und fuhren durch Bananen-, Orangen-, Zitronen- und Mispelpflanzungen nach Beirut. Dabei kamen sie zuerst durch Sarafand und dann durch Sidon, wo die Öltanker im Hafen das schwarze Blut des Westens aus einer Pipeline saugten, die durch ganz Arabien lief.

»Stephen, ich möchte Sie etwas fragen.«

»Ja?«

»Sie werden etwas tun, wovon ich nichts weiß. Stimmt das?«

Roscoe hatte sie schon zweimal belogen. Diesmal ging es nicht mehr. »Ich glaube, Sie sollten sich aus der Sache heraushalten.«

»Es stimmt also?«

Roscoe sprach vorsichtig weiter. »Morgen wird Saladin eine öffentliche Erklärung über seine Vorschläge abgeben. Wenn die Israelis nicht darauf reagieren . . .«

». . . was sie nicht tun werden . . .«

». . . dann werden wir sie etwas unter Druck setzen müssen.« Bevor sie etwas sagen konnte, fuhr er fort. »Nun fragen Sie mich nicht, wie. Sie haben gesehen, was für ein Mensch er ist. Er ist nicht böse. Ich bitte Sie, mir zu glauben, daß die Sache in Ordnung ist, und ich möchte, daß Sie sich heraushalten.«

»Machen Sie sich keine Sorgen, das habe ich auch vor.«

»Wollen Sie die Mitarbeit überhaupt aufgeben?«

Claudia dachte einen Augenblick nach. »Nein. Ich habe ihm mein Wort gegeben. Irgendwie möchte ich ihm helfen.«

Roscoe gab ihr zu bedenken, daß die Israelis ihr Schwierigkeiten machen würden, wenn sie ihr nachweisen könnten, daß sie sich in unerwünschter Weise politisch betätigte.

»Vielleicht werden sie mich ausweisen.«

»Würde das alles sein?«

»Ich glaube kaum, daß sie mehr tun könnten.«

»Seien Sie sehr vorsichtig.«

»Sie auch!«

Näher gingen sie auf das Thema nicht ein, was sie beide später bedauerten. Eine Zeitlang fuhren sie schweigend weiter. Dann fragte Claudia, einer Gedankenassoziation folgend, weshalb Roscoe den Dienst in der Armee quittiert habe.

»Es macht nicht mehr sehr viel Spaß.«

»Sie reizt das Risiko, nicht wahr?«

»Ja, vielleicht.«

»Warum?«

»Es macht das Leben interessanter, glaube ich.«

Sie fragte ihn, ob er je einen Menschen getötet habe, und er erzählte ihr von Malaya und Zypern. Über seine Tätigkeit in Nordirland durfte er nicht sprechen, denn dieser ganze Komplex unterlag strengsten Geheimhaltungsbestimmungen. Auch gab es in diesem Zusammenhang kaum etwas zu beichten, jedenfalls nicht viel. Im Krieg, sagte er, bestünde das Leben zum größten Teil aus Warten, aus endlosen langweiligen Wochen und wenigen Sekunden höchster Gefahr, in denen man keine Zeit habe, sich zu fürchten, denn der Tod komme überraschend. Eben langweile man sich noch, und im nächsten Augenblick frage man sich, was geschehen sei, denn neben einem liege ein anderer auf dem Boden und verblute. Wenn man es genauer betrachte, dann komme der Tod immer zufällig und unerwartet.

»Fürchten Sie sich davor?«

»Nein, ich glaube, nicht sehr.«

»Sehnen Sie sich vielleicht danach?«

Roscoe blickte überrascht auf. »Himmel, nein! Ich will den Tod überlisten.«

»Ist das nicht ein etwas verschrobener Ehrgeiz?«

Roscoe behauptete, das sei ganz normal, aber er wußte, daß es nicht stimmte. Der Tod war zwar so etwas wie ein zufälliges Ereignis, aber für ihn war das auch das Dasein — nur daß es ihn hier und jetzt, hier in diesem Wagen und mit diesem Mädchen erregte. Zum erstenmal hatte er das ungewisse Gefühl, es sei in Wirklichkeit recht kümmerlich, sich das Leben dadurch interessanter zu gestalten, indem man versuchte, sich in die Schußlinie zu stellen und dann den Geschossen auszuweichen.

Claudia sah auf die See hinaus und fing an, von ihren eigenen Erfahrungen zu sprechen. »Wissen Sie«, sagte sie, »als die Bomben in Nahr al Bared fielen, hatte ich gar keine Angst, aber ich hielt es für absolut unsinnig, hier draußen im Urlaub von einer Bombe zerrissen zu werden. Wenn man stirbt, dann sollte es einen Sinn haben. Glauben Sie nicht auch?«

»Ja, einen Sinn — aber der läßt sich schwer finden.«

Roscoe hatte sich auf der Karte orientiert, legte sie fort, bog zur Küste ab und folgte den Windungen der in die Berge führenden Straße. Claudia wollte wissen, wohin sie fuhren. »Warten Sie nur«, sagte er. An ihrem Gesichtsausdruck erriet er die nächste Frage.

»Glauben Sie an Gott?«

»Nein.«

»Auch nicht an Jesus?«

»Schon eher als an Gott. Und Sie?«

»Wohl an beide.«

Roscoe war, nachdem sie an Beiteddin vorbeigefahren waren, an dem Ort angekommen, den er auf der Karte gesucht hatte. Er hieß Maaser es Shuf und lag wie eine bizarre Felsformation am Berghang.

»Oh!« rief sie aus, »die Zedern«, und küßte ihn auf die Wange. Sie lagen nebeneinander im Gras und blickten hinauf in die Baumkronen, die sich über ihren Köpfen regten, während die Sonne rasch im Meer versank. Hier ließ es sich gut über alte Liebesaffären sprechen. Claudia erzählte, sie habe sich von einem Mann getrennt, um die Welt kennenzulernen, und Roscoe sprach von seinem Verhältnis mit Brown.

»Sie kann es nicht ertragen, allein zu sein, aber es ist ihr unmöglich, die Rolle der Ehefrau zu spielen. Sie will ein Mann unter Männern sein.«

»Sie ist wahrscheinlich sehr nett. Ich würde sie gern kennenlernen.«

»Es war falsch, sie nach Granby zu bringen. Das hat unsere Beziehungen zu sehr belastet.«

Die abendliche Brise strich durch die Wipfel der uralten Zedern, deren Stämme so verwittert waren wie zerbröckelte Felsen. Früher waren diese Berghänge von Zedernwäldern bedeckt gewesen. Man hatte sie abgeholzt, um Dachbalken, Schiffe und die Vertäfelungen in den Salonwagen der türkischen Eisenbahn daraus zu machen. Von den herrlichen Wäldern waren hier und etwas weiter im Norden nur kümmerliche Reste übriggeblieben, die im Winter unter der Last des Schnees zusammenbrachen.

Claudia drehte sich auf die Seite und legte den Kopf auf einen Ellbogen. »Erzählen Sie mir von Granby.«

»Es ist flach, windig und kalt; ein großes Backsteinhaus, ein paar Felder — weit und breit kein Baum.«

»Und dafür würden Sie sterben.«

»Für Granby? Ja, das würde ich.«

»Oh, ich höre die Al Fatah aus Ihnen sprechen.«

Roscoe grinste. Sie war in seine geheimen Dachkammern gestiegen, hatte die Fenster geöffnet und frische Luft hereingelassen. Sie hatte ihn gezwungen, sich ihr zu öffnen. Er fühlte sich durchschaut. »Noch nie im Leben habe ich so viele Fragen beantworten müssen.«

»Macht es Ihnen was aus?«

»Nein, durchaus nicht.«

Sie blickte auf ihn hinunter und lächelte. Ihr blasses Gesicht war von den Zweigen über ihr umrahmt. Der Stoff des weißen palästinensischen Baumwollkleides straffte sich über ihren Brüsten. Roscoe spürte in dieser Haltung, in der sie sich lächelnd über ihn beugte, eine Herausforderung. Wieder erinnerte sie ihn an eine Krankenschwester. Er war der Patient; die überlegene, weißgekleidete Gestalt hatte ihn diagnostiziert und wußte, daß er sie küssen wollte. Sie wußte es und wartete ab, ob er es wagen würde.

Er wagte es nicht. In dieser Hinsicht war er ein vorsichtiger Mann. Als er spätabends allein in seinem Hotelzimmer saß, dachte er, er hätte kühner sein sollen, als die Wipfel der Zedern über ihnen rauschten, während sich weit im Süden ein neuer Krieg zusammenbraute. Hier hätten sie für wenige Augenblicke einen Frieden finden können, der vielleicht nie wiederkommen würde.

6. Ein Mann wird gesucht

Bei Sonnenuntergang hatten sich die letzten israelischen Truppen aus dem Libanon zurückgezogen. Sie verluden die Panzer auf Transportfahrzeuge, um sie zum Schutz der Straßen von Galiläa einzusetzen. An der Grenze wurden die Soldaten von einer begeisterten Menge begrüßt, unter der sich auch eine Abordnung aus dem Kibbuz Kfar Allon befand. Sie hatte runde Körbe mit Äpfeln mitgebracht, die sie an die Männer verteilte. Die jungen Soldaten winkten fröhlich und stiegen in die bereitgestellten Omnibusse.

Ein Militärsprecher in Tel Aviv erklärte, bei dem Unternehmen seien 60 Guerillas getötet und 150 Gebäude zerstört worden. In

Beirut meldeten die Libanesen 61 Tote, Verwundete und Vermißte. Die Fedajin gaben keine Zahlen bekannt. Die libanesische Armee hatte sie von ihren Kampfstellungen an der Grenze abgeschnitten. Yasser Arafat protestierte vergeblich, und der Leitartikler der ägyptischen Zeitung *Al Ahram* verglich ihr Schicksal mit dem der Apachen.

Drei israelische Soldaten waren bei dem Unternehmen gefallen, und noch am gleichen Abend wandte sich Golda Meir im Rundfunk an ihre Familien: »Das Opfer, das eure geliebten Söhne gebracht haben, läßt uns noch deutlicher die Gefahren erkennen, die noch nicht gebannt sind.« Sie beendete ihre Ansprache mit einem Gebet um Frieden für das kommende Jahr, denn dieser Sonntag, der 17. September, war der Vortag des Yom Kippur, des Fast- und Bettages. Nach ihrer Rückkehr aus dem Libanon wurden die religiösen Soldaten in einem Sonderomnibus zu einer Synagoge in Safad gefahren.

Am Montag hielt Saladin in einem Beiruter Hotel seine erste Pressekonferenz ab. Die Reaktion war enttäuschend. Wie vorauszusehen war, machten sich die jüdischen Zeitungen nur lustig darüber, während die Kommentare in der arabischen Presse kaum darauf eingingen oder die Idee ablehnten. Die Organe der Al Fatah und der Palästinensischen Befreiungsfront beschimpften Saladin als Verräter und drohten ihm mit dem »Zorn des palästinensischen Volkes«.

Außerhalb des Nahen Ostens wurden Saladins Äußerungen stärker beachtet. Zwei große amerikanische Tageszeitungen berichteten von seiner Initiative, und zahlreiche europäische Zeitungen brachten kurze Notizen. Sogar die *Prawda* äußerte sich vorsichtig dazu. Die Vorschläge wurden durchweg günstig beurteilt. Besonders die Franzosen waren lebhaft interessiert. Nachdem de Gaulle eine proarabische Politik eingeleitet hatte, wurde ihre Aufmerksamkeit durch einen Bildbericht im *Paris Match* unter der Schlagzeile *Saladin: est-ce l'homme qui va gagner la lutte de Palestine?* besonders erregt.

Sofort nach seinem ersten Auftreten in der Öffentlichkeit verschwand Saladin. Die Villa in den Bergen oberhalb von Beirut blieb leer, und der weiße Mercedes stand verlassen in der Garage. Journalisten, die versuchten, mit ihm Verbindung aufzunehmen, mußten sich mit den Gerüchten zufriedengeben, die in Beirut umgingen, oder wurden überraschend von ihm selbst angerufen. Nur die Berichterstatter von *Washington Post, Le Monde* und *Guardian* bekamen ein Interview und mußten eine sehr ermüdende Prozedur über sich ergehen lassen, bis sie ihm spät in der Nacht gegenüberstanden.

Daß Saladin plötzlich so bekannt geworden war, machte auf die israelische Regierung keinen Eindruck. Sie hielt es aber trotzdem für richtig, Gegenmaßnahmen zu treffen. Saladin mußte unter allen Umständen ausgeschaltet werden, bevor er eine gewisse Glaubwürdigkeit erlangte. Dazu bedurfte es keiner neuen Sondereinheit. Man brauchte nur einen Mann, der alle Fäden in die Hand nahm. Da Yaacov die meisten der in diese Angelegenheit verwickelten Personen kannte, erhielt er den Auftrag.

Zunächst ging er allein an die Arbeit, denn in Gaza standen ihm auch die Dienste anderer Behörden zur Verfügung. Später beschäftigte er eine Reihe von Mitarbeitern, und auch ein höherer Beamter wurde seinem Stab zugeteilt. Aber Roscoe hatte stets den Eindruck, daß Yaacov das Heft in der Hand behielt. Dabei war nie zu erkennen, wer seine Vorgesetzten waren, und das blieb auch so.

Yaacovs erste Aufgabe bestand darin, Bassam Owdeh zu finden. Aber das stellte sich als unerwartet schwierig heraus. Die Polizei des Shin Beth hatte keinen Erfolg mit ihrer Fahndung, und auch in Lod und Haifa war er nicht aufgetaucht. Yaacov hingegen zweifelte bald nicht mehr daran, daß Bassam in Israel war. Er war im Land und hatte schon nach wenigen Tagen Kontakt zu den Kreisen aufgenommen, die am ehesten dazu neigen würden, Saladin zu unterstützen. Es waren die reichen alten arabischen Familien am Westufer des Jordan, die Arafats Krieg ablehnten, aber auch nichts mit Hussein zu tun haben wollten. Bassam war klug genug, nicht nach Gaza zu gehen, wo die Al Fatah und die Befreiungsfront aktive Zellen hatten. Aber er oder irgend jemand anderer versuchte, bei der israelischen extremen Linken Einfluß zu gewinnen, denn diese Leute waren für die Gründung eines Palästinenserstaates.

Dann erschienen Anzeigen in der arabischen Presse. In Nablus und Hebron tauchten Flugblätter und Plakate auf. Für seine Korrespondenz und die Handzettel, die er verteilen ließ, verwendete Bassam eine IBM-Schreibmaschine und ein französisches Kopiergerät. Aber die Polizei konnte in keinem arabischen Büro die Maschinen finden, auf denen diese Schriftstücke hergestellt worden waren. Außerdem verfügte Bassam über die Telefonnummern aller wichtigen Journalisten in Israel.

Das war eine intellektuelle Herausforderung nach Yaacovs Geschmack, und in einer Hinsicht war er zunächst im Vorteil. Er hatte das Täuschungsmanöver mit dem Attentat in Beirut durchschaut, und Bassam wußte das nicht. Als er daher in Israel und dem besetzten Gebiet herumreiste, hatte er keine Ahnung, daß der Sicherheitsdienst seine Personenbeschreibung an alle Behörden weitergegeben hatte. Daß er Yaacov nicht sofort ins Netz ging, war reines Glück.

Aber die Situation änderte sich, als Bassam durch eine Reihe irrtümlicher Festnahmen gewarnt wurde. Er tauchte sofort unter, und zwar in einer Weise, die einem Fachmann Ehre gemacht hätte. Er ließ sich nie zweimal am gleichen Ort sehen, hielt sich nirgends lange auf und sagte niemandem, wohin er gehen werde. Erste Kontakte nahm er stets durch Mittelsmänner auf und weigerte sich, außer nach schärfsten Sicherheitsvorkehrungen an irgendwelchen Besprechungen teilzunehmen. Yaacov erkannte bald, daß Bassam mit falschen Papieren reise, die ihn als Juden auswiesen. Damit nützte er einen schwachen Punkt im Netz des israelischen Fahndungsdienstes aus, der nicht darauf eingerichtet war, innerhalb der jüdischen Bevölkerung eine Großfahndung durchzuführen. Bei Straßensperren wurden im allgemeinen nur arabische Fahrzeuge überprüft. Alle anderen wurden möglichst schnell weitergewinkt.

Gewöhnlich wurden die Fotos und Personalien gesuchter Personen öffentlich ausgehängt, aber im Falle von Bassam mußte man darauf verzichten, denn die Bevölkerung hätte ihn sofort zum Helden gemacht. Während daher die Presse an dem Fall herumzurätseln begann, tat die israelische Regierung, als wisse sie von nichts.

Jetzt brauchte Yaacov einen handfesten Hinweis, und den bekam er aus London.

Beim Versuch festzustellen, wen Marsden angeworben hatte, war der israelische Geheimdienst zunächst zum britischen Secret Service gegangen, zu dem gute Beziehungen bestanden. Aber die Briten waren zurückhaltend, denn Marsden hatte vor einiger Zeit für sie gearbeitet. Der Secret Service bestätigte zwar, daß er antizionistisch eingestellt und dabei sogar nicht ganz vorurteilsfrei sei, bezeichnete ihn aber im übrigen als einen absolut zuverlässigen Mann. Der Mossad war anderer Meinung. Er ließ das Büro und die Wohnung von Marsden durchsuchen, fand aber keine Hinweise.

Die Rettung kam mit einem Anruf von Charles Heinz.

7. Yaacovs Strategie

Nach dem ersten Brief seines Sohnes aus dem Kibbuz Kfar Allon war es Heinz aufgefallen, wie beweglich Roscoe auf seiner Reise durch den Nahen Osten war. Er erinnerte sich an die Begegnung mit ihm im Klub, sah sich die Akte an, die, wie er wußte, über

Marsden angelegt worden war, und fand dort eine Anfrage des Mossad aus früherer Zeit. Das hatte zunächst nicht viel zu bedeuten, genügte aber, ihn zu weiteren Nachforschungen anzuregen. Heinz war den Israelis verpflichtet, denn die israelische Botschaft hatte David so rasch dabei geholfen, England zu verlassen, daß er annahm, die Israelis kannten den Grund für sein Verschwinden. Deshalb rief er den Mossad in der Mittagspause von einem öffentlichen Fernsprecher aus an. Für Yaacov war das ein Glückstreffer. Für Bassam bedeutete es eine Reihe unerwarteter und ernster Komplikationen.

Von London ging ein Telegramm an das Hauptquartier des Mossad in Tel Aviv. Eine automatische Überprüfung durch den Computer des Aman, des militärischen Geheimdienstes, der den Leutnant in Juwaiya nach dessen Einsatz im Libanon vernommen hatte, brachte den Namen Roscoe zutage. Diese Information ging sofort an Yaacov weiter, der inzwischen sein Büro in Gaza geschlossen hatte und in das Presseamt der Armee in Beit Agron bei Jerusalem umgezogen war. Nach Empfang dieser Mitteilung begriff sein scharfer Verstand sofort, worum es ging, und er stellte die notwendigen Verbindungen schneller her, als man sie aufzählen kann.

Er verglich die Meldungen von David Heinz mit den Aussagen des Leutnants. Dabei zeigte es sich, daß Roscoe nur so schnell von Galiläa nach Juwaiya gekommen sein konnte, wenn er schwarz über die Grenze gegangen war. Hatte er Israel auf diesem Wege verlassen, dann mußte er auch auf dem gleichen Wege hereingekommen sein. Wahrscheinlich hatte er Bassam begleitet. Wenn man Bassam finden wollte, mußte man sich also im Kibbuz Kfar Allon umsehen.

Aber Yaacov ging nicht gleich dorthin. Zuerst setzte er sich mit der Grenzpolizei in Metullah in Verbindung, die bestätigte, daß es am 15. September zu zwei ungeklärten Grenzzwischenfällen gekommen sei. Am frühen Morgen habe jemand versucht, vom Libanon nach Israel zu kommen. In der folgenden Nacht sei der

Versuch unternommen worden, den Grenzzaun in umgekehrter Richtung zu überwinden. Yaacov interessierte sich mehr für den ersten Vorfall und vernahm den Posten, in dessen Abschnitt er sich ereignet hatte. Es war ein junger sephardischer Jude mit Namen Tzachi, der behauptete, in dem von seinem Wachturm zu überblickenden Abschnitt niemanden gesehen zu haben. Yaacov beauftragte den Shin Beth, den Mann zu überwachen, doch bevor diese Maßnahme eingeleitet werden konnte, ging Tzachi selbst über die Grenze und wurde etwa einen Kilometer jenseits des Zauns von einer libanesischen Streife erschossen. Er war der erste, der für Saladin sterben mußte.

Bei seinen Nachforschungen im Kibbuz war Yaacov vorsichtiger. Er legte Zivil an, ließ David Heinz zur Sprachenschule von Kiryat Shemona bringen und stellte sich ihm als Vertreter des Ulpan vor, einer Behörde, die hebräische Sprachkurse abhielt.

David war müde von der Arbeit und roch nach Kuhdung. Yaacov fragte ihn, wie es ihm hier gefiele.

»Schwere Arbeit.«

»Glauben Sie, daß Sie hierbleiben werden?«

»Ich weiß nicht; vielleicht.«

»Dies ist Ihr Land.« Yaacov lächelte mit gutmütigem Spott und holte ein paar Schriftstücke aus seiner Aktentasche. »Übrigens, vor ein paar Tagen haben wir einen englischen Berichterstatter in den Kibbuz geschickt, Stephen Roscoe. Kennen Sie ihn?«

»Ja, er ist ein Freund meines Vaters.«

»Sicher hat er die richtigen Fragen gestellt.«

»Er machte einen etwas gelangweilten Eindruck.«

»War er allein?«

»Nein; Dr. Horowitz begleitete ihn.«

»Und sonst noch jemand?«

»Ja, da war noch ein dritter Mann.«

Yaacov zeigte ihm ein Foto. »War es dieser?«

»Ja, aber er hat eine andere Brille getragen.«

»Haben die Männer mit Ihnen gesprochen?«

»Nein, sie sind nur durchgegangen.«

»Haben Sie sie später wiedergesehen?«

»Im Speisesaal. Sie saßen dort beim Essen zusammen.«

»Aber danach haben Sie sie nicht wiedergesehen?«

»Nein — nur Dr. Horowitz. An den Wochenenden kommt er immer nach Hause.«

»Ich verstehe. Was nun diesen Kursus betrifft ...«

David erklärte sich bereit, Hebräisch zu lernen. Yaacovs Art hatte ihn eingeschüchtert.

Nach diesem Gespräch stand Yaacov am Fenster des Sekretariatsgebäudes und dachte über Tzachis Desertion und sein Ende nach. Die Vorstellung bedrückte ihn besonders angesichts der Landschaft, die vor ihm lag. Die fein zerstäubten Wassertröpfchen der Berieselungsanlage ließen über den sattgrünen Feldern vor dem Berg Hermon kleine Regenbogen entstehen. Yaacov liebte sein Land. Es war ihm egal, ob sich die Juden im Recht oder im Unrecht befanden. Aber er wußte, weshalb dieser unglückliche junge Mann Israel hatte verlassen wollen.

In einem zusammenfassenden Abschlußbericht des Shin Beth hieß es, daß Tzachi aus Bagdad stammte. Wie viele Ostjuden war er ein unfreiwilliger Einwanderer gewesen. Sein Vater war im Irak ein wohlhabender Kaufmann gewesen, der jetzt als Taxifahrer in Nazareth arbeitete. Der junge Tzachi hatte nicht die Universität besuchen können und war statt dessen zur Polizei gegangen. Dann hatte er Verbindung mit den israelischen Kommunisten aufgenommen und durch sie wahrscheinlich Horowitz kennengelernt.

Es war eine ganz alltägliche Geschichte, das wußte Yaacov. Aber nicht alle diese Geschichten endeten mit Verrat. Die Ostjuden, die Sephardim, bildeten das israelische Proletariat. Die politische Macht befand sich in den Händen der Europäer, der Ashkenazim, die die Abgeordneten in der Knesseth stellten und aus denen sich das Offizierkorps rekrutierte. Für die Ashkenazim war Israel die Zuflucht des internationalen Judentums, die mit Hilfe der Stammesbrüder aus dem Westen aufgebaut werden sollte. Die Sephardim fuhren die Taxis und hatten weniger missionarische Vorstellungen. Sie waren verwandt mit den Arabern und waren es müde, für einen Traum Opfer zu bringen und zuzusehen, wie die Einwanderer aus Rußland die besten Wohnungen bekamen. Unter den Sephardim würde Saladin viele Freunde finden.

Yaacov erkannte diese Gefahr sehr deutlich. Im Hause Israel gab es eine Spaltung, und Bassam war dabei, sie zu vertiefen. Er nagte an den Grundfesten des Hauses Israel wie eine Termite. Jetzt kam es darauf an, ihn so schnell wie möglich unschädlich zu machen. Wahrscheinlich würde es gelingen. Yaacov hatte die besseren Karten in der Hand, als er mit neuen Informationen und vom Zorn getrieben in den Kibbuz kam. Seine Wut galt nicht Bassam oder Saladin und auch keinem anderen Araber, sondern Dr. Eytan Horowitz, dem Bewässerungsexperten, der anstatt Gräben zu ziehen den Patriotismus seiner Studenten mit marxistischen Abstraktionen untergrub. Yaacov hätte Horowitz festnehmen und verhören lassen können, aber er wollte noch warten, um zugleich auch Bassam und andere Beteiligte in seine Gewalt zu bekommen.

Am folgenden Tag — der Monat September neigte sich dem Ende zu — bot die militärische Grenzgarnison dem Kibbuz Kfar Allon drei Hilfskräfte an. Sie sollten in den Zitrusplantagen arbeiten, waren in Wirklichkeit aber gekommen, um sich nach faulen Äpfeln umzusehen. Zwei waren Agenten des Shin Beth. Ein Mädchen, das als dritte mitgekommen war, gehörte zur Sonderabteilung. Weitere Polizisten kamen als Elektriker getarnt, durchsuchten die Wohnung von Horowitz und brachten eine Abhörvorrichtung an seinem Telefon an. Das gleiche geschah in seiner Wohnung in Jerusalem. Er wurde beschattet, aber Rachel befand sich außerhalb der Reichweite der israelischen Behörden. Sie war mit Lois nach New York geflogen, um ihre Mutter zu besuchen. Yaacov hatte veranlaßt, daß sie nach ihrer Rückkehr ebenfalls überwacht wurde.

Er war überzeugt, daß ihn diese Maßnahmen auf die Spur von Bassam führen würden. Aber Rachel bereitete ihm eine Enttäuschung. Sie hatte offenbar genug vom Leben im Kibbuz — und genug von Eytan Horowitz. Sie weigerte sich zurückzukommen. Israelische Agenten stellten fest, daß sie mit einem ehemaligen freiwilligen Kibbuzhelfer in Brooklyn zusammengezogen war; aber als sie sie befragten, behauptete sie, nichts zu wissen. Dann verschwand Horowitz selbst spurlos. Entweder hatte ihn die Trennung von seiner Frau so schockiert, oder er hatte erfahren, in welcher Gefahr er sich befand.

Verärgert über diese Mißerfolge forderte Yaacov weitere Mitarbeiter an, die seine Bemühungen in Beit Agron unterstützen sollten, und erhielt sie. Nun setzte er alle Hoffnungen auf den Mossad im Libanon. Er hatte den dortigen Agenten die Namen Stephen Roscoe und Walid Iskandar mitteilen lassen. Nach der Befragung des Computers stellte sich heraus, daß Walid, den Roscoe in Juwaiya aus bisher nicht bekannten Gründen gerettet hatte, ein Sprecher der Al Fatah war.

Aber die Agenten des Mossad hatten keinen Erfolg bei ihren Nachforschungen. Roscoe hatte sein Hotel in Beirut verlassen, und Walid war aus seinem Büro am Stadtrand verschwunden. Auch von Zeiti hatte man seit seiner Abreise aus Damaskus weder etwas gesehen noch gehört.

Mitte Oktober war daher die Operation der Israelis gegen Saladin an allen Fronten zum Stillstand gekommen. Über Anis Kubayin, den Führer der Bewegung, hatte man viele Informationen gesammelt, aber das Wichtigste wußte man nicht: seinen Aufenthaltsort. Er hatte es gewagt, drei Flüchtlingslager zu besuchen; Beqqa in Jordanien und zwei andere in Syrien. Dort hatte er vor zahlreichen Zuschauern Reden gehalten. In jedem Lager, in dem seine Agenten auftauchten, fand man eine Menge Flugblätter. Aber auch diese Spuren führten nicht zu ihm. Man vermutete ihn im Libanon, aber mehr wußte man nicht. Die Familie Kubayin konnte über seine Pläne keine Auskunft geben. Viele Familienmitglieder hielten ihn für verrückt. Auch der Versuch, ihn über seine Freunde und Bekannten aufzuspüren, schlug fehl. Die Tatsache, daß er sich mit dem Schleier des Geheimnisses umgab, erhöhte das Interesse der Öffentlichkeit. In Beirut wimmelte es von neugierigen Journalisten, und einige Fernsehgesellschaften bemühten sich um Interviews.

Aber Saladin weigerte sich, vorzeitig aus seinem Versteck herauszukommen. Diese Zurückhaltung fiel Yaacov auf. Er erkannte, daß sich alles auf einen Höhepunkt zuspitzte, und er fragte sich, was zu erwarten sei. Eine ganze Zahl von Hinweisen ließ ihn vermuten, daß man Anfang November mit einem spektakulären Ereignis werde rechnen müssen. Er intensivierte die Suchaktion, aber der Oktober verging ohne nennenswerte Ergebnisse.

Der einzige Trost für Yaacov lag in dem Umstand, daß er Gessner losgeworden war, auf den er durch den CIA einen gewissen Druck hatte ausüben wollen. Es zeigte sich, daß dies nicht mehr notwendig war. Aus unbekannten Gründen war Gessner schon am 19. September aus Beirut abgeflogen. Yaacov wußte allerdings nicht, daß er auf dem Seewege dorthin zurückkehren würde, nachdem er von seiner Organisation neue Anweisungen erhalten hatte. Wahrscheinlich wußte Gessner das selbst noch nicht, als er ins Spielkasino ging, um sich einen letzten lustigen Abend zu machen.

8. »Faites vos jeux«

Das Casino du Liban am Strand nördlich von Beirut sieht aus wie ein Stück Las Vegas. Man findet dort prächtig ausgestattete Nachtklubvorstellungen, Bars, laute Musik, hübsche Mädchen, Spielautomaten, Backgammon, Roulette, Bakkarat und alle möglichen anderen Glücksspiele. Es ist ein großes weißes Gebäude unmittelbar am Strand.

Am Montag, dem 18. September, am Abend vor seinem Rückflug nach Paris, ging Gessner ins Kasino. Er hatte ein philippinisches Mädchen am Arm, und als er mit ihm in den Roulettesaal hinaufging, begegnete er dem Mann, den er schon seit Mittwoch voriger Woche suchte.

Roscoe und Claudia waren dorthin gegangen, um sich etwas zu amüsieren. Es war auch ihr letzter Tag im Libanon. An einem der weniger teuren Spieltische standen sie mit ineinander verschränkten Armen und beobachteten das Spiel. Claudia hatte eine kleine Summe verloren und dann aufgehört. Aber Roscoe war von der Sache fasziniert. Er hatte eine Zigarre zwischen den Zähnen und warf die Chips mit vollen Händen auf das grüne Tuch. Beim Hasard verhielt er sich ähnlich wie auch sonst im Leben. Seine Einsätze waren nicht unüberlegt, sondern ungewöhnlich. Es machte ihm Spaß, das Glück herauszufordern. An diesem Abend setzte er nur auf Rot. Wenn er gewann, ließ er den Einsatz stehen, und wenn er verlor, verdoppelte er ihn. Er hatte mit einem englischen Pfund begonnen und dreimal hintereinander verloren — £ 1, £ 2 und dann £ 4. Nun borgte er sich etwas von Claudia und setzte £ 8.

»Sie sind verrückt«, sagte sie.

»Durchaus nicht. Das ist ganz logisch.«

Sie stellte sich auf die Zehenspitzen und flüsterte ihm ins Ohr: »Verrückt!«

Der Croupier sah ihn desinteressiert an und fragte: »*Rouge, monsieur?*«

»Ja, Rot.« Roscoe weigerte sich, französisch zu sprechen.

Die Chips regneten auf den Spieltisch und klapperten leise, als der Croupier sie zurechtschob. Wie die meisten Spieler trug auch er eine dunkle Brille. Die großen Kronleuchter strahlten unangenehm hell.

Die Kugel rollte, das Rad drehte sich und stand endlich still.

»*Trente-cinq. Rouge, impair et passe.*«

Claudia hüpfte auf und ab. »Rot! Stephen, Sie haben gewonnen, Sie haben gewonnen! Es ist Rot!«

»Versuchen Sie doch, ruhig zu bleiben.«

Roscoe nahm seine Chips vom Tisch und warf dem Croupier ein Trinkgeld zu. Dann wandte er sich zum Gehen, aber Claudia faßte ihn am Ärmel. »Bleiben Sie noch eine Minute da. Wann haben Sie Geburtstag.«

»Am 13. Mai.«

»Okay, setzen Sie auf die Dreizehn.«

»Was, alles?« Roscoe sah sie ungläubig an. Er warf einen Blick auf die Chips. »Das ist mehr als der Höchsteinsatz.«

Aber Claudia bestand darauf. Sie legte alle Chips zusammen, die sie hatten, und teilte sie in drei gleiche Summen auf. In den folgenden drei Spielen verlor sie alles. Zufrieden lächelnd beobachtete sie, wie der Croupier den letzten Einsatz kassierte. »Das nenne ich Glücksspiel!«

Auch Roscoe lächelte, als er sie vom Tisch führte. Er drückte seine Zigarre in einem Aschenbecher aus, und als er mitten im Saal unter einem Kronleuchter vor ihr stand, zog er sie an sich und küßte sie auf den Mund. Claudia wehrte sich nicht, aber sie küßte ihn auch nicht wieder. Sie ließ es nur geschehen, und als er sie freigab, wurde sie rot. Sie lächelte immer noch. In ihren Augen lag der Schimmer einer Herausforderung. Deshalb küßte er sie noch einmal — länger und leidenschaftlicher. Diesmal öffnete sie die Lippen, erwiderte den Kuß, legte ihm die Arme um den Hals und preßte sich in einer Art an ihn, die für ein Mädchen erstaunlich war, das aus einer anglikanischen Mission kam.

Irgend jemand mußte Ärgernis an dieser Szene nehmen.

»He, Mann.« Roscoe fühlte eine Hand auf der Schulter.

»Oh, hallo«, sagte er. »Sie sind es!«

Gessner drohte mit dem Finger. »Aber bitte, doch nicht hier! Das ist ein anständiges Lokal.«

»Sie hat mich verführt. Gute Nacht, Mr. Gessner.«

»Sie sieht aus wie eine nette englische Lady.«

»Das kann man nie wissen.«

»Vielleicht sollte sie Bescheid wissen.«

»Was sollte sie wissen?«

»Vielleicht sollten Sie ihr erzählen, daß Sie mit arabischen Huren ins Bett gehen. Ich meine, sie könnte sich anstecken.«

Gessner hatte sich von dem philippinischen Mädchen losgemacht und stand breitbeinig und mit herabhängenden Armen erwartungsvoll vor Roscoe. Er reichte ihm nur bis an die Brust, aber Claudia hielt ihn für stärker. Er stand vor Roscoe wie ein Bulle vor einer Giraffe.

Sie rechnete mindestens mit einer Prügelei, aber Roscoe wandte sich ab. »Kommen Sie, wir gehen«, sagte er und verließ mit ihr das Gebäude. Er schien die Angelegenheit nicht ernst zu nehmen, aber als sie draußen waren, ergriff er sie am Arm und lief in die dunkelste Ecke des Parks, zog sie neben sich hinunter und kauerte sich hinter einen dichten Busch.

Nach wenigen Sekunden war auch Gessner draußen — ohne das Mädchen. Er lief in die entgegengesetzte Richtung zum Parkplatz, kam aber nach wenigen Minuten zurück und suchte mit gezogenem Revolver den Park ab. Dabei kam er schnaufend und fluchend ganz nahe an ihnen vorbei. Zweimal suchte er alle Wege ab, bevor er aufgab und wieder hineinging. Erst jetzt fing Claudia an zu zittern. Sie war empört, in dieses mörderische Spiel hineingezogen worden zu sein, und fing an, zu protestieren. Aber Roscoe legte ihr einen Finger auf den Mund und streichelte sie beruhigend. Als er sie aus dem Park führte, achtete er darauf, im Schatten zu bleiben.

Das war Claudias letztes Abenteuer im Libanon. Am nächsten Tag flog sie zurück nach Israel.

9. Der Grieche

Roscoe blieb allein in Beirut zurück und arbeitete seine Pläne aus. Zweimal traf er noch in Giscards Wohnung mit Saladin zusammen. Bassam schickte ihm die letzten Erkundungsergebnisse über den »Alcatraz«. Im übrigen ging Roscoe zum Schwimmen, nahm Sonnenbäder und kaufte ein. In einem Brief an Mrs. Parson gab er ihr Anweisungen für die Verwaltung von Granby und schickte Georgie zum Geburtstag einen schönen, rasiermesserscharfen arabischen Dolch in einer Messingscheide, ein nicht ganz passendes Geschenk für einen vierjährigen Jungen. Für Brown besorgte er einen bestickten Kaftan und wickelte den Dolch darin ein, um beides in einem Luftpostpäckchen abzuschicken. Das Porto war teurer als die Geschenke.

Wie versprochen, hatte Saladin die Vorbereitungen für das Trainingsprogramm innerhalb einer Woche beendet, und am Montag, dem 25. September, kurz bevor Yaacovs Agenten ihn im Hotel suchten, reiste Roscoe aus Beirut ab. Zeiti und der Zigeuner begleiteten ihn. Die beiden hatten das Abenteuer an der Grenze unversehrt überstanden. Sie nahmen auch Walid mit, der in die Organisation aufgenommen worden war. Giscard fuhr sie zu einem Haus in einer einsamen gebirgigen Gegend im Nordlibanon. Hier wartete eine komplette militärische Ausrüstung auf sie. Der Franzose, der eine Woche bei ihnen blieb, fuhr am nächsten Tag nach Nahr al Bared, wo er zwei weitere Freiwillige abholte, Fuad und Ibrahim. Damit bestand die kleine Kampfgruppe aus sechs Mann. Roscoe hatte einen Ausbildungsplan aufgestellt, nach dem er sie einen Monat lang unermüdlich drillte.

Deshalb hatten Yaacovs Nachforschungen im Oktober keinen Erfolg. Er konnte keinen der Männer finden, die auf seiner Liste standen. Doch eines blieb unklar: Wer hatte in Beirut die Nachforschungen für den Mossad angestellt?

Ohne Zweifel hatte der Mossad mehrere Verbindungsmänner in der Stadt. Sie waren vielleicht alle auf Saladin angesetzt worden. Angesichts der folgenden Ereignisse schien es jedoch fast sicher, daß der wichtigste Agent Yaacovs Cassavetes gewesen ist, der Journalist, den Roscoe vor Bassams Wohnung getroffen hatte. Er arbeitete für eine kleine amerikanische Nachrichtenagentur, die sich mit ihren wahrheitsgetreuen Berichten aus Vietnam einen Namen gemacht hatte. Dieser radikalen Tradition folgend, neigte sie dazu, auch über die Araber positiv zu berichten. Seit ihrem Eintreffen in Beirut waren Cassavetes und seine Frau — sie waren beide erst etwa 25 Jahre alt — in politischen Kreisen zu kleinen Stars geworden. Sie kannten die führenden Leute in der PLO und der Al Fatah und wurden als gute Freunde der Palästinenser angesehen. Sie behaupteten, in Athen geboren zu sein und die amerikanische Staatsangehörigkeit zu besitzen. Jedenfalls sprachen sie Griechisch. Heute sind ihre ehemaligen Freunde überzeugt, daß sie Israelis waren — entweder in Griechenland geborene Juden, die nach Israel ausgewandert waren, oder in Israel geborene Kinder Griechisch sprechender Einwanderer. Bevor sie in den Libanon kamen, hatten sie in Washington gelebt und dort gemeinsam das College besucht. Cassavetes hatte dann zwei Jahre als Berichterstatter gearbeitet.

Heute erinnern sich die Leute an ihn als einen unauffälligen, nüchternen Menschen. Seine Frau war recht unansehnlich. Sie war untersetzt und trug kurzgeschnittenes, dunkles Haar. Sie tranken beide nur Fruchtsaft und rauchten nicht; ein seriöses, undramatisches Paar, das seinen Beruf ernst nahm.

Die Tatsache, daß sie sechs Monate später verschwanden und nicht wiederaufgetaucht sind, spricht mit großer Sicherheit dafür, daß sie israelische Agenten waren. Journalisten lösen sich nicht einfach in Luft auf, besonders wenn sie verheiratet sind; aber Spione, die enttarnt worden sind, haben keine andere Wahl. Auch der zeitliche Ablauf ihrer Tätigkeit deutete darauf hin. Das Ehepaar Cassavetes wurde am 10. April 1973 zum letztenmal in Beirut gesehen. Zu diesem Zeitpunkt fuhren die beiden mit den Männern der Organisation »Gottes Zorn« nach dem Schnellbootüberfall gegen die Al Fatah aus der Stadt. Das hätte ein journalistischer Auftrag sein können, aber sie sind von dieser Fahrt nicht mehr zurückgekehrt. Man muß daher annehmen, daß sie an der Vorbereitung der Aktion beteiligt waren und sich irgendwie kompromittiert hatten.

Im Oktober des Jahres 1972 hatte sich Cassavetes ganz offen darum bemüht, Roscoe zu finden. Fast alle damals in Beirut akkreditierten Journalisten sahen sich im Beisein von Cassavetes regelmäßig in Konversationen verwickelt, in denen auffallend oft (und meist in eher erzwungener Weise) die Rede auf Roscoe kam. Zudem zeigte Cassavetes ein Interesse für den Tod von Bassam Owdeh, das über das bei journalistischen Recherchen übliche Maß hinausging. Während er auf dem Platz unter den Feigenbäumen auf und ab ging, wo die Studenten der Universität Beirut ihre Demonstrationen veranstalteten, sprach er mit den verschiedensten Leuten über dieses Thema. Einmal suchte er auch Leila Riad auf und sagte ihr, er wolle einen Bericht über den verstorbenen Professor schreiben. Sie wies ihm die Tür. Die Presseoffiziere der PLO und der Al Fatah erinnerten sich, daß er nach Ahmed Zeiti und Walid Iskandar gefragt hatte. Sie hatten ihm nicht helfen können.

Wenn Cassavetes für Yaacov arbeitete, dann hatte er einen schlechten Monat, und in der vierten Oktoberwoche muß er sich gefragt haben, ob Saladin und seine Männer überhaupt existierten. Aber die Enttäuschung kam zu früh. Bald sollte seine Ausdauer belohnt werden.

10. Um Haaresbreite

Yaacov, der in Israel eine viel umfassendere Suchaktion leitete, erschien es fast unglaublich, daß es den Israelis, die Adolf Eichmann aufgespürt hatten, nicht gelingen wollte, Bassam Owdeh zu finden, einen notorisch zerstreuten Professor, der innerhalb der israelischen Grenzen frei herumlief.

Aber Bassam blieb in Freiheit und war den ganzen Oktober damit beschäftigt, für Saladin Stimmung zu machen. Die beiden arabischen Zeitungen in den besetzten Gebieten begannen darüber zu spekulieren, welche Aussichten es für die Gründung eines palästinensischen Staates gab. Die Israelis zensierten alles, was sie störte, wenn sie es nur irgendwie begründen konnten. Aber die Radiowellen ließen sich nicht abschalten. Einige arabische Rundfunkstationen stellten den auf Band aufgenommenen Erklärungen Saladins erhebliche Sendezeiten zur Verfügung. Am 19. Oktober veranstalteten jüdische Studenten mit ihren arabischen Kommilitonen einen Demonstrationsmarsch durch die Straßen von Jerusalem und setzten sich mit ihnen für Saladins Vorschläge ein. Die Polizei löste die Demonstration sehr bald auf, aber die israelische Regierung war durch den Vorfall stark beunruhigt. Man setzte Yaacov unter Druck und verlangte, endlich die Früchte seiner Arbeit zu sehen. Zugleich stellte man ihm noch weitere Hilfsmittel zur Verfügung.

Aber Saladin blieb in seinem Versteck und wartete auf den richtigen Zeitpunkt für seinen nächsten öffentlichen Auftritt. Noch war er nicht bereit, in das israelisch-arabische Drama einzugreifen, das die Welt in Atem hielt.

In Libyen ließ Oberst Gaddafi die letzte christliche Kirche schließen und verbot den Diplomaten den Genuß von alkoholischen Getränken. Er wollte sein Land mit Ägypten vereinigen, aber das Vorhaben verlief im Sande. Er sagte: »In der arabischen Welt herrscht große Verwirrung, und niemand weiß, wo die Lösung des brennenden Problems liegt.« Im gleichen Herbst erreichte die Zahl der israelischen Einwanderer einen neuen Höchststand, da viele Flüchtlinge aus der Sowjetunion eintrafen. Die Araber beobachteten diese Entwicklung ebenso aufmerksam, wie die Israelis darauf achteten, wie viele sowjetische Techniker in Ägypten arbeiteten. Im Juli hatte Sadat die Russen aus Ägypten ausgewiesen, aber jetzt kamen sie nach Syrien.

In Amerika rückte der Termin der Präsidentschaftswahlen immer näher. Präsident Nixon erhielt aus jüdischen Quellen Spenden in Höhe von fünf Millionen Dollar.

Golda Meir erklärte vor der Knesset, daß sich Israel im Kampf gegen die Terroristen nicht auf Abwehrmaßnahmen beschränken dürfe, wollte jedoch nicht näher darauf eingehen, als sie von angesehenen Journalisten zu diesem Thema befragt wurde. Sie sagte: »Nehmen Sie an, es seien Terrorakte verübt worden, und nur Sie, die Presse, wüßten nichts davon. Würden Sie erwarten, daß ich jetzt in diesem vertrauten Kreis sagte, was wir gegen den Terrorismus unternommen haben — wenn wir überhaupt etwas unternommen haben?«

Am 15. Oktober bombardierten israelische Flugzeuge Basen der Fedajin in Sidon und Sarafand, und Sadat hielt eine flammende Rede:»Der Aufschrei, der jetzt an unsere Ohren dringen sollte, muß der Aufschrei von Schweiß, Blut und Hoffnung sein. In unserem Kampf ist kein Platz für Tränen.« Aber nach Auffassung des Generals Dayan hatten sich die Chancen für einen arabischen Sieg verschlechtert. Dayan verlangte den Ausbau der jüdischen Siedlungen im besetzten Gebiet und sagte, Israel sollte jetzt die Grenzen sichern, die es brauchte, ». . . weil wir heute bestimmen können, wie unsere Zukunft aussehen wird«.

Während all dieser Wochen wurde der Krieg per Post weitergeführt. Die israelischen Botschaften in vielen Ländern wurden mit Briefbomben überschüttet, und am 25. Oktober trafen bei Vertretern der Palästinensischen Befreiungsfront in Belgrad aufgegebene

Paketbomben ein. Der Vertreter der PLO in Libyen verlor bei der Detonation einer Briefbombe das Augenlicht. Aber in Beirut explodierten die Päckchen zu früh. Ein Postbeamter und ein Büroangestellter erlitten schwere Gesichtsverletzungen.

Am Mittwoch, dem 25. Oktober, hatte auch Saladin ein häßliches Erlebnis.

Am frühen Morgen kam die von Roscoe ausgebildete Kampfgruppe aus den Bergen zurück. Das Training war beendet, und die Männer sollten sich einen Tag freinehmen. Nachdem Roscoe sie mit Bussen in verschiedene Richtungen hatte abfahren lassen, fuhr er mit Giscard zu einer abschließenden Lagebesprechung zum Kloster. Als sie dort eintrafen, fanden sie niemanden vor. Deshalb warteten sie in einem kleinen, düsteren Raum, von dem aus man den Hof überblicken konnte.

Dies war Saladins Versteck. Es roch nach seiner Krankheit — nach Urin und Fäulnis. An der Wand hingen Karten. Auf dem Tisch stand ein Telefon. Im übrigen war das Zimmer nur spärlich möbliert — zwei kleine Aktenschränke, ein Safe, ein Bett in der Ecke und Holzstühle auf dem gefliesten Fußboden.

Sie warteten und tranken Pfefferminztee. Giscard berichtete über die Arbeit von Bassam und Horowitz in Israel. Nach beiden wurde jetzt gefahndet, und sie konnten sich deshalb nicht mehr frei bewegen. Ihr Werbefeldzug war aber dennoch ein großer Erfolg gewesen, denn in ganz Israel und in den besetzten Gebieten wartete man gespannt darauf, was Saladin unternehmen würde.

Roscoe fragte, ob Horowitz über den geplanten Anschlag gegen den »Alcatraz« informiert worden sei.

»Ja, wir haben es ihm gesagt.«

»Und was meint er dazu?«

»Er will uns helfen.«

»Wirklich? Das ist sehr gut. Dann kann es ja losgehen.«

Aber Giscard schien sich Sorgen zu machen. Er sah auf die Uhr und nahm den Telefonhörer ab, um irgendwo anzurufen, aber niemand meldete sich. Er rauchte seine scharf riechenden schwarzen

Zigaretten und steckte eine an der anderen an. Roscoe ging hinaus und wanderte durch das verlassene Kloster. Wie Claudia war auch er von der eigenartigen Atmosphäre dieses Ortes fasziniert. Aber als er in der Kapelle stand, hatte er ein ganz anderes Gefühl. Er spürte plötzlich die Nähe jenes auf den Heiligenbildern dargestellten sonderbaren jungen Juden. Durch dieses Land war er gewandert, und die geheimnisvolle Bedeutung seiner Wanderschaft auf Erden kam Roscoe in beunruhigender Weise zum Bewußtsein . . .

Draußen hielt ein Wagen. Saladin schritt durch das Tor. Er schwankte etwas beim Gehen, und sein Anzug war blutverschmiert. Roscoe lief ihm entgegen und wollte ihm helfen. Aber Saladin winkte ab. »Es ist schon gut — mir fehlt nichts. Gehen wir hinein.«

Er zog sich um und erzählte ihnen, was geschehen war.

Nachdem der Zigeuner zu Roscoes Kampfgruppe abgestellt worden war, hatte der libanesische Offizier aus Tyros, Hourani, bei der Armee den Abschied genommen, um bei Saladin die Aufgaben des Fahrers und Leibwächters zu übernehmen. Am Vormittag waren sie zum Flugplatz gefahren, um Refo abzuholen. Auf der Rückfahrt nach Beirut war der Wagen von einem anderen überholt und von Geschossen durchsiebt worden, Hourani, der am Steuer saß, wurde tödlich getroffen. Das Blut auf Saladins Anzug stammt von ihm. Refo war nur leicht verletzt, hatte aber in ein Krankenhaus gebracht werden müssen. Saladin selbst war dem Anschlag entgangen und so schnell wie möglich hergekommen. »Viel hätte nicht gefehlt«, sagte er.

Giscard brühte eine zweite Portion Tee auf. »War es die Al Fatah?«

»Ja, ohne Frage.«

»Woher wissen Sie das?« fragte Roscoe.

»Es waren Araber. Ich habe sie gesehen.«

»Womit waren sie bewaffnet?«

»Mit Kalaschnikows. Verdammt, diese Dinger können schießen . . .« Saladin stand noch unter der Einwirkung des Schocks.

»Ja, das ist eine gute Waffe«, sagte Roscoe. »Hohe Feuergeschwindigkeit. Sie haben Glück gehabt.«

Saladin trank seinen Tee, und als er eine Zigarette in die Bernsteinspitze steckte, zitterten ihm die Hände. Er war blaß und hohlwangig, und seine Augen glühten noch intensiver als gewöhnlich.

»Wir müssen uns um Houranis Frau kümmern«, sagte er zu Giscard. Sie sprachen über die Versorgung der Witwe und nannten eine Summe, die sie für den Rest ihres Lebens zur wohlhabenden Frau machen würde.

Anschließend besprachen sie noch einmal alle Einzelheiten des Aktionsplans. Was mußte man in Syrien unternehmen, wenn es zu Schwierigkeiten kam? Was geschah in Jordanien? Wie sollte die Ausrüstung in Aqaba abgeholt werden? Auf welchem Weg kam die Kampfgruppe über den Golf? Welche Verstecke standen in Israel zur Verfügung? Wie kam man über die Grenze nach Israel? Roscoe erklärte noch einmal, wie der »Alcatraz« zusammenstürzen würde, und Saladin war zufrieden.

»Jetzt will ich Ihnen sagen, wie ich es bekanntgeben werde . . .«

Die Besprechung dauerte zwei Stunden, und während Saladin redete, sah Roscoe in seinen Augen den gleichen verzweifelten Ausdruck, der ihm schon bei Marsden und Giscard aufgefallen war. Er schien sich im Dunkel seiner Einsamkeit zu der Überzeugung zu zwingen, innerhalb weniger Wochen werde er der Sprecher seiner Landsleute sein; er werde im Flugzeug durch die ganze Welt reisen, um Reden zu halten und sich im Fernsehen interviewen zu lassen. Dabei zeigte er ein solches Selbstvertrauen, daß Roscoe es nicht übers Herz brachte, Zweifel zu äußern, sondern das sagte, was man von ihm erwartete. Vielleicht tat Giscard das gleiche, und am Ende befanden sie sich alle drei in einer phantastischen Welt, die nur in ihrer Einbildung bestand.

Aber war diese Welt nach den im Mittleren Osten geltenden Maßstäben tatsächlich so unwirklich und phantastisch? Schließlich war auch die Gründung des Staates Israel etwas völlig Unglaubliches. Nach zweitausendjähriger Sehnsucht stellte er heute eine

Realität dar, die jede Landkarte verzeichnete. Hier hatte man auch den großen, weltbeherrschenden Gott erfunden, und vielleicht war es leichter, auf diesem aus weiten, ebenen Sandwüsten bestehenden Zeichenbrett großartige Pläne zu machen als in Granby. Dort hätte das alles ganz unsinnig geklungen. Dort hätte man darüber gelacht und das Thema gewechselt. Aber hier konnte man so etwas glauben; jenem Gesetz der Wüste folgend, nach dem man nie viel mehr hatte tun können, als für eine Idee zu sterben ...

Das waren Roscoes Gedanken, als er mit Giscard nach Beirut zurückfuhr.

Am Abend besuchte er einige Bars und trank etwas zuviel. Die Nachricht von seinem Eintreffen hatte sich offenbar rasch verbreitet, denn schon am folgenden Morgen kam Cassavetes in sein Hotel und erkundigte sich diskret nach ihm.

Teil IV
Land der Träume,
Land des Todes

26. Oktober 1972

1. Nach Damaskus

Aber Cassavetes kam ein paar Stunden zu spät. Roscoe hatte seine weite Reise nach Osten, die ihn nach Israel zurückbringen sollte, schon angetreten. Am Donnerstag, dem 26. Oktober, verließ er frühmorgens den Libanon und fuhr in einem großen blauen Chevrolet nach Syrien. Mit ihm saßen Walid, der Zigeuner und die beiden Flüchtlinge aus Nahr al Bared, Fuad und Ibrahim, im Wagen. Zeiti war nach Damaskus vorausgefahren, um dort an der Hochzeit seiner Schwester teilzunehmen.

Am Steuer saß Roscoes früherer Taxifahrer Yussef, der sie an der Place des Canons abgeholt hatte und jetzt in scharfem Tempo durch den Nebel fuhr, der sich über die Berge hinter der Stadt gelegt hatte. Roscoe bezahlte ihn mit neuen Dollarnoten, aber Yussef war unzufrieden und ließ seine schlechte Laune an der Hupe aus. Diese Fahrt gefiel ihm nicht, und auch die Fahrgäste waren nicht nach seinem Geschmack. Ihm gefiel nur der Fahrpreis.

»Wer sind diese Männer?« fragte er.

»Meine Freunde.«

»Fedajin?«

»Nur meine Freunde.«

»Fedajin verdammt schlecht, machen Schwierigkeiten für libanesisches Volk. Warum gehen Sie nach Syrien?«

»Ich bin ein Tourist«, sagte Roscoe mit Nachdruck. »Dieser Mann, Walid, ist Fremdenführer, und die anderen wollen ihre Verwandten besuchen. Vergessen Sie das nicht.« Er nahm die Brieftasche heraus und zeigte ihm die Dollarnoten darin.

»Syrer schlechte Menschen. Klasse Null. Halsabschneider.«

»Wir werden schon mit ihnen fertig werden. Bringen Sie uns nur lebend hin.«

Der Chevrolet schleuderte, als er einem entgegenkommenden Bus auswich. Der Nebel lichtete sich, und die Sonne kam durch.

Mit quietschenden Reifen fuhren sie durch die scharfen Kurven und in eine weite, grüne Ebene hinein, die am Horizont die bräunliche Färbung der Wüste annahm. Sie befanden sich auf der Paßhöhe, von der aus die von Beirut kommende Straße nach Osten führt. Im Winter schneit es hier, aber jetzt war erst Oktober, und noch grasten langhaarige schwarze Ziegen zwischen den Skilifts.

Je tiefer sie kamen, desto wärmer wurde es, und Roscoe öffnete das Wagenfenster. Nun, da er endlich auf dem Wege war, hatte sich seine Stimmung gebessert. Dies war das Vorhaben, um dessentwillen er Granby verlassen hatte, und seit jenem Abend im Klub hatte sich seine Einstellung gewandelt. Er war nicht mehr der neutrale Fachmann, sondern hatte sich auf die Seite der Palästinenser gestellt — und auf die Seite Claudias, der zuliebe er hoffte, niemanden töten zu müssen. Keine dieser beiden Verpflichtungen hatte den Vorrang. Sie bestanden nebeneinander, und er fand keinen Widerspruch darin. Er war in der für einen Kämpfer glücklichsten Lage. Er durfte sein Können einer Sache zur Verfügung stellen, an der er nichts auszusetzen hatte.

Im vergangenen Monat hatte er alles darangesetzt, die bevorstehende Operation gründlich vorzubereiten. Aber an diesem schönen Oktobermorgen während der Fahrt durch die weiten Ebenen des Nordlibanon dachte er an Claudia. Er versuchte, sie sich im ganzen vorzustellen, sah sie aber nur in Teilen vor sich: zuerst das eine und dann das andere Detail. Er sah, wie sie die Augen zusammenkniff, wenn sie die einzelnen Gerichte prüfte, die ihnen im Restaurant serviert wurden. Er sah das Muttermal an ihrem Hals und ihre hübschen Beine unter dem weißen Rock des Baumwollkleides. Er sah die Augen, die zu ihm aufblickten, als er sie im Kasino unter dem Kronleuchter küßte . . .

Nach dem Zusammenstoß mit Gessner waren sie am Strand im Mondschein spazierengegangen. Die gute Stimmung war zunächst verflogen.

»Was ist das für ein gräßlicher Mann«, hatte sie gesagt.

»Gessner? Er ist ein Witz — vielleicht etwas zu großspurig.«

»Er hätte Sie erschossen.«

»Vermutlich.«

»Sie hätten also zuerst geschossen?«

»Im Notfall ...«

»Das sagen Soldaten doch immer, nicht wahr?« Sie war verwirrt gewesen, hatte die Schuhe ausgezogen und war in das seichte Wasser hinausgegangen, während er nachdenklich im Sand sitzen geblieben war. Er hatte erkannt, daß sie zu schade für ihn war. Das war eine schmerzliche Erkenntnis.

Nach einer Weile war sie zurückgekommen und hatte sich neben ihn gesetzt. Als er aufstehen wollte, hatte sie ihm die Hand auf den Arm gelegt. »Stephen, versprechen Sie mir, daß Sie nichts tun werden, dessen Sie sich schämen müßten.«

»Ich habe gewisse Grundsätze. Aber wie das so ist — Soldaten sagen das immer.«

»Ach, seien Sie doch bitte nicht böse. Setzen Sie sich hin, und sprechen Sie mit mir. Sie sind mit sich selbst unzufrieden, nicht wahr?«

»Eigentlich nicht.«

»Es sieht aber so aus.«

»Vielleicht jetzt.«

»Vorher nicht?«

»Vorher bin ich damit fertig geworden.«

»Und was hat sich geändert? Was ist neu?«

Sie wußte es, aber da sie ihn fragte, wollte er es ihr sagen.

»Sie«, sagte er.

»Ich?«

»Was Sie denken, ist für mich sehr wichtig.«

Sie hatte die Hand von seinem Arm genommen, als wollte sie ihn nicht zu sehr mit ihrer Gegenwart belasten. Er konnte ihr Gesicht im Dunkeln nicht sehen, wußte aber, daß sie lächelte, als sie sagte: »Lieber Stephe, wollen Sie wissen, was ich denke?«

»Ja. Was denken Sie?«

»Ich denke, ich mag Sie sehr gern.«

Sie hatte das in dem Tonfall gesagt, in dem kluge englische Mädchen solche Geständnisse machen — überrascht, amüsiert, sachlich —, als habe sie etwas Unerwartetes unter dem Mikroskop entdeckt. Und er hatte ebenso reserviert gemurmelt, er hege ähnliche Gefühle.

»Dann sagen Sie es auch.«

»Ich mag Sie sehr gern. Ich werde Sie vermissen. Zufrieden?«

»Ja, es ist gut.«

Das waren vorsichtige Erklärungen, aber sie schlossen eine Verpflichtung ein. Es waren neue Tatsachen geschaffen worden. Einen Augenblick hatten sie schweigend nebeneinander im Sand gesessen und gewartet. Dann hatte Claudia die Initiative ergriffen. Sie hatte seine Wange mit den Lippen berührt und sich sanft bis zum Ohr hinaufgetastet. »Küß mich noch einmal«, hatte sie gesagt, und er hatte die erregende Wirkung ihres Atems gespürt. »Komm und küß mich.« Er hatte sie geküßt, und die letzte Tür war aufgesprungen. Ihre Wärme hatte den kalten Raum erfüllt, in dem er lebte, der sehr geordnet und sicher, aber auch ebenso langweilig war. Jetzt endlich wußte er, was es war: die Folge eines Mangels an Mut oder vielleicht bloße Trägheit. In Herzensangelegenheiten hatte er nie etwas gewagt. Er zog die Routine den Unbequemlichkeiten vor, die einem menschliche Beziehungen bereiten können. Doch all das war vor einem Monat zu Ende gegangen, dieses ganze sichere, überschaubare, einsame Leben hatte an einem Strand im Libanon aufgehört, als er sie küßte und auf den Sand legte ...

War jenes andere Leben wirklich vorüber? War etwas Entscheidendes geschehen? Seine Gedanken hatten sich ständig mit ihr beschäftigt, und als sie fort war, noch mehr. Aber jetzt konnte er sich kaum mehr an sie erinnern, und mit der lebendigen Vorstellung von ihr war auch die Wärme verlorengegangen, und das Gefühl dafür ließ sich ebenso schwer zurückrufen wie ein Sommertag im Winter.

Das verwirrte Roscoe und betrübte ihn. Er glaubte, irgend etwas sei nicht ganz in Ordnung mit ihm. Deshalb war er doppelt froh, endlich etwas zu tun zu haben, und freute sich, daß diese Straße zu der Jordanbrücke führte, an der sie auf ihn wartete. Die anderen wollten bei Aqaba über die Grenze gehen, aber er sollte über die Allenby-Brücke an der offiziellen Übergangsstelle nach Israel einreisen. Dort wollte Claudia ihn abholen. Ja, in Israel wartete einiges auf ihn, worauf er sich freute. Dort würde die Entscheidung fallen, und er würde alles in die richtige Reihenfolge bringen. Zuerst wollte er an den Jordan, um sie wiederzusehen; dann nach Jerusalem, um seinen Auftrag zu erledigen, und zwar so, daß auch sie damit einverstanden sein oder es wenigstens tolerieren konnte. Weil er seinen Vertrag erfüllen mußte, hatte er sie am Strand um ihr Einverständnis gebeten, ohne ihr genau zu sagen, was er tun mußte. Sie hatte nicht danach gefragt, und er hatte es ihr nicht erzählt. Sie hatte ihm nur angeboten, ihn abzuholen. Das war alles. Der Rest hing in der Luft . . .

Der Wagen fuhr jetzt über die Ebene: durch Obstpflanzungen, Kohl- und Zwiebelfelder, Weingärten und vorbei an mit Zuckerrüben beladenen Lastwagen. Weiter östlich war das Land nicht mehr so fruchtbar. Hier gab es wieder Feigen und Ziegen, die von weitem aussahen wie Schwärme schwarzer Fliegen. Vor ihnen erhob sich das Gebirge, das die Grenze nach Syrien markierte.

Roscoe dachte nun nicht mehr an Claudia, sondern an das, was er im Verlauf des vergangenen Monats erreicht hatte.

Lange hatte er nichts mehr erlebt, was ihm so viel Freude machte wie die einige Wochen dauernde Ausbildungszeit oberhalb des Klosters. Dort hatte er mit seinem Team Schießübungen veranstaltet — mehr um ihre Moral zu stärken, als um sie auf das Kämpfen und Töten vorzubereiten. Er hatte seine Männer gelehrt, mit Sprengstoff und Zündern umzugehen, und ihnen gezeigt, wo die Sprengladungen angebracht werden müssen, wenn man ein Gebäude zum Einstürzen bringen will. Das Echo der Feuerstöße war von den Felswänden zurückgeworfen worden, als die 9-mm-

Geschosse Scheiben durchlöcherten, die er zwischen den Oliven-
bäumen aufgestellt hatte, und verlassene Bauernhäuser hatten sich
in Staub und herumfliegende Steine verwandelt. Er hatte sie
gelehrt, wie man ein Funkgerät bedient, wie man sich tarnt, eine
Karte liest, sich auf einem Nachtmarsch orientiert und sich bei
einem Fliegerangriff in Sicherheit bringt. Und die Araber hatten
ihn gelehrt, wie man im heißen Klima lebt, wie man mit seinen
Kräften haushält und Wasser spart und wie man dort etwas zu
essen findet, wo es augenscheinlich nichts zu essen gibt. Sie hatten
erlebt, wie sich die Disziplin mit jeder Woche besserte. Für Männer, die zu einer Verzweiflungstat entschlossen waren, einen
Zigeuner und einen englischen Berufssoldaten, waren sie keine
schlechte Kampfgruppe.

Der Zigeuner hatte eine Doppelbegabung: er konnte töten und
überleben. In einer ausweglosen Lage würde er natürlich deser-
tieren, denn Zigeuner sterben nicht für politische Ideen. Walid
hingegen war ein Fanatiker. Er war bereit zu marschieren, bis
seine Füße bluteten, als müsse er die verlorenen Jahre bei der
Al Fatah abbüßen. Die zuletzt angeworbenen Männer, Fuad und
Ibrahim, wollten sich nur rächen. Sie waren über vierzig Jahre
alt und verheiratet, hart und anspruchslos. Sie hatten Freunde
und Verwandte verloren, weil der Staat Israel entstanden war.
Zuerst hatte Roscoe geglaubt, sie seien für diese Aufgabe nicht
geeignet, aber sie hatten die harte Ausbildung in den Bergen
mit Stolz ertragen und sich dabei gekräftigt. Ein paarmal hatten
sie sogar gelächelt. Nun saßen sie auf dem Rücksitz, der Zigeuner
zwischen ihnen. Vielleicht hofften sie, ihre Familien wiederzusehen; vielleicht kam es ihnen auch gar nicht darauf an. Wenn sie
in Jerusalem sterben sollten, dann würden sich ihre Söhne mit
Stolz an sie erinnern.

Das Flachland lag hinter ihnen, und Yussef fuhr die zweite
Hügelkette hinauf und zwischen weißen, sich scharf gegen den
Himmel abhebenden Felsformationen hindurch auf die syrische
Grenze zu. Hier gab es keine Felder mehr. Das Sonnenlicht blen-

dete so stark, daß einem die Augen schmerzten. Wieder spürte Roscoe diese besondere Wachheit aller Sinnesorgane. Er wußte: es kam daher, daß der Tod ihm hier näher war. Diese Gegebenheit war bezeichnend für den Nahen Osten. Hier lag der Tod in der Luft und war deutlich zu spüren: ein Geruch, der einem die eigene Existenz mit aller Deutlichkeit und Härte ins Bewußtsein brachte.

Vorn an der Straße lag der Grenzübergang, und dort standen Fernlader, Mercedes-Wagen und Berliets, eine große Karawane von mit Blumenmustern bemalten Fahrzeugen, an deren Kennzeichen man sah, daß sie aus Kuwait und dem Irak hierhergekommen waren.

Yussef fuhr an den wartenden Fahrzeugen vorbei und stellte seinen Wagen an die Spitze. »Syrer nicht gut«, sagte er. »Klasse Null.« Er stieg aus und ging nach vorn zur Zollabfertigung.

Auch Roscoe sprang aus dem Wagen, um sich die Beine zu vertreten.

Die Hitze wirkte wie ein Schlag auf den Kopf. Die Lastwagenfahrer saßen im Schatten ihrer Fahrzeuge und hatten keine Eile weiterzukommen. Eine alte Frau wühlte in den neben der Straße liegenden Abfällen. In alten Militärschuhen ohne Schnürsenkel stolperte sie zwischen den Steinen herum. Andere Frauen saßen im Straßengraben und schützten die Gesichter mit Schleiern vor dem Staub.

Ein Land des Todes — ein Land der Träume . . .

Während Roscoe die Alte beobachtete, sah er plötzlich die Zusammenhänge. Zu Hause im alten grünen, aufgeräumten England konnte jeder für sich leben und sich selbst genügen. Jenes ferne Land, in dem es keine Extreme gab, hatte prosaische Menschen hervorgebracht. Aber hier, in der unendlichen staubigen Wüste, war das Leben des einzelnen so dürftig und gefährdet, daß er versuchte, es zu transzendieren. Ja, der hier in die Isolation geworfene Mensch brauchte die Phantasie, wie andere Brot brauchen. Bevor er auf seine Träume verzichtete, raste er lieber in den

Tod. Er verlangte vielleicht sogar danach. Er sehnte sich nach dem blühenden Paradies, um nicht erkennen zu müssen, daß er sich getäuscht hatte. Von diesem Geruch war die Luft geschwängert. Es war nicht der Hauch des Todes, der einen hier umwehte, sondern der des Verlangens nach dem Tod. Darin bestand die besondere Verrücktheit der Semiten, und deshalb war es sicher kein Zufall, daß ausgerechnet der Mann, der für einen Ausgleich eintrat, ein Sterbender war. Eigentlich war er schon tot und hatte nur seine Träume zurückgelassen.

Nach wenigen Minuten kehrte Yussef von der Zollabfertigung zurück. »Alles in Ordnung«, sagte er und fuhr weiter zur Grenzpolizei. Wieder mußten sie aussteigen und zur Überprüfung der Personalpapiere in einen Raum gehen, in dem sich die Bauern drängten und den hinter den Schaltern sitzenden syrischen Beamten mit lauter Stimme ihre Wünsche klarzumachen suchten. Hier war auch Dominic Morley. Er schrie am lautesten. Dort stand er in seinem schmutzigweißen Tropenanzug und schwenkte seinen Presseausweis. Mit gerötetem Gesicht brüllte er: »Fernsehen, sehen Sie das nicht? *Fernsehen* . . .«

Er hatte Roscoe nicht bemerkt, dessen Paß mit dem Stempel TOURIST versehen wurde. Roscoe ging auf Morley zu, um ihn zu beruhigen.

Morley blickte überrascht auf. »Oh, hallo! Sind Sie auch hier? Die Schweine wollen mich nicht durchlassen.«

»Das habe ich gesehen.«

»Verdammte Araber.«

»Jagen Sie noch immer hinter dem ›Schwarzen September‹ her?«

Morley blickte sich verängstigt um und bat Roscoe, mit ihm hinauszugehen. »Seien Sie nur vorsichtig, Mann — daß man uns nicht lyncht.«

»Das wird man bestimmt nicht tun. Haben Sie Erfolg gehabt?«

Morley schüttelte enttäuscht den Kopf. Diesmal war es ihm gelungen, Arafat zu interviewen, aber seine Vorgesetzten ver-

langten mehr. Sie hatten ihn zurückgeschickt. »Ich soll Film-
aufnahmen von diesem Saladin machen. Scheiße! Mann, wissen
Sie denn nicht, wo er ist? Ich habe die Nase voll. Ich werde hier
noch zum alten Mann.«

Roscoe fragte, ob er auch nach Israel wolle.

Morley sagte, er werde in einer Woche dort sein.

»Wo kann ich Sie dort finden?«

»In Jerusalem.«

»In welchem Hotel?«

»In der amerikanischen Kolonie. Warum? Kommen Sie auch
hin?«

»Ja«, sagte Roscoe, »am Sechsten können Sie auf mich warten?«

»Ich weiß nicht . . .«

»Vielleicht habe ich etwas für Sie.«

Morleys Interesse schien plötzlich geweckt. »Ja, was denn? Ist
es etwas Besonderes?«

Roscoe lächelte vielsagend. »Wenn Sie im Rampenlicht stehen,
können Sie mich zu einem Drink einladen.«

»Mann, tun Sie doch nicht so geheimnisvoll. Was ist es denn?«

»Wir sehen uns am Sechsten in der amerikanischen Kolonie.«

Saladins Männer saßen wieder im Chevrolet. Yussef drückte
auf die Hupe. Roscoe verabschiedete sich, und während er nach
Syrien hineinfuhr, wandte er sich um und sah noch, wie Morley
seinen Wagen zwischen den Lastern durchmanövrierte und in
Richtung Beirut davonfuhr. Er fragte sich, was Saladin zu seiner
Idee sagen würde.

2. Damaskus

Syrien bestand aus Staub und Soldaten. Die Hälfte der männlichen Bevölkerung war uniformiert. Die Soldaten fuhren auf Lastwagen vorüber, klatschten rhythmisch und sangen; sie standen an den Kasernentoren und winkten, um mitgenommen zu werden; sie exerzierten auf staubigen Kasernenhöfen, und alles lag unter einer dicken Staubschicht, die Stiefel, die Uniformen, die Fahrzeuge, die spärliche Vegetation und das schwarze Kraushaar der Männer. Alles hatte die Khakifarbe der Wüste angenommen. In diesem Jahr war noch kein Regen gefallen. Syriens wichtigster Wirtschaftszweig war der Krieg gegen Israel. Er wurde von den Russen unterstützt. Hier wurde Roscoe zum zweitenmal — das erstemal war es in Juwaiya gewesen — von einer bösen Vorahnung ergriffen. Er fragte sich, ob es richtig gewesen sei, sich in diese Sache einzulassen. Instinktiv fühlte er, daß etwas sehr Häßliches geschehen könnte. Dem wollte er ausweichen. Wenn es nicht mehr möglich war, in den Libanon zurückzufahren, dann wollte er möglichst schnell nach Jordanien. Vielleicht war das Land nicht ganz so verrückt, und vielleicht folgte man dort mehr den vornehmen Traditionen von Sandhurst und der ehrwürdigen Überlieferung der Beduinen.

Unter seiner Jacke trug er den Browning im Halfter. Auch Walid war bewaffnet. Der Zigeuner hatte nur ein Messer bei sich.

Nach 10.00 Uhr kamen sie in Damaskus an. In der Stadt spürte man noch den Einfluß des grandiosen französischen Baustils, aber die Parks, Plätze und Boulevards wirkten schäbig. Die Gebäude waren verwahrlost und die Straßen von Rissen durchzogen wie nach einem Erdbeben. Im Norden erhoben sich weiße Felsenberge an deren unteren Hängen Flüchtlinge in einem Gewirr von schmutzigen Baracken lebten.

Yussef hielt vor dem New-Ommayad-Hotel. Unter den Ventilatoren saßen unzufrieden aussehende Russen, die Fruchtsaft tranken. In der Halle stand eine Gruppe Franzosen herum, Touristen, die per Schiff nach Beirut gekommen waren und einen Ausflug hierher unternommen hatten. Fuad und Ibrahim warteten, während Roscoe und Walid sich aufmachten, um Zeiti zu suchen. Der Zigeuner ging hinter ihnen her, um sie gegen etwaige Verfolger abzuschirmen.

Was Zeiti betraf, so hatte Roscoe gewisse Bedenken. Bei der Vorbereitung hatte Zeiti den gleichen Eifer gezeigt wie die anderen. Er war energisch und anstellig, der geborene Guerilla, dem das Unternehmen ebensoviel Freude zu machen schien wie ihm. Hätte Roscoe ihm den Heimaturlaub verweigert, dann hätte der Junge Verdacht geschöpft. Aus Sicherheitsgründen mußte er so lange bei der Gruppe bleiben, bis das Ziel des Anschlags sich nicht länger verheimlichen ließ. Sicherlich würde Zeiti seinen Urlaub dazu ausnutzen, sich bei seinen Auftraggebern zu melden. Deshalb hatte Roscoe sich mit ihm im Grabmal des Sultans Saladin verabredet. Das war nicht nur eine sentimentale Geste, sondern auch vernünftig, denn an einem so belebten Ort war mit einem Hinterhalt kaum zu rechnen. Trotzdem blieb Roscoe nervös, und er war froh, daß Walid bei ihm war.

Sie gingen im Abstand von wenigen Schritten an einer verwahrlosten Kaserne vorüber. Auch in den Parks sah man viele Soldaten, die in Gruppen auf dem Rasen lagen oder Hand in Hand herumschlenderten. Auf den Straßen im Stadtzentrum herrschte ein unglaubliches Gedränge. Die Menschen machten nur den Omnibussen Platz, alten, zerbeulten Ausflugsautobussen mit nach oben gerichteten Auspuffrohren. Schwarzhändler boten amerikanische Zigaretten zum Verkauf an, und ein Straßenjunge versuchte mit einem Luftgewehr Geschäfte zu machen. Er hatte einem bekannten westlichen Covergirl aus Pappe die Zielscheibe zwischen die Brüste gehängt.

Damaskus war ganz anders als Beirut. Hier befand man sich in Arabien, und Damaskus war eine der unergründlichsten Städte dieses Teiles der Welt. Die Menschen waren härter, ärmer, dunkelhäutiger und stolzer als anderswo. In ihnen steckte, so schien es Roscoe, eine unterdrückte Wut, die sich in einer hysterischen Gewalttat zu entladen drohte. Roscoe fühlte sich wie ein Ungläubiger in Mekka. Er fiel auf und war doch irgendwie unsichtbar. Niemand beachtete ihn oder versuchte, ihm etwas zu verkaufen. Nur bettelnde Kinder berührten ihn. Aber wenn die kleinen Hände sich in die seinen schoben, rissen ärgerliche Erwachsene die Kinder fort.

Als Roscoe und Walid — und in einigem Abstand der Zigeuner — sich durch den Souk al Hamadiya drängten, ein hohes dunkles Gewölbe, das mit seinem aus einer Stahlkonstruktion bestehenden Dach an einen Londoner Bahnhof erinnerte, lächelte Walid über die Köpfe der Menge hinweg Roscoe zu. Der Zigeuner holte sie ein und sagte, bisher sei ihnen noch niemand gefolgt.

Am Ende des Souk kamen sie zur Ommayad-Moschee. Walid führte Roscoe hinein und zeigte ihm stolz das Innere, die Kristallkronleuchter und die romanischen Säulen. Väter und Söhne saßen mit gekreuzten Beinen auf dem mit Teppichen belegten Boden. Die Frauen, in weiße Gewänder gekleidet, durften in einem für sie reservierten Raum am Gottesdienst teilnehmen. In der bemalten Rundung der Kuppel kreisten Tauben. Über dem Gemurmel der Versammlung hörte man das sanfte Klatschen ihrer Flügel. Die Menschen gingen in Strümpfen umher oder saßen auf dem Boden und ruhten sich aus. Es war ähnlich wie in manchen christlichen Domen. Auf der gegenüberliegenden Seite stand ein alter Mann am Grabmal Johannes' des Täufers und küßte den Stein.

»Für uns ist Johannes ein sehr großer Prophet«, sagte Walid.

Als sich die Moschee um die Gebetsstunde zu füllen begann, traten sie hinaus in einen geräumigen Innenhof, setzten sich eine Weile in den Schatten der den Hof umschließenden Säulenhalle und blickten über das frisch mit Wasser gesprengte Pflaster zum Minarett hinauf, auf dem sich, wie die Moslems glaubten, Jesus am Jüngsten Tag niederlassen würde. Es war ein wunderschöner

Platz — sauber, kühl und still. Staub und Lärm der Stadt waren draußen geblieben.

»So ist es bei uns Arabern«, sagte Walid, »die ganze Schönheit ist im Inneren verborgen.«

Roscoe sah auf die Uhr, als der Vorbeter aus dem Koran zu rezitieren begann. Es war kurz vor 11.00 Uhr.

»Wir müssen gehen«, sagte er.

Nur ungern stand Walid auf und klopfte sich den frisch gereinigten Anzug ab. »Es ist ganz nah.«

Sie holten ihre Schuhe und gingen nach rechts an der Mauer der Moschee entlang durch ein Viertel, in dem die Häuser aus den im Boden liegenden Trümmern der Vergangenheit herausgewachsen zu sein schienen. In den Mauern sah man Reste römischer Säulen und byzantinischer Ziegel. Walid behauptete, Damaskus sei die älteste Stadt der Welt. Die Stadt war ein aus Erde geformter menschlicher Bienenstock, der seine Bewohner gegen den Wüstenwind und die Sonne schützt. Die Straßen kamen Roscoe vor wie Tunnels, und was er darin sah, wirkte fremd und geheimnisvoll; Krüppel fuhren auf Handkarren vorüber, alte Männer saßen in den Hauseingängen und rauchten die Wasserpfeife, in einem Barbierladen hatte sich ein Schuhputzer niedergelassen, und durch einen Vorhang aus Glasperlenschnüren warf Roscoe einen Blick in ein Dampfbad. In Handtücher eingewickelte, verdrießlich aussehende Männer saßen schweigend und schwitzend im Kreis um ein Wasserbecken.

Dann kamen sie durch die Straße der Goldschmiede — ein verheißungsvolles, gedämpftes Aufleuchten im Dunklen. Plötzlich hörte Roscoe ein Wort, das er kannte.

»Salah-diiin!«

Überrascht wendete er sich um und sah eine kleine Schar barfüßiger, grinsender Jungen.

»Salah-diiin!« kreischten sie und zupften ihn am Ärmel. Walid führte ihn eine Allee entlang auf einen kleinen, menschenleeren Platz an der Nordmauer der Moschee. Mitten darauf stand ein

niedriges Steingebäude mit einer Kuppel, deren Rundung einge-
kerbt war wie eine Melone. Auf dieses Gebäude zeigten die
Jungen, tanzten im Staub um ihn herum und kreischten wieder.

»Salah-diiin! Salah-diiin!«

Roscoe warf ihnen ein paar Münzen zu. Sie griffen gierig
danach und liefen fort, um sich ein neues Opfer zu suchen. Im
gleichen Augenblick trat der Zigeuner aus dem Schatten. Sein
faltiges Gesicht grinste. Von Zeiti war nichts zu sehen.

»Ihr beide geht dort herum«, sagte Roscoe.

Sie verteilten sich und suchten die nähere Umgebung ab. Hinter
einer Baumgruppe am Eingang des Mausoleums trafen sie sich
wieder. Roscoe sah durch die Tür in das dunkle Innere. Sein Mund
war ausgetrocknet.

»Bleibt draußen! Ich gehe hinein.«

Walid sah ihn fragend an. Weder er noch die anderen wußten,
daß Zeiti ein Mitglied des »Schwarzen September« war. Walid
fragte, ob irgend etwas nicht in Ordnung sei.

»Wahrscheinlich ist es nichts. Haltet die Augen offen, und gebt
mir Deckung — wie wir es geübt haben.«

Walid nickte und machte ein gekränktes Gesicht. Jetzt wußte er,
daß Roscoe ihm etwas verschwiegen hatte, und dieser Mangel an
Vertrauen enttäuschte ihn.

Roscoe gab dem Zigeuner das Zeichen, ihm zu folgen.

3. Blut auf dem Teppich

Im Mausoleum war es dunkel, und es roch modrig wie in einer
Kirche, die nicht mehr besucht wird. Den Boden bedeckten Tep-
piche. Die gekachelten Wände waren mit schwarzen Basaltstreifen
in Quadrate eingeteilt.

Als sie sahen, daß niemand in dem Raum war, ging der Zigeuner hinaus, setzte sich auf den Eingangsstufen in die Sonne und rauchte eine Zigarette. Auf dieser Reise trug er einen Anzug. Aber die Jacke paßte nicht zur Hose. Man sah den Sachen an, daß sie beim Trödler gekauft worden waren. Auf dem Kopf trug er immer noch die rotkarierte Kefia.

Während sie warteten, sah sich Roscoe das Mausoleum von innen an. Der alte Aufseher sprach ihn in gebrochenem Englisch an.

Das also war das Grabmal des großen Mannes, des Schreckens der Kreuzfahrer, des Retters von Jerusalem. Das Bauwerk schien germanisch zu sein. Es glich der Familjengruft der Habsburger in Wien. Und wirklich erzählte der Aufseher, Kaiser Wilhelm II. habe es bauen lassen. Der Sarkophag stand auf einer Steinplatte. Darüber hing eine Lampe mit den Initialen des deutschen Kaisers und denen seines Verbündeten, des Sultans Abdul Hamid II.

Die Straßenjungen hatten draußen ein neues Opfer gefunden. Wieder riefen sie den Namen Saladin. Die europäische Schreibweise gibt einem, auch wenn man das Wort richtig »Salah-ed-Din« schreibt, keine Vorstellung davon, wie eindringlich es auf arabisch klingen kann. Nach den ersten beiden Silben bleibt der Laut wie ein kurzes Bellen in der Kehle stecken. Dann wird die letzte Silbe lang zwischen den Zähnen ausgestoßen.

»*Salah-diiin!*«

Es war mehr als ein Name; es war ein Schlachtruf, und mit diesem Schlachtruf würden sich die gedemütigten Palästinenser erheben, um ihr Recht zu fordern ...

Während ihm solche Gedanken durch den Kopf gingen, die sein abenteuerliches Vorhaben in einem neuen, romantischen Licht erscheinen ließen, wandte sich Roscoe zur Tür und sah Zeiti dort stehen, beleuchtet von den schräg in den Eingang fallenden Sonnenstrahlen. Er trug ein weißes Hemd und enganliegende Jeans. Von der Schulter hing ihm eine Reisetasche der Syrian Arab Airways.

Er konnte Roscoe, der durch das Grabmal verdeckt wurde, nicht sehen, kam herein, blieb auf dem mit Teppichen belegten Boden stehen und sah sich nach allen Seiten um. Dann betrat ein zweiter Mann den Raum. Es dauerte ein paar Sekunden, bis Roscoe Gessner erkannte und sich auf die Begegnung gefaßt machte. Aber Gessner ließ sich nicht aufhalten. Er hatte lange auf diesen Augenblick gewartet, sein Opfer verfolgt und sich auf die Entscheidung vorbereitet. Er zog die Pistole aus dem Gürtel, stellte sich breitbeinig hin und zielte auf Zeitis Rücken. Roscoe rief Zeiti eine Warnung zu. Zeiti duckte sich, und das erste Geschoß traf den Sockel, auf dem der Sarkophag stand. Zeiti sprang zur Seite und schrie auf, als Gessner zum zweitenmal schoß. Die beiden Schüsse Gessners waren kaum zu hören, denn er hatte einen Schalldämpfer auf die Mündung seiner Pistole geschraubt. Aber nun krachten zwei Schüsse aus einem Browning. Es klang, als würden Eisentüren zugeschlagen. Das ganze Gebäude erzitterte. Roscoe hatte Gessner zweimal getroffen, der mit einem erstickten Aufschrei zu Boden fiel, sich krümmte und an den Magen griff. Gessner versuchte, die Waffe auf seinen Gegner zu richten, aber der Zigeuner kam ihm zuvor, faßte ihn an den Haaren, riß seinen Kopf zurück und schnitt ihm die Kehle durch. Mit einem grunzenden Laut sank Gessner in sich zusammen, und Roscoe lief an ihm vorbei zum Ausgang. Die Jungen auf dem Platz rannten erschreckt auseinander. Der Aufseher stand mit offenem Mund da und fiel dann auf die Knie. Walid, der unter den Bäumen gestanden hatte, kam auf die Tür zugelaufen.

»Halt ihn fest«, rief Roscoe und zeigte auf den Aufseher. Dann verschwand er im Inneren des Gebäudes.

Gessners Körper lag blutend und zuckend auf dem Teppich, während der Zigeuner grinsend auf ihn hinuntersah. Roscoe beugte sich vor und schoß Gessner noch einmal in den Kopf.

Zeiti schwankte auf ihn zu, verdrehte die Augen vor Schmerz und hielt sich den Arm. Roscoe packte ihn und fragte: »Kannst du gehen?«

Er konnte Zeitis Antwort nicht verstehen, denn seine Ohren waren noch taub von dem lauten Krachen der Schüsse. Deshalb rief er noch einmal:»Es ist schon gut! Walid, halte ihn fest! Und jetzt schnell hinaus!«

Walid hatte den Aufseher losgelassen, der wieder auf die Knie gefallen war. Roscoe riß ihn hoch und rief:»Die Schlüssel! Sage ihm, er soll uns die Schlüssel geben.«

Er tat es, sie schlossen die Tür ab und ließen Gessner in dem Mausoleum liegen. Roscoe zerrte den Aufseher am Kragen mit. »Nicht laufen«, sagte er.»Ruhig gehen.«

Sie beeilten sich, durch die Arkaden und das Gewirr der engen Straßen so schnell wie möglich von der Moschee fortzukommen. Nur Zeiti kannte Damaskus gut genug, um sie aus diesem Labyrinth hinauszuführen.»Wie geht es?« brüllte ihn Roscoe an. »Weiter! Geradeaus oder nach links? Los, weiter!«

Schattige, überdachte Laubengänge, dazwischen ein Stück blauer Himmel und immer wieder Gedränge und Kinder, die hinter ihnen herliefen . . .

»Nicht laufen! Zeiti, hör zu. Wir müssen hier raus, an eine Straße. Wir brauchen ein Taxi. Nach links? Gut! Du bist schon in Ordnung. Laß den Arm oben. Halte ihn oben!«

Ein alter Mann mit einem Eselsgespann, ein Motorroller — der Fahrer sah sich nach ihnen um. Aber keine Polizei und keine Soldaten. Endlich Fahrzeugverkehr und eine breite Straße . . .

»Gut gemacht! Walid, hör zu: Wir werden nach Jordanien weiterfahren. Du bleibst hier bei Zeiti.«

»Nein«, sagte Zeiti,»nein!«

»Sei still! Walid, du bleibst bei ihm.«

Walid dachte nach.

»Du bleibst mit Zeiti im Taxi und fährst zu einem Mann, dessen Adresse ich dir gebe. Du fragst nach Rashid Fawzi. Wiederhole: Fawzi. Sprich sonst mit niemandem. Sag Fawzi, du kommst von Saladin. Sag ihm, der tote Mann ist ein zionistischer Agent. Wir nehmen den einzigen Zeugen zur Grenze mit. Zeiti läßt du bei ihm und kommst selbst so schnell wie möglich nach. Wir werden in Jordanien auf dich warten. Halte ihn doch fest! Ja, so ist es gut. Jeder an einem Arm. Aber jetzt brauchen wir schnell ein Taxi . . .«

»Da drüben steht eines«, sagte Walid. Sie winkten es heran, fuhren durch die Stadt und stiegen in den Chevrolet um. Roscoe hallte immer noch das Krachen der Schüsse in den Ohren, und er sah den hilflosen Juden auf dem Teppich liegen, bevor er ihm den Gnadenschuß gab. Noch einmal zog er die Pistole und richtete sie auf Yussef.

»Du fährst uns jetzt nach Jordanien. Dafür haben wir dich bezahlt.«

Yussef sträubte sich. Er hatte Zeiti gesehen.

»Schluß! Nichts mehr«, schrie er. »Ich fahre nach Beirut.« Es folgte ein häßlicher arabischer Fluch, der Fuad veranlaßte, ihm einen kräftigen Schlag ins Genick zu versetzen. Der Aufseher wimmerte. Der Zigeuner zog das Messer. Die Männer im Wagen schwitzten und waren einer Panik nahe. Der Tod schien zwischen ihnen herumzulaufen wie eine Roulettekugel, bis Roscoe Yussef die Pistolenmündung bis zum Abzug in das weiche Fleisch rammte und schrie: »Losfahren!«

Yussef quollen die Augen aus dem Kopf. »Okay, wir fahren«, sagte er und wimmerte halb ängstlich, halb wütend, »keine Schwierigkeiten, bitte.« Er schob die Pistole beiseite, drückte auf die Hupe und fuhr an. Es ging durch enge Straßen mit auseinanderlaufenden Kindern, Hühnern und Ziegen, vorbei an Autowracks, Rohbauten und halbverfallenen Häusern. Soldaten traten aus dem Schatten, winkten und sprangen im letzten Augenblick zur Seite. Yussef beschleunigte das Tempo, und endlich waren sie auf der in südlicher Richtung nach Jordanien führenden Ausfallstraße. Es war nur ein schmaler Asphaltstreifen im welligen, braunen Wüstengelände, der sich am Horizont im Dunst verlor.

Roscoe sah sich um, aber niemand verfolgte sie. Vor und hinter ihnen war die Straße leer. Schnurgerade lief sie, flankiert von

Telegrafenmasten, weiter. Wo sie den Horizont berührte, schien sie sich in Wasser aufzulösen.

Es kam ihnen etwas entgegen. In der flimmernden Hitze schien das Ding zuerst über dem Boden zu schweben. Dann zeichneten sich die Umrisse eines Omnibusses ab. Große und kleine Steine prasselten gegen die Seite des Chevrolet, als Yussef mit hoher Geschwindigkeit daran vorbeifuhr und dabei nur mit zwei Rädern auf dem Asphalt blieb. Bis zur Grenze würde die Fahrt noch drei Stunden dauern.

Roscoe lehnte sich zurück und zündete eine Zigarette an. Er versuchte, das Zittern seiner Hände zu unterdrücken. Sein Pulsschlag normalisierte sich wieder. Undeutlich sah er den sterbenden Gessner vor sich.

Der Aufseher setzte sich auf. Die anderen begannen zu lachen und zu schwatzen. Ihre Stimmen schienen von weither zu kommen. Sie benahmen sich wie alberne Kinder. Aber sie waren nicht alberner als Roscoe selbst, der von einem fairen, ehrlichen Kampf und von einem Mädchen geträumt hatte, das ihm gehören sollte, wenn alles vorüber war. Es gab keinen fairen Kampf. Niemand wußte das besser als er. Wie der Kampf auch beginnen mochte, er endete blutig und mit einem betäubenden Gefühl der Leere.

Beim Gedanken an Gessner tat er sich nur selbst leid. Aber er spürte nicht die geringste Versuchung, Saladin im Stich zu lassen. Im Gegenteil, jetzt sah er sich gezwungen weiterzumachen — wie ein Trinker oder ein Spieler, der nicht aufhören kann. Er war fast erleichtert, als ihm bewußt wurde, daß er sein Versprechen nicht gehalten hatte. Denn dieses Abgestumpftsein war der Gemütszustand, den er zum Kämpfen brauchte. Wegen eines Mädchens im Libanon hatte er seine Rücksichtslosigkeit aufgeben wollen.

Plötzlich wurde er furchtbar müde. Er zündete sich eine zweite Zigarette an, um wach zu bleiben. Vor ihnen lag noch eine weite Strecke. Die Tachometernadel zeigte auf 120. Rechts am Horizont sah er die blauen Golanberge, und im Osten lag die Wüste, die sich bis zum Irak hinzog. Aber hier lag beiderseits der Straße die eintönige braune Ebene. Der Boden war zum Teil gepflügt, aber Roscoe konnte sich nicht vorstellen, daß etwas darauf wuchs. Die Dörfer hatten die gleiche Farbe und waren aus der gleichen Erde gebaut; braune Würfel in der leeren Landschaft.

Sie rasten weiter, und Syrien zog an ihnen vorüber wie ein Film; ein zerkratzter, alter, sepiafarbener Film, der ab und zu ein kurzes Bild mit Figuren zeigt: einen Jungen, der ein paar Wachteln in die Höhe hielt, einen zweiten, der auf einem Esel ritt, Frauen mit riesigen Lasten auf den Köpfen und andere, die an einem Brunnen stehen. Das Wasser plätscherte im weiten Bogen in einen Trog. Jeder Tropfen war so kostbar wie ein Diamant.

Der Anblick weckte den Durst, und der Zigeuner reichte seine Flasche nach vorn.

Roscoe nahm sie ihm lächelnd ab. Du mörderisches, affengesichtiges Ungeheuer, dachte er, wir sind beide von der gleichen Sorte, du und ich.

Fuad und Ibrahim waren eingenickt. Zwischen ihnen saß mit ängstlichen Augen der syrische Aufseher. Roscoe sagte ihm, er werde nicht sterben müssen, und dachte dann an die jordanische Grenze. Dort würden sie sich von Yussef trennen müssen. Jordanien war für den Durchgangsverkehr gesperrt. Die halbe arabische Welt wünschte Hussein den Tod. Deshalb würde man sie an der Grenze filzen. Aber Saladin hatte versprochen, sie dort von einem seiner Leute in Empfang nehmen zu lassen. Saladin hatte seine Leute überall.

Sie fuhren durch Deraa, wo die Türken Lawrence besonders scheußlich behandelt hatten, und kamen dann an den syrischen Grenzposten. Sie rechneten fast damit, festgenommen zu werden, konnten aber ungehindert passieren, während Yussef mit dem Aufseher nach Damaskus zurückfuhr. Walid hatte seinen Auftrag befehlsgemäß erledigt.

Auf der jordanischen Seite wartete eine lange Autoschlange auf die Abfertigung. Die Grenzpolizisten trugen gestärkte Shorts und spitze Tropenhelme. Neben der Zollabfertigung stand ein so sauberes Gebäude, wie man es in ganz Syrien nicht finden konnte, mit der englischen und arabischen Aufschrift TOILETTEN. Roscoe sorgte sich um die bevorstehende Leibesvisitation. Doch nun kam durch das Tor einer für militärische Zwecke eingezäunten Zone ein eleganter Offizier in Begleitung eines silberhaarigen Zivilisten auf sie zu.

»Jimmy!«

»Hello, Stephen.«

»Was, zum Teufel, machen Sie hier?«

»Truppenbesichtigung«, sagte Marsden forsch.

4. Böse Träume

Saladins Verbündete in Jordanien waren drei hohe Offiziere des Heeres. Zwei von ihnen hatten am Tag zuvor die Nerven verloren. Deshalb war Marsden hergekommen. Der dritte war der junge Infanteriemajor Muammar Nazreddin, der ihn begleitete: ein schlanker, elegant aussehender, schnurrbärtiger Mann von etwa vierzig Jahren, der jedoch jünger aussah und bei einem israelischen Feuerüberfall die rechte Hand verloren hatte. Die Ausbildung in Sandhurst war nicht spurlos an ihm vorübergegangen. »Freue mich, Sie kennenzulernen«, sagte er und reichte Roscoe die linke Hand. Die rechte war eine steife Prothese im Lederhandschuh.

Auch Roscoe freute sich. In Jordanien ging alle Macht vom königlichen Palast aus, und wenn Nazreddin auf ihrer Seite war, konnte nichts passieren. Ohne ihn wären sie erledigt gewesen. Der Major hatte die für den Anschlag benötigte Ausrüstung unter seine Obhut genommen. Er stellte ihnen auch die Basis in Aqaba zur Verfügung und hatte alles für ihre Rückkehr über die Grenze nach Jordanien vorbereitet. Jetzt wollte er auf Walid warten.

Marsden begleitete Roscoe und die anderen nach Amman. Auf der Fahrt sprachen sie über Gessner.

»Eine typisch jüdische Verrücktheit, ausgerechnet nach Damaskus zu gehen, um jemanden umzublasen.«

»Verrückt oder tollkühn«, sagte Roscoe, »das hängt davon ab, auf welcher Seite Sie stehen.«

»Wie ist er dort hingekommen?«

»Das weiß Gott allein.«

Erst später erfuhren sie die näheren Umstände. Gessner war in Istanbul mit einem westdeutschen Paß auf das französische Schiff gegangen und hatte den Zeitpunkt seines Eintreffens in Damaskus so gewählt, daß er gleichzeitig mit Zeiti dort ankommen würde. Der blutige Zwischenfall wurde von allen Zeitungen groß herausgebracht. Schließlich erklärte sich die Al Fatah dafür verantwortlich.

Als sie nach Amman kamen, war es schon dunkel. Marsden setzte die anderen in einem bescheidenen Vorstadthotel ab und fuhr mit Roscoe zum Intercontinental; einem Offizier stand eine bessere Unterkunft zu.

Das Intercontinental war ein Luxushotel auf einer Anhöhe, hatte Marmorfußböden, eine Klimaanlage, einen Springbrunnen in der Halle, zwei Schwimmbecken und war mit orientalischem Prunk ausgestattet. Roscoe folgte dem Portier in das für ihn reservierte Zimmer und bestellte eine Flasche Whisky. Er trank einen Schluck, ging unter die Dusche, trank noch ein Glas und zog ein frisches Hemd an. Er war sehr hungrig.

Marsden wartete im Dachgartenrestaurant auf ihn. Hier hatten sie eine herrliche Aussicht auf die Lichter der Stadt. Von einem Pianisten begleitet, trug eine Sängerin alte Songs der Beatles vor. An der Bar saß ein Mann, den Roscoe in Beirut gesehen zu haben glaubte. An einem Ecktisch hatte sich die Besatzung eines skandinavischen Verkehrsflugzeugs versammelt. Die Stewardeß hatte sehr sinnliche Augen.

»Sie versuchen wohl zu vergessen«, sagte Marsden.

»Ich habe Durst, was trinken Sie?«

»Danke, nichts mehr.«

Wie geschmacklos, dachte Roscoe, ihm vorzumachen, daß ich trinke, um zu vergessen. Ich trinke nicht, um zu vergessen. Ich trinke eben. Einfach so.

Marsden fragte ihn nach Claudia. »Wie ist das Mädchen?«

»Voller Nächstenliebe.«

»Können wir sie überhaupt zu irgend etwas brauchen?«

»Ich glaube, bisher hat sie kaum etwas mit der Sache zu tun.«

Marsden stocherte an seinem Steak herum. »Übrigens, Ihre Freundin Nina Brown ...«

»Brown? Was ist mit Brown?«

»Nach Ihrer Abreise hat sie mich immer wieder angerufen. Sie wollte unbedingt wissen, wo Sie sind. Sie wollte herkommen, aber ich habe ihr gesagt, das sei ausgeschlossen.«

»Gut so.«

»Sie ist immer noch bei Ihnen zu Hause.«

»In Granby?«

»Sie behauptet, etwas von Landwirtschaft zu verstehen.«

»Das hätte ich nicht gedacht — ein rührendes Mädchen.« Roscoe schob den Teller fort und nahm sich eines von Marsdens Zigarillos. »Sagen Sie, wer ist eigentlich Refo?«

»Müssen Sie das unbedingt wissen?«

»Sie sind komisch. Ich stecke tiefer in der Sache als Sie.«

Marsden ließ sich überreden. Er senkte die Stimme. »Er vertritt eine Ölgesellschaft — eine von den ganz großen. Wenn man es sich richtig überlegt, dann sind das unsere natürlichen Verbündeten.« Dann machte er eine Bemerkung, von der er selbst nicht wußte, wie prophetisch sie war. »Wenn es wieder zum Krieg kommt, können uns die Araber den Hahn zudrehen.«

»Diese Gesellschaft setzt sich also für eine Beilegung der Krise ein.«

»Was bisher nicht gelungen ist, weil der richtige Unterhändler fehlte.«

»Und was tun diese Leute für uns?«

»Geld, logistische Unterstützung — wer sie sind, sage ich Ihnen besser nicht.«

»Das ist nicht nötig. Das Rätsel ist gelöst.«

Roscoe blickte zu dem Tisch hinüber, an dem die Flugzeugbesatzung gesessen hatte. Die Piloten waren zu Bett gegangen. Das Mädchen saß noch mit dem Steward zusammen. Marsden unterschrieb die Rechnung. »Seien Sie vernünftig, Stephe, und trinken Sie nicht zuviel. Ich gehe ins Bett.«

»Gute Nacht.«

Roscoe ging zur Bar hinüber und setzte sich auf einen Hocker neben den Mann aus Beirut, der sich herumdrehte und ihm die Hand entgegenstreckte, als habe er nur darauf gewartet, mit ihm zu sprechen. Es war Nick Cassavetes.

Roscoe fragte, was er im Glase habe.

»Nur Orangensaft.«

»Wollen Sie etwas dazu?«

»Nein, danke.«

Cassavetes war von Beirut gekommen. Er sagte, seine Agentur wolle einen Bericht über Husseins Scheidung von Mona haben, einer Engländerin aus Ipswich, mit der er zwei Söhne hat. »Eine rührselige Geschichte.«

Roscoe war der gleichen Ansicht und meinte, Mona sei Unrecht geschehen.

Cassavetes sprach über den neuesten Hofklatsch, nahm einen Schluck Orangensaft und lachte. Später konnte sich Roscoe nicht mehr genau an ihn erinnern. Dazu war Cassavetes zu farblos. Er hatte nichts Auffälliges an sich. Er war unauffällig gekleidet, weder modern noch altmodisch, also in jeder Hinsicht ein ungewöhnlicher Journalist — mit Ausnahme seines Interesses für andere Journalisten. Er fragte Roscoe, was er in Jordanien zu tun habe.

»Ich sehe mich nur ein wenig um.«

»Sind Sie durch Syrien gekommen?«

»Ja, heute — kein übles Mädchen.«

»Wie bitte?«

»Da drüben, in der Uniform.«

»Ganz niedlich. Wie lange wollen Sie bleiben?«

»Ein paar Tage.«

»In Amman?«

»Vielleicht werde ich auch noch etwas ins Land hinausfahren.«

»Und wohin geht es dann?«

Die Fragen kamen etwas zu schnell. Roscoe war zwar schon angetrunken, merkte es aber doch. Als das Mädchen aufstand und in Begleitung des Stewards fortgehen wollte, entschuldigte er sich.

Sie zögerte, lächelte ihn an und ging mit ihm auf die Tanzfläche. Sie hieß Anna und kam aus Dänemark. Als er sie im Arm hielt, fühlte er ihre üppigen Rundungen. Sie tanzten, bis der Steward fortging, tranken und tanzten wieder. Auch Cassavetes stand auf und ging. Der Pianist schloß den Deckel und legte ein Band auf. Sie tanzten, bis es abgespielt war. Roscoe machte ihr einen Vorschlag. »Einverstanden«, sagte sie.

In seinem Zimmer zog sie sich die Uniform aus, öffnete mit freundlichem dänischem Lächeln die Arme, und die vollen Brüste hüpften ihm entgegen. Roscoe drückte sie auf das Bett. »Ja«, sagte sie, »ja, tu es.« Und er tat es. Mit Claudia hatte er es noch nicht getan, aber sie spreizte die runden Schenkel und hob sich unter ihm, während er ihr die Arme festhielt, zustieß, die Zähne zusammenbiß und dachte; heraus damit, das ist es, darauf kommt es schließlich nur an — Blut, Sperma, Blut — schießen, ficken und wieder schießen . . .

Danach lag er mit geschlossenen Augen neben ihr und hörte sie atmen. Er konnte sie riechen und sog den Geruch dieses Mädchens ein, das er gar nicht kannte, und er wußte schon gar nicht mehr, wie es dazu gekommen war.

»Ihr Engländer seid so grob«, sagte sie.

»Es tut mir leid.«

»Nein, ich habe das gern.« Sie strich ihm über das Rückgrat.
»Du bist so stark — oh, Stephen ...«

Roscoe drückte sie sanft an sich, aber es war ihm unangenehm,
daß sie ihn beim Vornamen nannte. »Du solltest jetzt schlafen
gehen.«

»Ich schlafe bei dir, und morgen früh ...«

Er schüttelte den Kopf und lächelte. »Das ist reizend, Anna, aber
ich glaube, es ist besser, wenn du gehst.«

Sie machte große Augen und sah ihn gekränkt an. »Sehen wir
uns wieder?«

»Nein, ich glaube nicht.«

»Gut, wenn dir das lieber ist, gehe ich. Leb wohl, Stephen.«

»Leb wohl, Anna.«

Das war das letzte Erlebnis dieses Tages, und Roscoe vergaß
es ebenso wie alles andere. Als sie gegangen war, schlief er ein.

Nach einiger Zeit wachte er auf. Er fühlte sich nicht wohl und
nahm eines der Zahnputzgläser, die auf der Konsole über dem
Waschbecken standen. Sie waren in Papiertüten mit dem Auf-
druck ZU IHREM SCHUTZ STERILISIERT eingepackt. Roscoe
spülte sich den Mund aus und ging ans Fenster.

Draußen fing es an zu dämmern. Über dem Häusermeer von
Amman ragten aus weißen Würfeln bleistiftspitze Minarette wie
Raketen in den Himmel, und er hörte den durch Lautsprecher ver-
stärkten Ruf des Muezzins, der die Stadt aus dem Schlaf zum
Gebet rief.

Roscoe lauschte dem Ruf und sah zu, wie es allmählich heller
wurde. Ein neuer Tag, eine neue Stadt. Irgendwo in der Nähe
schlief eine Vagabundin, die sich ebenso ziellos herumtrieb wie er,
und hatte seinen Samen im Leib. Und woanders lag ein Mann,
tödlich getroffen von Geschossen aus seiner Pistole. Und weiter?
Nichts! Am besten, man lachte darüber; lachte, übernahm seinen
Auftrag und steckte das Geld ein. Man tötete, wenn es sein mußte,
und sah zu, daß man selbst dabei überlebte. Man genoß das Leben,
wo es sich genießen ließ, denn am Ende stand das Nichts ...

Er hatte noch immer das sterilisierte Glas in der Hand, als der Himmel über Amman zu leuchten anfing. Roscoe lachte trocken in sich hinein. Vielleicht war es die Morgendämmerung seines letzten Tages. Er war in der richtigen Verfassung, den Tod willkommen zu heißen — mit leerem Herzen, leerem Kopf, mit leerem Magen und leerem Sack. Er setzte sich auf den Bettrand, holte die Pistole heraus, nahm sie auseinander und legte die Teile auf ein Taschentuch. Dann zog er Stoffstreifen durch den Lauf, bis sie sauber herauskamen und drehte schließlich das glänzende Metall so lange, bis es die ersten Sonnenstrahlen widerspiegelte.

Ja, dachte er, ich bin bereit.

Teil V
Schlag und Gegenschlag

27. Oktober bis 5. November 1972

1. Anruf um Mitternacht

Es war Freitag, der 27. Oktober. In Amman graute schon der Morgen, aber in Granby war es kurz nach Mitternacht. Roscoe reinigte eben seine Pistole, und Nina Brown lag in seinem Wohnzimmer auf dem Teppich und streichelte eine Dogge. Es war dunkel im Zimmer, nur das Kaminfeuer verbreitete einen schwachen Schein. Draußen heulte der steife Ostwind gegen die lange Mauer, und man hörte die Brandung, obwohl Brown den Plattenspieler laufen ließ. Im Zimmer war es warm und gemütlich.

Die Stoppeln waren abgebrannt, der Acker war gepflügt und das Getreide in Lincoln verkauft. Sie hatte Heizöl bestellt und aus indischem Baumwollstoff eine Steppdecke genäht. Georgie ging täglich in den Kindergarten, und seine mehrstündige Abwesenheit wirkte sich günstig auf die Beziehungen zwischen Mutter und Sohn aus.

Das Leben in Granby war erträglicher geworden, nachdem eines Tages aus Fort Worth, Texas, ein flaches Päckchen eingetroffen war. Es enthielt einen Roman im Taschenbuchformat und einen kurzen Gruß: »Süße Träume, Ninamädchen, alles Liebe, Jim.« Die Buchseiten waren mit dem Messer herausgeschnitten, und in dem Hohlraum lag ein Kunststoffbeutel mit braunem Pulver. Eben hatte sich Brown einen Joint gedreht, an dem sie jetzt mit langsamen Zügen zog.

Später erinnerte sie sich wegen der folgenden Ereignisse genau an diesen Augenblick. Sie hatte in die Flammen gesehen, der Musik und der Brandung zugehört und darüber nachgedacht, mit wie vielen Männern sie schon ein Verhältnis gehabt hatte.

Georgies Vater hatte mit ihr das Kind in einem Motel gemacht — »The Firebird«. Einem Impuls folgend, hatte sie sich geweigert, das Kind abtreiben zu lassen. Als es dann zur lebendigen Wirklichkeit aus Fleisch und Blut wurde, hatte sie nie recht begriffen, was geschehen war. Georgie war ein niedlicher, aufgeweckter kleiner Junge. Aber sie betrachtete ihn als ein eigenständiges Werk der Natur und nicht als ein Geschöpf, das sie hervorgebracht hatte. Mütterliche Gefühle waren ihr fremd — jene innere Verwandlung, die zugleich Selbsterfüllung und Selbstaufgabe ist und die alle ihre Freundinnen an sich erlebt hatten, war ihr erspart geblieben. Manchmal dachte sie, das sei irgendeine biologische Mangelerscheinung. Vielleicht hatte beim Zeugungsakt irgend etwas gefehlt. Das Erlebnis im Motel war enttäuschend gewesen. Mit anderen Männern war es besser gewesen, viel besser — außerdem war es viel zu oft geschehen. Sie hörte zu zählen auf.

Sie dachte an Jim in Texas, dann an Roscoe irgendwo am anderen Ende der Welt. Manchmal vermißte sie ihn. Sie sah ihn in Momentaufnahmen vor sich. Er kam mit den Hunden aus den Dünen, verzog das Gesicht, wenn er eine Zigarre anzündete, oder rieb sich Haarwasser ins Haar. Wie das Zeug roch! Es setzte sich im Schlafzimmer fest und war aufdringlicher als ihre aus Moschus und Patchouli hergestellten Parfüms. In den Schränken lagen seine schweren Schuhe und hingen die von Mrs. Parson eingemotteten, geflickten Tweedjacken.

Roscoe spukte in diesem Haus wie ein jüngst Verstorbener, und wie eine junge Witwe hatte Brown das Gefühl, er könnte jeden Augenblick zur Tür hereinkommen. Aber wenn er es täte, würden sie sofort zu streiten anfangen, das wußte sie. Am nächsten oder übernächsten Tag würde sie die üblichen Genickschmerzen bekommen und einen Druck im Kopf. Sie würde sich schlecht benehmen, und er würde sie hinauswerfen. Um das zu vermeiden, mußte sie rechtzeitig abfahren. Aber das Leben in London reizte sie nicht. Sie war zu alt, um noch länger herumzuvagabundieren. Die Arbeit, die ihr Spaß gemacht hätte, fand sie nicht. Sie konnte sich nicht vorstellen, was es in London für sie zu tun geben könnte. Deshalb blieb sie in Granby und setzte ein Leben fort, das längst vorüber war — eben wie eine Witwe.

Sie warf den Stummel fort und drehte sich einen neuen Joint. Das Feuer im Kamin flackerte auf, und die Flammen hüllten die

Holzscheite ein. Das Haus knarrte und stöhnte im Wind. Die Platte war zu Ende, aber Nina Brown blieb liegen und rauchte im Dämmerzustand weiter, bis das Telefon klingelte.

»Hallo?«

Eine Männerstimme fragte nach Stephen Roscoe.

»Er ist nicht da.«

»Ist er im Ausland?«

»Ich weiß nicht, wo er ist. Wer spricht dort?«

»Ein Freund. Aber Sie wissen doch sicher, wo er ist?«

»Nein, es tut mir leid.«

»Es ist sehr wichtig«, sagte der Mann. »Ich muß ihn unbedingt sprechen.«

»Es tut mir wirklich leid, ich kann Ihnen nicht helfen.«

Es war eine ruhige Stimme; höflich, aber bestimmt, mit einem nicht zu definierenden Akzent. Der Mann wiederholte seine Frage und erkundigte sich dann, wann Roscoe zurück sein würde.

»Auch das weiß ich nicht.«

»Aber Sie wohnen in seinem Haus, Miss Brown, Sie und Ihr Kind.«

»Sie kennen meinen Namen?«

»Ja.«

»Wer sind Sie?«

»Bitte sagen Sie mir alles, was Sie von Stephen Roscoe wissen ...«

»Ich werde mich hüten.«

». . . und es wird Ihnen nichts geschehen.«

»Haben Sie gesagt, mir würde nichts geschehen?«

»Richtig.«

»Was soll das heißen? Wollen Sie mir drohen?«

»Nennen Sie es eine Warnung.«

»Wer Sie auch sind, Sie verschwenden Ihre Zeit. Ich weiß nichts.«

»Wer hat ihn nach Beirut geschickt? War es Marsden?«

»Hören Sie mal zu: ich weiß nicht, wer Sie sind, und ich weiß auch nicht, was das bedeuten soll. Haben Sie mich verstanden? Tun Sie mir also den Gefallen und legen Sie auf.«

»Miss Brown ...«

»Es tut mir leid, mein Freund, ein andermal.«

»Hängen Sie nicht auf, Miss Brown. Bitte, das wäre sehr dumm. Wir sind ganz in der Nähe. Wir werden zuerst Ihr Kind töten und dann Sie.«

Das Rauschen der Brandung schien immer näher zu kommen. Plötzlich war es kalt im Zimmer, und das Haus war nur noch ein wackeliges Kartenhaus.

»Miss Brown, sind Sie noch dort?«

»Ja — ja, ich höre.«

»Ich glaube, Sie wissen, wir meinen es ernst.«

»Okay, ich glaube es. Aber sagen Sie mir doch, was Sie wollen — und lassen Sie meinen Sohn aus dem Spiel.«

»Beantworten Sie meine Frage. Wo ist Stephen Roscoe?«

»Mein Gott, ich sage Ihnen die Wahrheit: ich weiß es nicht. Er ist geschäftlich nach Beirut geflogen. Mehr hat er mir nicht gesagt. Er habe in Beirut zu tun — nichts sonst. Er ist seit sechs Wochen fort und hat nicht gesagt, wann er wiederkommen wird.«

»Und wie steht es mit Marsden?«

»Er war ein paar Tage vorher hier. Sie sind zusammen an den Strand gegangen. Worüber sie gesprochen haben, weiß ich nicht.«

»Das ist alles?«

»Ja.«

»Keine Briefe? Keine Postkarten?«

»Eine aus Beirut vor etwa drei Wochen.«

»Was stand drin?«

»Nichts. Ich meine, keine Mitteilungen.«

»Okay. Ich glaube Ihnen.« Die Stimme wurde freundlicher. »Ihr Freund Roscoe ist sehr dumm, Miss Brown. Wenn Sie wollen, daß er lebendig zurückkommt, müssen Sie uns helfen. Sonst kann ich für nichts garantieren. Verstehen Sie?«

»Ich verstehe«, sagte Brown.

Der Mann verlangte, sie solle unter dem Vorwand, es hätten sich in Granby irgendwelche unvorhergesehenen Schwierigkeiten ergeben, von Marsden Roscoes Aufenthaltsort herausbekommen. Der Anrufer sagte, er werde sich um die Mittagszeit wieder melden, und legte auf.

Brown weckte Mrs. Parson, und die beiden Frauen hielten Kriegsrat in der Küche. Mrs. Parson hatte eine Schwester im Badeort Withernsea, nördlich von Hull. Telefonisch ließ sie dieser ein Telegramm übermitteln. Brown packte den Koffer, lud eine Schrotflinte, die sie vom Gewehrständer nahm, und holte den Wagen aus der Garage. Mrs. Parson weckte Georgie, wickelte ihn in eine Decke und legte ihn auf den Rücksitz.

»Withernsea wird dir gefallen. Da ist mehr los als in Granby.«

Brown umarmte sie. »Vielen Dank, Katie. Willst du wirklich nicht mitkommen?«

»Nein. Das wäre nicht richtig — nicht, solange er noch fort ist. Mir werden sie nichts tun. Ich habe ja die Hunde.«

»Du solltest die Polizei verständigen.«

»Mach dir keine Sorgen. Mir wird schon nichts passieren.«

Brown sagte, sie werde Marsden am nächsten Morgen anrufen. Roscoe hatte ihr seine Nummer hinterlassen. Dann fuhr sie ab. Neben ihr auf dem Sitz lag die Flinte.

Der Wind war so stark, daß er den Wagen fast von der Straße drückte. Aber sie hielt das Lenkrad fest und fuhr so schnell, wie das auf der engen Straße zwischen den Deichen möglich war. Sie hatte Angst, war aber nicht unglücklich, denn endlich hatte sie etwas zu tun. Und wenn sie an den kleinen Jungen dachte, der hinter ihr lag, dann hatte sie sogar die ganz normalen Empfindungen einer Mutter.

2. Vorbereitungen in Jordanien

Drei Stunden später war Brown auf der Fähre nach Hull. Während sie an der Reling stand und beobachtete, wie die Schraube das schlammige Wasser des Humber aufwühlte, schwamm Roscoe in dem ruhigeren und klaren Wasser eines Schwimmbeckens im Garten des Jordan Intercontinental. Gebräunte Mädchen mit dunklen Sonnenbrillen lagen auf ihren Matten im Gras. Die Skandinavier waren abgeflogen. Ein Kellner servierte eisgekühlte Getränke, und Marsden las eine arabische Zeitung. Der Bericht über den Mord an Gessner nahm ein Viertel der Titelseite ein. Daneben ein gräßliches Foto seiner Leiche.

Auf einem Balkon hoch über dem Hotelgarten stand Cassavetes und beobachtete die beiden Engländer. Er war nach Amman gekommen, nachdem der Hotelportier in Beirut ihm erzählt hatte, Roscoe habe ein Visum für Jordanien. Jetzt wollte er ihn auf keinen Fall mehr aus den Augen verlieren.

Um seinen Kater zu vertreiben, war Roscoe ein paar Runden geschwommen und kletterte jetzt aus dem Wasser. Marsden hatte Cassavetes gesehen. »Wer ist das?«

»Ein Amerikaner. Agenturkorrespondent. Für meinen Geschmack ist er viel zu neugierig.«

Roscoe berichtete, was er über Cassavetes wußte, und Marsden versprach, Erkundigungen über ihn einziehen zu lassen. Sie blieben noch eine halbe Stunde sitzen. Dann zog Roscoe sich an.

Um 12.00 Uhr wurden sie von einem Wagen der Regierung abgeholt, der sie zum Basmanpalast brachte. Sie waren abgefahren, bevor Cassavetes die Situation begriffen hatte und ihnen folgen konnte. Zunächst fuhren sie durch das Diplomatenviertel von Amman, dann an den Palästinenserghettos vorbei, kamen durch ein schwerbewachtes eisernes Tor und über eine geteerte Auffahrt zu einem auf einem Hügel gelegenen stattlichen Haus. Der König war an diesem Tag nicht anwesend.

Ein Hofbeamter empfing sie und führte sie eine breite Treppe hinauf durch einen mit Fliesen ausgelegten Saal und einige Doppeltüren, die von Soldaten der Desert Patrol bewacht wurden. Dann ging es durch lange Korridore an tscherkessischen Wachtposten mit Pelzmützen und Kosakenuniformen vorbei in ein einfach möbliertes Vorzimmer. Roscoe blickte durch das vergitterte Fenster in den Garten, wo ein Fliegerabwehrgeschütz postiert war; das mit einem Netz getarnte Geschützrohr zeigte hinauf in den blauen Himmel.

»Sehr eindrucksvoll, finden Sie nicht?«

»Nazreddin will uns nur beweisen, was für eine bedeutende Stellung er einnimmt.«

»Der König weiß also nichts davon?«

»Bestimmt nicht.«

»Ich dachte, er sei für eine friedliche Lösung.«

»Nicht, wenn sie auf einen Palästinenserstaat hinausläuft.«

»Nazreddin geht also ein ziemliches Risiko ein?«

»Nun, den Kopf wird es ihn nicht kosten«, sagte Marsden. Als der Beamte zurückkam, führte er sie in ein Büro mit Klimaanlage. Die Fensterläden waren geschlossen, und nirgends sah man ein Anzeichen dafür, daß hier gearbeitet wurde. Nazreddin hatte augenscheinlich nichts anderes zu tun gehabt, als auf sie zu warten. Als sie zur Tür hereinkamen, sprang er hinter seinem Schreibtisch auf und lächelte, schlug die Hacken zusammen und bat sie, auf einem Sofa Platz zu nehmen. Es wurde Kaffee gebracht, und nach dem Austausch der üblichen Höflichkeiten fragte Marsden, ob die Villa in Aqaba ihnen jetzt zur Verfügung stünde.

»Es ist noch nicht ganz soweit. Die gewohnten Verzögerungen. Sie werden sich ein paar Tage gedulden müssen.«

Dann fragte Roscoe nach dem Lastwagen.

»Der ist schon da. Wenn Sie wollen, können wir ihn uns ansehen. Auch alles andere.«

Nazreddin schloß das Büro ab, setzte sich eine Sonnenbrille auf und führte sie hinaus zu seinem Wagen. Zuerst holten sie die anderen ab — auch Walid war inzwischen da. Dann fuhren sie mit Nazreddin in eine Kaserne südlich von Amman. In einem Raum neben der Waffenkammer zeigte er ihnen die für sie bereitgestellten Ausrüstungsgegenstände.

Dazu gehörten zwei Schlauchboote aus halbstarrem Kunststoff mit Evinrude-Außenbordmotoren und Paddeln. Auf dem Boden lag ein Stapel Säcke für den Transport des Sprengstoffs. Auf einem Tisch sahen sie zwei Stablaternen, ein Funkgerät mit VHF-Bereich, drei Sprechfunkgeräte, Kompasse, zwei Very-Pistolen mit der dazugehörigen Munition, Signalmunition, 9-mm-Patronen und vier Uzi-Maschinenpistolen. Nazreddins Schneider hatte nach den von Roscoe angegebenen Maßen sieben israelische Uniformen angefertigt. Refo sollte noch die Schuhe besorgen, dazu zwei Außenbordmotoren, die leiser liefen als die Evinrudes, den Sprengstoff und die Zündvorrichtungen.

Der Sprengstoff war die Hauptsache, aber auch die hier gelagerten Ausrüstungsstücke mußten in Ordnung sein. Deshalb nahm sich Roscoe genügend Zeit, um sie sich genau anzusehen. Sein Kommando sollte sich für das Unternehmen als israelische Einheit tarnen. Auf diese Weise hoffte er, unauffällig durch Israel zu kommen und die Wachen am »Alcatraz« im Handstreich zu überwältigen. Dazu genügten wahrscheinlich ein paar hebräische Worte, aber alles wäre umsonst, wenn die Uniformen nicht genau den Vorschriften entsprachen. Er bedankte sich bei Nazreddin.

»Ausgezeichnet, sehr gut«, sagte Marsden.

Nazreddin fragte, ob sie einen Granatwerfer brauchten.

»Bestimmt nicht«, sagte Roscoe lächelnd.

»Sie brauchen es nur zu sagen. Wir werden Ihnen alles zur Verfügung stellen.«

»Das hier wird genügen.«

Am Fahrzeugdepot übernahmen sie einen Dodge-Eintonner von dem Typ, den die israelische Armee als Infanterietransportfahrzeug verwendete. Bassam hatte in Israel ein entsprechendes Fahrzeug besorgt, das Roscoe und seine Männer bei dem Unternehmen und bei ihrem Rückzug aus Israel benutzen sollten, wobei sie an einer bestimmten Stelle durch den Grenzzaun fahren wollten.

»Wer ist der Fahrer?« fragte Nazreddin.

»Ibrahim. Er war Busfahrer.«

Ibrahim trat vor.

»Sehr gut«, sagte Nazreddin, schickte einen Melder zum Kommandanten der Kaserne und ließ ihm sagen, auf Befehl des Königs werde der Zaun um den Kasernenbereich beschädigt werden. Er und Roscoe setzten sich in das Fahrzeug, und Ibrahim startete nach ein paar Versuchen den Motor. Dann fuhren sie zum Kasernentor hinaus.

Von hier ging es in die Wüste, an Kamelherden und schwarzen Nomadenzelten vorbei, die wie Fledermausflügel an der Erde befestigt waren. Nazreddins Anweisungen folgend, lenkte Ibrahim den Wagen auf eine unbefestigte Piste, die auf ein am Horizont liegendes, zerfallenes Fort zuführte. Schon bald hatte er sich mit dem Fahrzeug und der Schaltung vertraut gemacht und ließ den Motor auf volle Touren kommen. Die Höchstgeschwindigkeit lag bei knapp 80 Stundenkilometern. Nazreddin grinste Roscoe durch die Sonnenbrille an und rief: »In Ordnung?«

»In Ordnung!«

Ibrahim stellte den Wagen am Fort ab, und sie setzten sich an die Mauer in den Schatten. Nach Osten erstreckte sich die baumlose Ebene flach bis an den Horizont. Die Luft flimmerte in der Hitze. Nazreddin sog nachdenklich an seiner Zigarette. »Das ist ein verdammt waghalsiges Unternehmen«, sagte er. »Aber es könnte ganz neue Verhältnisse schaffen.«

»Wollen wir es hoffen.«

»Wie ich gehört habe, kennen Sie Hussein von Sandhurst her.«

»Nur flüchtig.«

»Er ist ein Romantiker, andererseits aber auch ein Realist. Wenn die Sache klappt, wird er uns unterstützen.«

»Es ist erstaunlich, wie lange er durchgehalten hat.«

»Stephen, dieses ganze Königreich ist eine erstaunliche Sache. Abdullah stieg damals einfach aus dem Zug, der ihn von Medina hergebracht hatte, und beanspruchte das Land für sich. Die Briten waren zu überrascht, um etwas dagegen zu unternehmen. Dann gefiel ihnen die Idee — eine Heimat für die Haschemiten und eine Heimat für die Juden. Britische Abenteurer hatten vorher die Landkarte für sie verändert.«

Roscoe nickte verlegen.

»Nun, Sie können nichts dafür — und Sie werden es jetzt wiedergutmachen.«

Sie fuhren auf einem anderen Weg zur Kaserne zurück. Zweihundert Meter vor dem Zaun ließ Nazreddin Ibrahim anhalten und erläuterte auf arabisch und englisch, wie man einen Grenzzaun durchbricht. Wenn das Fahrzeug schnell genug sei, sagte er, müsse man gegen einen Pfosten fahren, der entweder abbräche oder sich verbiege. Dann bekäme man den Maschendraht unter die Räder. Aber mit wenig Anlauf müsse man zwischen zwei Pfosten gegen den Zaun fahren. Dann gäbe der Zaun entweder nach oder hielte das Fahrzeug auf. Im letzteren Fall müsse man über den Kühler auf die andere Seite der Grenze springen.

Ibrahim, ein untersetzter, wortkarger Mann, nickte. Drüben standen die Zuschauer — Marsden und ein paar Männer in jordanischer Uniform. Ibrahim ließ den Motor an, gab Gas und fuhr gegen einen Pfosten. Roscoe hielt sich fest, und Nazreddin begleitete den Zusammenstoß mit einem lauten Zuruf. Der Pfosten brach zwar unten ab, wurde aber nicht umgestoßen, sondern blieb senkrecht vor dem Kühler. Dann rissen die Pfosten links und rechts aus, und ein langes Stück des Zauns wurde in den Hof hineingedrückt. Die Zuschauer liefen erschreckt auseinander, und Marsden wurde fast von einem Draht zu Boden gerissen. Roscoe brüllte ihm einen Warnruf zu. Ibrahim fuhr weiter, bis der Zaun nachgab. Ein paar Drähte zerrissen, andere kratzten am Metall des Fahrzeugs entlang. Nach einer kurzen Strecke hielt Ibrahim den Wagen an. Roscoe klopfte ihm anerkennend auf die Schulter. Nazreddin lachte und sagte, die Israelis bauten bessere Zäune. Marsden klatschte mit spöttischem Lächeln in die Hände.

Am Spätnachmittag verließen sie die Kaserne und fuhren nach Westen zu einem hochgelegenen Aussichtspunkt über dem Jordantal. Hier überblickten sie einen breiten Abschnitt der israelischen Grenze und konnten sich darüber klarwerden, an welcher Stelle sie den Zaun bei der Rückkehr durchbrechen wollten.

Der Aussichtspunkt war der Berg Nebo, von dem Moses vor seinem Tod noch einen Blick auf das Gelobte Land getan hatte. Jetzt stand hier eine Kirche der Dominikaner. Auf dem Gipfel waren jordanische Posten mit Ferngläsern verteilt. Still war es hier oben, man hörte nur das leise Klingen der Glöckchen einer Ziegenherde. Hinter der Kirche reckte sich ein hohes Eisenkreuz in den Himmel.

»Sie haben es für den Papst aufgestellt«, erklärte Nazreddin, »bei seinem Besuch in Israel.«

Roscoe wunderte sich darüber, daß der Papst es hatte sehen können.

»Aber ja. Man kann von hier aus Jerusalem sehen.« Nazreddin beschattete die Augen und deutete auf einen Höhenzug. »Sehen Sie, das ist der Ölberg.«

Roscoe blickte nach Westen und dachte an Claudia. Dort hinter jenen blauen Bergen mußte sie jetzt sein. Er fühlte sich wie ein Vertriebener, der aus der Ferne auf die verlorene Heimat zurückblickt.

Zwischen den beiden Höhen lag im Dunst ein tiefes, weites Tal, das sich über viele Kilometer von Norden nach Süden erstreckte. Auf dem Talgrund leuchtete das Tote Meer wie geschmolzenes Gold, und nördlich davon lag als ferne, grüne Insel Jericho. Noch weiter im Norden zeichnete sich der Jordan als feiner Strich gegen den dunkleren Talgrund ab.

Auch Marsden schien von dem Anblick beeindruckt zu sein. »Das Cockpit der Erde«, sagte er. Aber Nazreddin dachte nur an die praktischen Dinge.

»Wo werden Sie sich verstecken?«

»In Aqabat Jabr.« Roscoe zeigte in die Richtung. »Ein verlassenes Flüchtlingslager bei Jericho.«

»Ich weiß. Ich bin dort aufgewachsen.« Nazreddin versuchte zu lächeln. »Der Beobachtungsposten hier oben ist ständig besetzt. Wenn Sie soweit sind, schießen Sie am besten eine Leuchtkugel ab.«

»Wäre ein Funkkontakt nicht besser?«

»Auch darüber müssen wir noch sprechen — über die Frequenzen und den Schlüssel, der ganz einfach sein kann. Aber vielleicht werden Sie keine Zeit haben. Deshalb müssen wir noch eine zweite Verständigungsmöglichkeit vorsehen.«

Nach Nazreddins Ansicht war die Grenze am besten in der Ebene unmittelbar nördlich oder südlich des Toten Meeres zu überschreiten. Er nahm eine geheime Generalstabskarte heraus und zeigte darauf die in der Nähe gelegenen israelischen Stellungen, die Zufahrtsstraßen und die Minenfelder. Damit Ibrahim sich beim Durchbruch durch den Grenzzaun besser orientieren könnte, würde Nazreddin auf der jordanischen Seite Markierungsflaggen aufstellen lassen.

»Ich habe vier Stellen ausgesucht, an denen ein Übergang möglich ist. Morgen sehen wir sie uns an...«

3. »Er kommt«

Zwei Tage später, am Sonntagmorgen, fuhr Claudia mit ihrem kleinen weißen Fiat durch die Landschaft unterhalb des Berges Nebo. Die Straße, die sie benutzte, führt von Jerusalem nach Osten durch die Halbwüste von Judäa, geht dann steil hinunter nach Jericho und wendet sich nach Norden den Jordan hinauf bis Galiläa.

Hier lag das Westjordanland, in dem Saladin einen neuen Palästinenserstaat zu gründen hoffte. Claudia kannte es sehr gut, kam aber nur selten her, weil die Mission vor allem in den dichtbevölkerten Städten Nablus, Ramallah und Hebron zu tun hatte. Dort war der Name Saladin in aller Munde, und man las ihn an vielen Hauswänden — eine Parole, die da in großen Lettern an die Mauern gepinselt wurde. Die Behörden ließen die Schrift entfernen, aber über Nacht erschien sie wieder. Plakate wurden abgerissen und neue angeklebt. In den Straßencafés, Moscheen und Basaren bedeckten Flugblätter den Boden. Es war erstaunlich, was Bassam und Horowitz in so kurzer Zeit geleistet hatten. Und Claudia freute sich, daß sie ihnen dabei hatte helfen können.

Aber hier, an der durch den Osten des Landes führenden einsamen Straße, die sie an diesem Sonntag entlangfuhr, gab es nicht viele Menschen, die man für die Sache Saladins hätte gewinnen können. Das Jordantal selbst war verlassen und unfruchtbar und der Fluß nur ein Graben, der zwischen unfruchtbaren Schlickablagerungen verdunstete. Daß das Gebiet von den Israelis besetzt war, ließ sich kaum erkennen. An den Berghängen sah man ein paar Betonschießscharten, Stacheldrahtrollen und hin und wieder einen Jeep. Die Panzer befanden sich irgendwo in Deckung.

Weiter nördlich veränderte sich das Bild in dramatischer Weise. Im alten israelischen Gebiet fuhr Claudia durch industrialisierte Kibbuzim, vorbei an kultivierten Feldern und den Metallrohren der

Bewässerungsanlagen. Das Braun der Halbwüste verwandelte sich in saftiges Grün, und durch die Bäume schimmerte, als tiefblaue, vom Wind gekräuselte Fläche, das Wasser, in dem Jesus gefischt hatte. Claudia wandte sich nach links und fuhr am Seeufer entlang nach Tiberias, wo sie in einem Restaurant auf Bassam wartete.

Hier wollten sie sich nach vierzehn Tagen zum erstenmal wieder treffen. Vorher war sie sehr oft mit ihm zusammengewesen. Sie hatte ihn in der Gegend herumgefahren und ihm manchen Weg abgenommen. Sie hatte es sogar gelegentlich gewagt, zu einem verabredeten Treffen vorauszufahren, um festzustellen, ob die Luft rein war. Sie hatte ihm ihre Wohnung für Zusammenkünfte zur Verfügung gestellt, und er hatte sich hin und wieder auf ihrem Bett von den Anstrengungen der vorausgegangenen Tage ausgeruht. Claudia hatte viel für die Sache getan. Nach ihrer Ansicht sogar zuviel. Bassam hatte in dieser Zeit stark abgenommen. Manchmal wirkte er wie im Fieber. Dann redete er unzusammenhängend, stellte sich noch ungeschickter an als gewöhnlich und konnte lange dasitzen, ohne sich zu rühren, als sei er gelähmt.

Sie wußte nicht, weshalb er sie gebeten hatte, nach Tiberias zu kommen. Aus dem Telefongespräch mit ihm hatte sie entnommen, daß es wichtig war, ohne sich vorstellen zu können, worum es sich handelte.

Um die Wartezeit zu verkürzen, bestellte sie sich ein israelisches Frühstück, eine Mahlzeit, an die sie sich inzwischen gewöhnt hatte — geräucherten Karpfen, Tomaten, Gurken, Oliven, rohe Zwiebeln ein kaltes, hartgekochtes Ei und Rahmkäse. Nachdem sie gegessen hatte, goß sie sich eine zweite Tasse Kaffee ein, lehnte sich in Stuhl zurück und blickte über den See zu den Golanhöhen hinüber dem fast unüberwindlichen natürlichen Hindernis, das sich vor der syrischen Grenze erhob.

Sie dachte an Stephen Roscoe und versuchte, ihre Gefühle vorsichtig zu analysieren. Sie vermißte ihn mehr, als sie geglaubt hatte — und auf eine ganz besondere Art. In seiner Gegenwart fühlte sie sich entspannt, als sei eine Gefahr von ihr genommen

258

worden; erleichtert, als brauche sie eine schwierige Aufgabe nicht mehr zu bewältigen. Und was konnte das anderes bedeuten, als daß sie doch keine moderne Frau war? In der Theorie gefiel ihr die weibliche Unabhängigkeit sehr gut, aber in der Praxis war sie ermüdend. Ihr innerer Schwung ließ nach, und zwar wohl eher, weil sie das Interesse verlor, als aus Mangel an Entschlußkraft. Es lag ihr offenbar nicht, ganz auf sich selbst gestellt zu sein. Deshalb hatte wohl auch Saladin einen so großen Eindruck auf sie gemacht. Sie dachte an den Kuß am Strand und war froh, daß Roscoe nicht weiter gegangen war. Wenn sie sich die Zeit im Libanon vor Augen führte, dann erinnerte sie sich mehr daran, wie es gewesen war, mit ihm zusammenzusein, als an den Mann selbst. Daraus folgerte sie, daß es mehr gewesen war als eine flüchtige Zuneigung. Aber vielleicht war alles vorbei, wenn sie ihn wiedersah. Darauf mußte sie gefaßt sein . . .

»Hallo!«

Es war Bassam, der vorsichtig um den großen Eukalyptusbaum herumkam, dessen Zweige die Terrasse überschatteten. Er trug wie immer seinen dunklen englischen Anzug, der für das warme Wetter viel zu schwer war und ihm jetzt lose um den Körper hing. Er hatte ein besticktes Käppchen auf dem Kopf, wie es die religiösen Juden zu tragen pflegen.

Claudia unterdrückte ein Lächeln. Sie begrüßte ihn freundlich und ging mit ihm zum Wagen. Als er sich neben sie setzte, vergaß er das rechte Bein nachzuziehen und schlug die Wagentür dagegen. Nachdem er sich von dem Schreck erholt hatte, nahm er ein Blatt Papier aus der Brieftasche.

Sie sah hin, ohne zu lesen, was darauf stand. Der Text war, wie in diesem Land üblich, in hebräischer, arabischer und englischer Sprache abgefaßt. Bassam sagte, dies sei die bisher vollständigste Zusammenfassung der politischen Ziele der Bewegung. Der Aufruf werde nächste Woche in Israel und den besetzten Gebieten verteilt werden, zugleich aber auch in den Flüchtlingslagern. Es sei der letzte Schritt.

»Der letzte Schritt wozu?«

Bassam sah sie erregt an. Er sagte, er habe heute zwei Versammlungen vorbereitet. An der ersten würden die führenden Araber teilnehmen, mit denen er Kontakt aufgenommen habe; an der anderen, die hier in Tiberias stattfinden sollte, die wichtigsten Vertreter der israelischen Linken.

Claudia wunderte sich. Eine der wichtigsten Regeln war es gewesen, keine großen Versammlungen abzuhalten. Sie sagte, das sei doch bestimmt ein Risiko.

Bassam stimmte ihr zu und lächelte geheimnisvoll.

»Warum tun Sie es dann?«

Bassam lächelte noch immer. »Er wird kommen.«

»Was soll das bedeuten? Wer soll kommen?«

»Unser Herr und Meister.«

Jetzt begriff Claudia. »Saladin?«

»Er wird vom Himmel herabsteigen mit seinen Engeln und Erzengeln und mit dem flammenden Schwert Rache nehmen an denen, die meine Flugblätter nicht lesen.«

Bassam wollte sich vor Lachen ausschütten, aber Claudia war entsetzt. »Er kommt hierher?« sagte sie, »nach Israel? Ist das klug?«

»Es ist wichtig.«

»Aber wie? Auf welchem Wege wird er kommen?«

»Als Gast der UNWRA.«

Bassam erklärte, nur die Fahrzeuge der UNWRA dürften noch die Straße von Beirut nach Haifa benutzen. Das war ein Vorrecht der Diplomaten, und Giscard war es gelungen, sich diesen Umstand zunutze zu machen — eine Todsünde für einen neutralen Beamten. Nach wochenlangen sorgfältigen Vorbereitungen durch den Franzosen kam Saladin als palästinensischer Arzt im Auftrag der Genfer Weltgesundheitsbehörde nach Israel. Wenn alles glattging, würde er im Lauf der nächsten Stunde in Tiberias sein.

Claudia wollte instinktiv sofort wieder in die Mission zurückfahren. Aber sie nahm sich zusammen und startete den

Wagen. Bassam zeigte ihr den Weg zu einem Haus am Stadtrand. Dort holten sie Horowitz ab und fuhren weiter zum verabredeten Treffpunkt, einem Gästehaus auf einem Hügel am Nordufer des Sees. Der Zufall wollte es, daß es der Platz war, an dem Jesus die Bergpredigt gehalten hatte.

4. Die Rückkehr

Horowitz war recht schweigsam. Claudia hatte ihn erst zweimal gesehen, stellte aber fest, daß er zugenommen hatte. Im gleichen Maß, wie Bassam an Gewicht verloren hatte, war er aufgedunsen und träge geworden. Zwischen beiden schien eine gewisse Spannung zu herrschen. Vielleicht hatten sie sich lange nicht gesehen. Claudia stellte den Wagen am Treffpunkt ab, einem einsamen und verlassenen Ort, ließ die beiden Männer allein und sah sich selbst die Gegend an.

Neben dem Gästehaus stand eine Franziskanerkirche. Sie blickte durch ein Fenster hinein und sah, daß die Wände unter der Kuppel ein Achteck bildeten, das von acht farbigen Glasfenstern erleuchtet wurde, auf denen die Seligpreisungen in strahlend purpurfarbenen Lettern zu lesen waren. Die Sonne schien durch die Scheiben hinein, auf denen geschrieben stand: SELIG SIND DIE FRIEDFERTIGEN. Sie nahm das nicht als gutes Vorzeichen.

Bassam und Horowitz gingen, solange sie warten mußten, im Garten des Gästehauses auf den in geometrischen Mustern angelegten Kieswegen spazieren. Unter ihnen lag der See, links davon Kapernaum, und weiter rechts sah man die Berge, auf denen der Sultan Saladin die Kreuzfahrer umzingelt hatte. Das grelle Sonnenlicht brannte auf das ausgedörrte Hochland herunter, aber unter den Bäumen war es schattig und kühl. Eine leichte Brise bewegte die Blätter. Claudia war nervös. Sie spürte, daß sich irgendein Unheil zusammenbraute.

Als sie zurückkam, hörte sie, wie Bassam und Horowitz über einen Lastwagen sprachen, einen Dodge-Eintonner, den sie von einem Obsthändler gekauft hatten und in Beersheba umspritzen ließen.

»Sieht er dann aber auch echt aus?« fragte Bassam besorgt.

»Vergiß nicht, er soll aussehen wie ein Militärfahrzeug.«

»Mein lieber Freund«, sagte Horowitz etwas spitz, »das Ding braucht nur schmutzig zu sein. Wenn es richtig verdreckt ist, dann sieht man keine Farbe — und dann *muß* es ein israelisches Militärfahrzeug sein, nicht wahr?«

Claudia fand das komisch, aber keiner der beiden lachte.

Bassam fragte, wer den Lastwagen nach Eilat bringen solle. Er hielt es für besser, ihn dort abzustellen, bis er abgeholt würde.

»Das ist deine Sache«, antwortete Horowitz.

»Aber du weißt doch, ich kann nicht fahren.«

»Roscoe kann das selbst tun.«

»Gut. Ihr könnt ihn zusammen in Beersheba abholen, aber du mußt ihn fahren. Roscoe wird seine Uniform noch nicht haben.«

Horowitz schüttelte den Kopf. »Ich werde das nicht tun.«

»Aber ich habe dir doch gesagt, er braucht jemanden, der hebräisch spricht. Warum kannst du es nicht tun? Du könntest dir dazu deine Uniform anziehen.«

»Weil ich nicht ins Gefängnis will.« Horowitz sprach mit ihm wie mit einem Kind.

»Aber wir haben doch festgestellt, daß es dort keine Straßensperren gibt. Es wird dir nichts geschehen.«

Horowitz senkte den Kopf, schloß die Augen und atmete tief durch die Nase ein wie bei einer Yogaübung. Claudia bemerkte, daß er zitterte. Aber sie konnte nicht sagen, ob er es aus Angst tat. Dann öffnete er die Augen und sagte ganz ruhig: »Offensichtlich hast du mich nicht verstanden. Ich will mich ganz klar ausdrücken.

Ich unterstütze eure politischen Ziele. Aber ich werde gegen mein eigenes Land keine Gewalt anwenden. Ich werde so etwas nicht unterstützen, und ich will nichts damit zu tun haben.«

Bassam ärgerte sich. »Aber Eytan, ich habe dir doch gesagt...«

»Ja, du hast es mir gesagt — zu spät.«

»Du hattest nichts dagegen einzuwenden.«

Horowitz nickte. Er sah immer noch auf den Boden. »Nein, das hatte ich nicht. Es war mein Fehler.«

»Du hast gesagt, du würdest uns helfen.«

»Und jetzt habe ich Zeit gehabt, darüber nachzudenken, nicht wahr?« Horowitz hob den Kopf und lächelte sarkastisch.

Bassam versuchte verzweifelt, ihn zu überzeugen. »Ich habe dir gesagt, niemand wird dabei zu Schaden kommen.«

»Ach, wirklich nicht? Bassam, du bist sehr naiv.«

»Stephen weiß, was er tut.«

»Stephen Roscoe ist ein Abenteurer. Er wird jeden töten, der sich ihm in den Weg stellt. Er hat Iren umgebracht, und du glaubst, er wird keine Juden umbringen?«

Bassam sah sich hilfesuchend nach Claudia um. Aber Horowitz zog ihn grob am Ärmel zurück. »Verdammt, wie zum Teufel soll ich hier aus diesem Land herauskommen? Willst du mir das einmal verraten? Wenn ich bleibe, werden sie mich einsperren. Aber wie komme ich heraus?«

Das also war es, dachte Claudia und erkannte, daß die Lage für Horowitz hoffnungslos war. Selbst wenn Saladin Erfolg hatte, würde sich nichts daran ändern. Er mußte entweder fliehen oder ins Gefängnis. Und Bassam hatte ihr erzählt, daß ein New Yorker Hippie ihm Frau und Kind weggenommen hatte.

Er stieß verzweifelt den Atem aus und sank in sich zusammen. Dann ließ er Bassams Arm los und sagte ruhiger: »Ich habe diesem Land mein Leben geopfert. Ich will es nicht verlassen. Aber was kann ich tun?« Wieder ließ er die Schultern hängen und schüttelte den Kopf. »Nichts«, sagte er, »ich kann wirklich nichts mehr tun.« Seine Augen schimmerten feucht.

Bassam legte ihm eine Hand auf die Schulter und ging mit ihm zur Seite.

Claudia setzte sich auf eine von der Church of God Prophecy, Cleveland, Tennessee, gestiftete Bank. Eine Zeitlang starrte sie auf den See hinaus. Horowitz tat ihr entsetzlich leid. Sie hatte Angst und dachte an die Aufgabe, die Roscoe übernehmen sollte, nach der sie ihn aber nicht fragen wollte. Es war besser, wenn sie es nicht wußte. Um sich zu beruhigen, nahm sie das Flugblatt aus der Handtasche, das Bassam ihr gegeben hatte. Sie las den englischen Text der Einführung und dann die in fünf kurzen Abschnitten zusammengefaßten Vorschläge von Saladin.

Die politischen Ziele

1. Ein unabhängiger Staat Palästina auf dem Territorium des Gaza-Streifens und des Westjordanlandes, der neutral, entmilitarisiert und durch internationale Garantien geschützt sein soll. Anerkennung Israels in den Grenzen von 1948. Der Grenzverlauf soll in Verhandlungen festgelegt werden. Gegenseitiger Gewaltverzicht wird vereinbart.

2. Offene Grenzen zwischen Palästina und Israel, die von UN-Truppen überwacht werden. Freier Durchgang von Personen und Gütern, aber kein Wohnrecht und kein Eigentumsrecht für Angehörige des einen Volkes auf dem Gebiet des anderen (mit Ausnahme der Araber, die seit 1948 ihren Wohnsitz in Israel haben).

3. Sofortige Umsiedlung der Flüchtlinge nach Palästina mit Unterstützung eines internationalen Hilfsprogramms. Flüchtlinge, die nicht zurückzukehren wünschen, werden Bürger des arabischen Staates, in dem sie ihren Wohnsitz haben, und erhalten eine Ausgleichszahlung von Israel.

4. Ostjerusalem wird Hauptstadt von Palästina, Westjerusalem Hauptstadt von Israel. Wiederherstellung der Waffenstillstandslinie von 1948; Jerusalem bleibt jedoch wie heute eine offene Stadt. Einsetzung einer gemeinsamen Verwaltungsbehörde unter den

Vorsitz eines Vertreters der Vereinten Nationen. Die Altstadt erhält internationalen Status unter Aufsicht der Vereinten Nationen. Religiöse Fragen werden von einer überkonfessionellen Körperschaft behandelt.

5. Diesen Maßnahmen geht eine Volksabstimmung der Palästinenser voraus, die von den Vereinten Nationen überwacht wird und durch die eine demokratische Volksvertretung gewählt wird, die ihren Sitz vorläufig in Beirut hat. Bildung einer provisorischen palästinensischen Regierung, die die Mehrheit vertritt und bevollmächtigt ist, Verhandlungen zu führen.

Claudia las das Programm zweimal durch. Ihr schien es vernünftig und gerecht. Aber war es auch möglich, es durchzusetzen? Die bestehende Lage widersprach schon längst jeder Vernunft. Über einige dieser Programmpunkte würden die Israelis nur lachen. Sie würden es eher auf einen neuen Krieg ankommen lassen, als auf Jerusalem zu verzichten. Und wäre es wirklich von Nutzen, sie »mit sanfter Gewalt« zum Nachgeben zu zwingen? So hatte Stephe es ausgedrückt. Was hatte er nur vor?

Sie blickte wieder auf den See hinaus und fürchtete sich noch mehr. Bassam kam zurück und setzte sich neben sie. »Nun, was halten Sie davon?« sagte er und zeigte auf das Flugblatt.

»Ich finde es sehr gut, klar und vernünftig.«

»Die Formulierung des ersten Absatzes war nicht leicht. Wir wollten uns in der Grenzfrage noch nicht festlegen.«

Claudia las die ersten Sätze noch einmal. »Sehr diplomatisch«, sagte sie. »Ich hoffe, Sie werden Erfolg haben.«

»Oh, davon sind wir noch weit entfernt«, erwiderte Bassam und blickte zum Wagen hinüber; Horowitz hatte sich schon hineingesetzt. »Ich fürchte, ihn haben wir verloren.«

»Was werden Sie tun?«

»Wir können ihn hinausbringen, aber vorläufig geht das noch nicht. Zunächst kommt es darauf an, ein sicheres Versteck für ihn zu finden.«

»Glauben Sie, er könnte überlaufen?«

»Nein, das wird er nicht tun. Deswegen ist er ja in einer so verzweifelten Stimmung.«

Bassam wischte seine Brillengläser ab und machte ein besorgtes Gesicht. Claudia sah, daß er sich bemühte, ruhig zu bleiben. Sie hatte manchmal den Eindruck gehabt, er sei sich seiner Sache nicht ganz sicher. Aber jetzt war er im Gegensatz zu Horowitz nüchtern und sachlich. Man erlebt immer wieder Überraschungen mit ihm, dachte sie, und beurteilt ihn daher falsch. Er hatte diese letzte Probe bestanden. Je magerer er geworden war, desto klarer schien er denken zu können. Er hatte Fett verloren und seinen Charakter gefestigt. Was ihn das seelisch gekostet hatte, konnte Claudia nicht ermessen. Entweder würde er Erfolg haben oder völlig überschnappen.

Er nahm das Käppchen ab und steckte es in die Tasche. »Ich weiß nicht recht, ob heute alles klappen wird«, sagte er.

»Sie meinen mit den Versammlungen?«

»Wir haben versucht, möglichst wenig Leute dazu einzuladen. Aber da wir uns so etwas nicht ein zweites Mal leisten können, mußten wir andererseits alle wichtigen Persönlichkeiten daran teilnehmen lassen. Dazu gehören auch Menschen, auf die ich mich nicht verlassen kann. Es ist ein verdammt hohes Risiko.«

Claudia fragte, ob es irgend etwas für sie zu tun gab, und hoffte zugleich, daß Bassam ihre Hilfe ablehnen würde.

»Ja. Ich gebe Ihnen einen Teil der Flugblätter. Schicken Sie sie bitte mit der Post an die Presse. Die Adressen habe ich im Wagen. Könnten Sie das tun?«

»Ja, selbstverständlich.«

»Und dann noch eins: morgen trifft ein britisches Fernsehteam in Israel ein, ein gewisser Morley . . .«

»Der kleine Dom!«

»Kennen Sie ihn?«

»O ja, wir sind alte Freunde.«

Claudia fing gerade an, Bassam zu erzählen, wie sie Morleys Bekanntschaft gemacht hatte, als sie ein lautes Hupsignal hörten und einen großen amerikanischen Kombiwagen mit der blauen Aufschrift UNWRA den Weg zum Gästehaus herauffahren sahen. Als er hielt, blieben sie einen Augenblick wie gelähmt sitzen, denn sie mußten mit allen Möglichkeiten rechnen. Doch dann stieg Saladin aus. Mit theatralischer Gebärde, als sei er dem zersägten Sarg eines Zauberkünstlers entstiegen, kam er auf sie zu.

Sofort war Claudia wieder in seinem Bann. Saladin begrüßte sie mit einem herzlichen Händedruck, und in seinen Augen glaubte sie einen dankbaren Blick zu sehen. Auch sie wußte von seinem Krebsleiden, fand aber, daß sich sein Zustand — wahrscheinlich als Folge der großen Hoffnungen, die er sich jetzt machte — gebessert habe. Er sah kräftiger aus als seinerzeit im Libanon, und sein Gang wirkte elastischer. Er trug einen Anzug, den sich ein gewöhnlicher Arzt nicht hätte leisten können. Saladin trat an den Rand des Gartens. Er blickte hinaus in die galiläische Landschaft, atmete die Luft seiner Heimat und hob die Hände wie ein Mann, der gekommen war, um einem alten Anspruch auf sein Königreich Recht zu verschaffen.

Bassam freute sich so, daß er keine Worte finden konnte. Er lachte die ganze Zeit. Giscard stand mit onkelhaftem Lächeln hinter Saladin und zündete sich eine gelbe Zigarette an. »Bonjour, Miss Lees. Geht es Ihnen gut?«

»Ja, danke, sehr gut.«

Horowitz war aus dem Wagen gestiegen und kam mit schleppenden Schritten näher wie ein gescholtener Schuljunge, wurde aber sofort als der Mann vorgestellt, der für die erfolgreiche Vorbereitung der Versammlungen verantwortlich war. Er lächelte unter Tränen, und in diesem Augenblick erkannte Claudia, daß er die Sache trotz aller inneren Widerstände durchstehen würde — weil er nichts mehr zu verlieren hatte. Alles, was er besaß, war hier versammelt; ein paar Freunde, eine politische Idee und der Mann, der sie verkörperte.

»Wir haben viel zu besprechen«, sagte Saladin und führte die Anwesenden in eine Ecke des Gartens.

Es war vorgesehen, vom Berg der Seligpreisungen im Konvoi zu dem Treffen mit den Juden nach Tiberias und dann zur Zusammenkunft mit den Arabern nach Ramallah zu fahren. Von dort sollte Saladin sofort in ein sicheres Versteck nach Jerusalem gebracht werden. Er wollte Claudias Wagen benutzen, um zu den beiden Versammlungsorten zu kommen. Für die anderen Fahrten stand den Männern das Fahrzeug der UNWRA mit Giscard als Fahrer zur Verfügung. Wie Bassam aus eigener Erfahrung berichtete, kam es darauf an, sich, solange man unterwegs war, nie längere Zeit an einem Ort aufzuhalten. Hatte man jedoch sein Versteck erreicht, mußte man dort bleiben. Aber ganz war er mit dem Plan nicht einverstanden. »Die Frage ist«, sagte er, »was wissen die anderen inzwischen?«

5. Die Falle

Die Antwort auf diese Frage war, daß Yaacov mehr wußte, als Bassam vermutete. Ayah Sharon hatte eine Übersichtstafel in sein Büro gehängt, auf der alle Mitarbeiter Saladins verzeichnet waren — außer Claudia Lees und Roland Giscard. Die Tafel glich einem Stammbaum, an dessen Spitze der Name Anis Kubayin eingetragen war. Unten fächerten sich die Eintragungen in zwei Namenslisten auf, wobei auf der einen Seite die arabischen, auf der anderen die jüdischen Namen standen. Das waren Leute, mit denen die Agenten Saladins in Israel und den besetzten Gebieten Kontakte aufgenommen hatten. Jede dieser Listen enthielt dazu die Namen einer Reihe von Informanten, und angesichts dieser Tatsache war Yaacov überrascht, daß sich Bassam und

Horowitz immer noch in Freiheit befanden. Das hatten sie einzig ihrer Geschicklichkeit zu verdanken. Beide waren schlau und vorsichtig. Yaacov bewunderte diese Eigenschaften und war fast enttäuscht, als er erfuhr, daß Bassam den Fehler gemacht hatte, in Ramallah eine Versammlung einzuberufen.

Der Treffpunkt war ein altes arabisches Haus am Ostrand der Stadt. Es hatte weißgetünchte Wände und ein mit Zinnen versehenes Flachdach. Yaacov mußte unwillkürlich an den stereotypen israelischen Durchschnittsbau denken — wieviel schöner war doch dieses Haus, aus dem eine alte, hohe Kultur sprach und das überhaupt viel besser in die orientalische Atmosphäre paßte als viele der modernen Zweckbauten im nahen Jerusalem. Yaacov gab sich einen Ruck und konzentrierte sich auf die Beobachtung des Gebäudes. Von einem Fenster im ersten Stock der gegenüberliegenden Tankstelle überblickte er die Vorderfront. Unmittelbar rechts davon war die Kreuzung, an der die Straße nach Jerusalem abzweigte.

Neben Yaacov standen ein höherer Beamter des Shin Beth und ein Offizier der Sonderabteilung.

Zwei als Araber verkleidete israelische Soldaten saßen vor der Haustür auf dem Bürgersteig. Zwei weitere beschatteten die Rückseite des Gebäudes. Zwischen einer Einheit, die in einem nahe gelegenen Hinterhof auf ihren Einsatz wartete, und Yaacovs improvisierter Befehlszentrale bestand Funkverbindung. Außerdem stand ein Lastwagen zum Abtransport von Verhafteten bereit.

Es war 12.30 Uhr, etwa drei Stunden nach dem Treffen zwischen Claudia und Bassam in Tiberias.

Das Haus gehörte dem ehemaligen Bürgermeister von Ramallah, Suleiman Najjar. Das war ein behäbiger alter Mann mit einem Fes auf dem weißen Haar. Er saß auf der Veranda in einem Schaukelstuhl, fächelte sich mit einem runden Bastfächer, der aussah wie ein Tischtennisschläger, Kühlung zu und wartete auf die Ankunft der Versammlungsteilnehmer.

Kurz hintereinander trafen einige Gäste ein. Es waren zwei würdig aussehende Herren in Limousinen mit Chauffeuren, ein jüngerer Mann, der seinen Wagen selbst fuhr, dann ein junger Mann zu Fuß und am Schluß drei Männer in einem Taxi. Zusammen waren es sieben.

Yaacov kannte sie alle, aber nur einen verachtete er grenzenlos. Das war sein Informant, der Jüngste von ihnen. Mit einer Mischung aus Selbstzufriedenheit und Mitleid sah er zu, wie sie in die Falle gingen. Er verstand, weshalb sie auf Saladins Initiative reagiert hatten, und wußte, mit welcher Zurückhaltung sie seine Vorschläge prüfen würden. Ihre Hauptsorge galt natürlich ihren eigenen Interessen, die sie durch alle möglichen politischen Wechselfälle hindurch verteidigt hatten. Obwohl ihnen das israelische Regime viel weniger gefiel als das türkische oder britische, waren sie bisher durch ihre eigene Apathie und interne Rivalitäten daran gehindert worden, sich erfolgreich dagegen zu wehren. Diese Leute im Interesse Palästinas zu einer Einigung zu bewegen — das setzte eine starke Überzeugungskraft voraus. Bassam allein war dazu wohl nicht imstande. Diese Männer, überlegte Yaacov, waren entweder hergekommen, um eine wichtige Entscheidung zu treffen oder einen bestimmten Mann zu sehen. Wenn letzteres zutraf, so mußte es schon eine bedeutende Persönlichkeit sein, denn sonst hätte man die Versammlung vermutlich nicht so leichtfertig einberufen. Saladin selbst befand sich angeblich im Libanon. Es war dem Mossad aber nicht gelungen, ihn zu finden . . .

Ja, dachte Yaacov, für den Shin Beth könnte dieser Tag noch ein großer Tag werden.

Er ließ das Haus nicht aus den Augen.

Eine Zeitlang unterhielten sich die sieben Araber auf der Veranda. Dann führte Najjar sie hinein. Die Fensterläden waren geschlossen. Das weiße Haus lag friedlich im Sonnenschein, während die Fahrer sich im Garten in den Schatten setzten und rauchten.

270

Die Zeit verstrich, und Yaacov wartete. Er wußte jetzt, daß Roscoe vom Libanon über Syrien nach Jordanien gekommen war. Auch Marsden war in Amman, und man hatte beide mit Nazreddin gesehen, der zum Gefolge Husseins gehörte. Gessner war in Damaskus getötet worden — wahrscheinlich von Zeiti, der sich von der Gruppe, getrennt hatte. Der Mossad hatte von Gerüchten berichtet, nach denen in Damaskus noch ein zweiter Mann ums Leben gekommen war. Mit Gessner und Zeiti brauchte man also nicht mehr zu rechnen. Aber Roscoe war in Jordanien. Dieser Mann hatte eine militärische Spezialausbildung, und man mußte herausfinden, welche Aufgabe für ihn vorgesehen war.

Yaacov schloß nicht aus, daß es auf dem Höhepunkt der politischen Kampagne Saladins zu einem Gewaltakt kommen könnte. Die israelischen Sicherheitsbehörden verlangten dringend nach einem sichtbaren Erfolg der Fahndung, und Yaacov wußte, daß ihm dazu nur noch wenig Zeit blieb. In Amman ließ er Roscoe überwachen. Und dieses Haus in Ramallah, in dem er Bassam festnehmen wollte, war umstellt. Vielleicht würde ihm aber auch ein größerer Fisch ins Netz gehen.

Doch Bassam verspätete sich offenbar — falls er nicht schon längst im Hause war.

Um 13.30 Uhr läutete in Najjars Haus das Telefon. Yaacov sah, wie ein Mann mit dunkler Sonnenbrille auf die Veranda trat.

Es war der älteste Sohn Najjars; er hieß Hakim und führte das Familiengeschäft. Hakim kam die Stufen herunter, sprach mit den Fahrern und ging mit zwei von ihnen hinter das Haus. Dann kam er ans Tor und blickte nach beiden Seiten die Straße hinunter. Yaacov erschrak, als Hakim sich an die beiden verkleideten Soldaten wandte, um sie etwas zu fragen. Einer von ihnen sprach zwar arabisch, aber nicht sehr gut. Hakim sagte ihnen, sie sollten verschwinden, und sie zogen gehorsam ab, wie es ihre Rolle erforderte. Yaacov und die beiden Männer neben ihm duckten sich, als Hakim auf sie zukam. Dann sahen sie, wie er umkehrte und rasch hinter das Haus ging. Eine halbe Minute später kamen alle Gäste aus der Tür und liefen die Stufen hinunter zu ihren Wagen.

Bassams Vorsicht hatte Saladin gerettet. Er hatte aus einem einige Kilometer weiter nördlich gelegenen Haus angerufen und verlangt, die Umgebung des Treffpunkts zu überprüfen. Inzwischen hatte Hakim zurückgerufen, und wenige Minuten später wendete Giscard den UNWRA-Wagen und fuhr auf einer anderen Straße so schnell wie möglich nach Jerusalem zurück. Claudia folgte ihm mit einem großen Packen Flugblätter in ihrem Auto.

Yaacovs Unternehmen war gescheitert. Aber er hoffte immer noch, wenigstens einen kleinen Erfolg erringen zu können, und so befahl er seinen Männern, gegen das Haus vorzurücken. Sie trieben die Gäste Najjars in das Gebäude und durchsuchten jeden einzelnen. Jeder hatte ein Exemplar des neuen Manifests bei sich. Bei der anschließenden Haussuchung fand man lediglich ein paar Flugblätter.

Najjar ließ die Aktion mit schwermütigem Lächeln über sich ergehen, während sein Sohn die Israelis beschimpfte und die Frauen vor Furcht zitterten. Als die Israelis seine Besucher freigelassen hatten, bat Najjar Yaacov in sein Wohnzimmer, einen kühlen, mit Bücherschränken und schönen Möbeln und Teppichen reich ausgestatteten Raum, und bot ihm eine Tasse Kaffee an. Trotz seiner Niederlage bewahrte Yaacov Haltung. In fehlerlosem Arabisch erklärte er Najjar, welche politischen Betätigungen ungesetzlich seien. Angesichts der guten wirtschaftlichen Verhältnisse und der ruhigen Lage im Westjordangebiet, zu deren Erhaltung der ehrenwerte Najjar so wesentlich beigetragen habe, sei es im übrigen unklug, ja eine bedauerliche Torheit, sich mit Abenteurern wie Saladin einzulassen. Bei gutem Willen und Zurückhaltung auf beiden Seiten werde sich mit der Zeit eine politische Lösung finden lassen. Araber und Juden würden dann ebenso friedlich zusammenleben, wie sie es auch früher getan hätten, und die Zeit werde die Wunden heilen, die der Krieg aufgerissen habe . . .

Yaacov sprach als einziger. Najjar saß lächelnd da und wedelte sich mit dem Fächer Luft zu. Als Yaacov zu Ende war, sagte Najjar nur:»Die Zeit, mein Freund, ist das, was Sie fürchten müssen.«

Yaacov hatte alle Zugangsstraßen nach Ramallah sperren lassen, als er erkannte, daß Bassam nicht in die Falle gegangen war. Aber er wußte, es war zu spät. Von Najjars Haus fuhr er nach Beit Agron zurück, wo Ayah Sharon ihn in seinem Büro mit schlechten Nachrichten empfing. Bassam und Horowitz, berichtete sie, seien am gleichen Vormittag in Tiberias gesehen worden. Auf einer dort abgehaltenen Versammlung linksradikaler Israelis habe Saladin selbst das Wort ergriffen. Yaacov nickte und ließ sich erschöpft in seinen Sessel fallen. Das Warten an der Tankstelle hatte ihn ermüdet. Ayah zündete ihm eine Zigarette an.

Es zeigte sich, daß die Versammlung in Tiberias besser vorbereitet worden war als das Treffen in Ramallah. Die Teilnehmer waren unter verschiedenen Vorwänden einzeln in die Stadt gerufen worden, und erst dann hatte man sie aufgefordert, sich umgehend in einem bestimmten Hotelzimmer einzufinden. Keiner von ihnen kannte den Zweck der Zusammenkunft, und niemand wußte, wohin Saladin sich anschließend begab.

An der Versammlung hatten neun Juden teilgenommen. Zwei von ihnen waren anschließend zur Polizei gegangen und hatten ihre Aussagen gemacht. In den folgenden Stunden verhörte Yaacov die anderen sieben, wobei sich sein Interesse auf einen Mann namens Livner konzentrierte, einen älteren israelischen Staatsangehörigen christlichen Glaubens. Livner stammte aus Großbritannien, und aus seinen Papieren ging hervor, daß er früher in Haifa an jener Schule Lehrer gewesen war, die Bassam und Horowitz gemeinsam besucht hatten. Livner lebte jetzt in Tiberias. Bei der Durchsuchung seines Hauses stieß man auf Beweise dafür, daß Horowitz sich dort versteckt hatte. Im Keller befanden sich ein Bett, eine Schreibmaschine der Marke IBM, ein französisches Kopiergerät und ein Funkgerät mit einer auf den Libanon eingestellten Richtantenne. Yaacov verhörte Livner bis tief in die Nacht und kam dann zu dem Schluß, daß der Mann nichts Wesentliches wußte. Er erwirkte einen Haftbefehl gegen ihn und legte sich in seinem Büro auf die Couch.

Seine Sorgen ließen ihn nicht schlafen, und schon nach zwei Stunden stand er auf, denn er rechnete fest damit, zum Ministerpräsidenten befohlen zu werden. In Israel wurde militärisches Versagen prompt und streng bestraft.

Aber er hatte sich getäuscht. Anstatt zu Golda Meir gerufen zu werden, bekam er selbst Besuch. Am Montag, dem 30. Oktober, um 9.30 Uhr hielt eine schwarze Limousine vor seinem Büro in Beit Agron, und ein Mann stieg aus, den Yaacov als einen der härtesten in Israel kannte. Er war hochgewachsen, trug einen dunklen Anzug, hatte ein steinernes Gesicht und einen glattrasierten Schädel.

Der Name des Mannes, der erst zu einem so späten Zeitpunkt in das Geschehen eingriff, war Menachem Ariel — und dieser Name war das einzig Schöne an ihm. Ariel hatte sich zeit seines Lebens mit Spionage und dem Krieg im Untergrund beschäftigt. Seine ersten Erfahrungen auf diesem Gebiet hatte er als Mitglied der Stern-Bande gesammelt. In den sechziger Jahren war er in Europa von einer israelischen Botschaft zur anderen gereist. In diplomatischen Kreisen kannte man sein blasses, ausdrucksloses Gesicht, das sich nur bewegte, wenn er sein Glas Coca-Cola an die Lippen führte. Jetzt, im Oktober 1972, war Jerusalem sein Standquartier, aber alles, was ihn betraf, lag hinter einem Schleier des Geheimnisses. Man kannte weder seine genauen Aufgaben noch die Behörde, für die er arbeitete. Man wußte auch nicht, wie weit seine Befugnisse gingen oder wo er wohnte. Obwohl er Zivilist war, arbeitete er eng mit der Armee und der Polizei zusammen. Ein deutsches Nachrichtenmagazin hatte behauptet, Ariel sei stellvertretender Leiter des Shin Beth. Das mochte zutreffen. Oft sah man ihn in Sarafand — und zwar nicht in dem verträumten Fischerdorf im Libanon, sondern in dem militärischen Untersuchungsgefängnis gleichen Namens in Israel. Eines steht jedoch fest: es war Ariel, der den Bau der Zellen und Einrichtungen zum Verhör politischer Häftlinge im obersten Stockwerk des »Alcatraz« überwachte. Er kam täglich auf die Baustelle.

Seit neuestem interessierte sich Ariel für Saladin, und Yaacov mußte ihm Bericht erstatten. Die Arbeitssitzung an jenem Montag begann mit einer Rekapitulation des gesamten Komplexes, und Yaacov ließ keine Einzelheit aus, mochte sie für ihn selbst auch noch so beschämend sein. Es standen ihm aber noch weitere Demütigungen bevor. Er hatte noch nicht die eingegangene Post durchgesehen und kannte daher auch nicht das Dokument, das Ariel plötzlich aus seiner Aktentasche nahm und ihm mit der Erklärung präsentierte, jeder namhafte israelische und ausländische Journalist habe dieses Schreiben am heutigen Vormittag erhalten. Es war das in drei Sprachen abgefaßte Flugblatt Saladins, das weiter keine Überraschungen enthielt, und ein Begleitschreiben in Maschinenschrift:

Sehr geehrte Herren von der Presse,
in der Anlage finden Sie eine Darlegung meiner politischen Ziele. Bitte prüfen Sie sie sorgfältig. Heute (am 29. Oktober) habe ich die Grenze überschritten und bin in das besetzte Gebiet gekommen. Jetzt bin ich in Jerusalem, wo meine Familie viele Jahrhunderte gelebt hat. Ich bin bereit zu friedlichen Verhandlungen mit Golda Meir zu jedem von ihr gewünschten Zeitpunkt. Doch bis dahin sehe ich mich gezwungen, härtere Methoden anzuwenden. Sie werden daher in Kürze eingeladen werden, Zeugen einer Demonstration der Stärke zu sein, die der Welt beweisen wird, daß die Rechte des palästinensischen Volkes nicht mehr ignoriert werden können. Bitte erwarten Sie weitere Mitteilungen.

Anis Kubayin
(Saladin)

6. Letzte Vorbereitungen

Yaacov stürzte sich mit neuer Energie in seine Aufgabe, arbeitete drei Tage rund um die Uhr und gönnte sich nur kurze Ruhepausen in seinem Büro. Der Shin Beth, die Armee und die Polizei waren angewiesen, ihm auf Anforderung jede Hilfe zur Verfügung zu stellen. Aber wie es ihm mit Bassam gegangen war, so ging es ihm jetzt mit Saladin. Die Schwierigkeit bestand darin, daß man Saladin finden mußte, ohne öffentliches Aufsehen zu erregen, zumindest aber, ohne die schon bestehende Erregung in der Öffentlichkeit noch weiter zu schüren.

Saladins Drohung mit Gewalt wurde von allen Nachrichtenmedien verbreitet, zahlreiche Zeitungen druckten seinen Brief auf der Titelseite ab. Als die Aktion aber auf sich warten ließ, nahm das Interesse wieder ab, und man fing an, sich über die Sache lustig zu machen. Dazu kamen unbestätigte Berichte über Saladins Privatleben, die sich aus zutreffenden Details und Zwecklügen des israelischen Propagandaapparates zusammensetzten. Die Presse in Europa verfolgte die Angelegenheit weiter, und die zutreffendste amerikanische Darstellung kam ausgerechnet von der Agentur, für die Cassavetes arbeitete. Die hebräischen Zeitungen ignorierten die Angelegenheit ostentativ, und die arabische Presse außerhalb der besetzten Gebiete verhielt sich immer noch ablehnend. Mehrere Fernsehteams kamen nach Jerusalem, um für den Fall, daß etwas geschah, an Ort und Stelle zu sein. Aber als es ruhig blieb, reisten alle außer Morley wieder ab, der seine Zeit damit zubrachte, in der amerikanischen Kolonie herumzusitzen und zu trinken.

Daß die Reaktion der öffentlichen Meinung nicht stärker war, paßte Yaacov zwar ins Konzept, erschwerte aber die Fahndung. Der größte Teil der israelischen Bevölkerung war sich über die Gefährlichkeit der Lage nicht im klaren. Nur wenige wußten, wie

Saladin und seine beiden wichtigsten Helfer aussahen. Wer sie jedoch kannte, wurde von Yaacov in die Fahndung eingeschaltet. Zu den Leuten aus dem Kibbuz Kfar Allon, die den Behörden helfen sollten, gehörte auch David Heinz, der in einem Straßencafé im Geschäftsviertel von Jerusalem Posten bezog. Dort saß er täglich mit einem Polizisten in Zivil und trank Bier. Er war froh, keine Äpfel mehr pflücken zu müssen.

Andere Leute, die Bassam, Horowitz oder Saladin erkennen würden, waren über die ganze Stadt verteilt, einige auch in Tel Aviv. Auf jedem Polizeirevier hingen Fotos der Gesuchten, es wurden jedoch keine besonderen Straßensperren eingerichtet, weil man den Eindruck vermeiden wollte, daß Saladin ernst zu nehmen sei. Yaacov zog es vor, mit Agenten und Informanten zu arbeiten. Alle möglichen Personen, die Kontakt zu Saladin gehabt hatten, wurden überwacht; besonders diejenigen Journalisten, von denen man annahm, daß sie seiner Einladung zu einer »Demonstration der Stärke« folgen würden.

Saladin blieb in seinem Versteck. Yaacov ließ sich jedoch nicht entmutigen, denn er hatte eine Trumpfkarte in der Hand. Und die hieß Roscoe.

Man hatte ihm gemeldet, der englische »Journalist« habe um Genehmigung gebeten, über die Allenby-Brücke einzureisen. Yaacov hatte damit gerechnet, und nun bereitete er einen gebührenden Empfang für Roscoe vor. Von dem Augenblick an, in dem Roscoe israelischen Boden betrat, sollte er streng überwacht werden. Seine Helfer würden gar nicht erst ins Land kommen, weil sie selbst die Stelle verraten hatten, an der sie über die Grenze gehen wollten. Die israelische Grenzpolizei hatte sie beobachtet, wie sie den Grenzzaun am Toten Meer in Augenschein nahmen. Yaacov sandte der in diesem Gebiet eingesetzten Einheit ein Anerkennungsschreiben, alarmierte noch einmal alle Grenzposten zwischen Jericho und Eilat und fuhr nach Hause, um sich schlafen zu legen.

Jetzt brauchte er nur noch zu warten.

7. Aqaba

Roscoe war in Aqaba angekommen und hatte sich von Marsden getrennt. Bei seiner Rückkehr vom Berg Nebo hatte er ein Telegramm vorgefunden, das ihn davon unterrichtete, daß Nina Brown bedroht worden war. Marsden war deshalb am folgenden Tag nach London geflogen, während Roscoe und Nazreddin mit dem gesamten Kommando die Übergangsstellen an der Grenze erkundet hatten.

In Aqaba vergegenwärtigte sich Roscoe die Situation noch einmal genau auf der Karte, denn hier sollte das Unternehmen beginnen. Auf der einen Seite der Grenze lag Aqaba, auf der anderen Eilat. Die beiden Städte gingen fast ineinander über und wirkten wie eine zusammenhängende Siedlung — eine ununterbrochene Reihe von Docks, Hotels und Villen am Nordausläufer des Golfs, der als schmaler Wasserarm vom Roten Meer heraufführte. Roscoe war erleichtert, daß das Wasser auch in Wirklichkeit so schmal war wie auf der Karte. Die ruhige Wasserfläche würde von den drei Arabern und dem Zigeuner auch bei Dunkelheit ohne Schwierigkeit zu überqueren sein, wenn ihre jordanischen Freunde ihnen halfen. Roscoe sah dem Unternehmen nach dieser Erkundung mit größerer Ruhe entgegen.

Anschließend führte Nazreddin Roscoe und seine Leute zu einem alleinstehenden Haus am Ostende der jordanischen Küste, das ihnen als Operationsbasis zur Verfügung stand. Am nächsten Tag wurden die Ausrüstungsgegenstände abgeliefert, die Roscoe in der jordanischen Kaserne inspiziert hatte, und am Mittwoch, dem 1. November, brachte Refo in einem Kleintransporter den Sprengstoff.

Roscoe hatte um den unter der Bezeichnung RDX bekannten hochbrisanten, aber stabilen Sprengstoff gebeten, der sich kneten und in jede gewünschte Form bringen ließ. Es war Refo jedoch nicht gelungen, ihn zu beschaffen. Dafür brachte er das amerikanische Fabrikat Plastex mit, das fast die gleichen Eigenschaften hatte. Es waren in 5-Pfund-Kartons verpackte runde Stäbe. Je zehn Kartons befanden sich in Kisten aus Holzfaserplatten. Die sechzehn von Refo abgelieferten Kisten waren mit Kunststofffolie ausgelegt und enthielten insgesamt 800 Pfund Sprengstoff. Das war eine beachtliche Menge. Wenn diese Ladung auf einmal detonierte, gab es einen ganz hübschen Knall. Um den »Alcatraz«, wie befohlen, wirklich dem Erdboden gleichzumachen und nicht nur zu beschädigen, bedurfte es einer gewaltigen Sprengkraft. Roscoe hatte um eine größere Menge gebeten, als er vermutlich benötigte, aber er wollte im Notfall eine Reserve haben. Für die Zerstörung des Gebäudes brauchte er nur 600 Pfund, und auch das war noch reichlich. Aber da Roscoe das Gebäude nicht selbst gesehen hatte, wollte er für alle Eventualitäten gerüstet sein.

Zunächst mußte alles ausgepackt und der Sprengstoff zu Ladungen mit einem Gewicht von je 50 Pfund zusammengestellt werden. Diese Einzelladungen wurden in sechzehn Säcke verpackt, von denen vier in Reserve gehalten werden sollten. An acht Ladungen ließ Roscoe starke Industriemagneten befestigen, um sie an den vertikalen Eisenträgern in den Aufzugsschächten des »Alcatraz« anzubringen. Weitere vier Packungen waren für die Fundamente der Außenmauer bestimmt. Durch die Sprengung sollten die stützenden Elemente des Gebäudes zerstört werden. Dabei war der einen Seite ein kräftigerer Stoß zugedacht, damit die im Querschnitt rechteckige Konstruktion sich im Augenblick der Detonation zunächst zu einem Rhombus verzog, um dann vollends in sich zusammenzustürzen.

Die Sprengung sollte elektrisch ausgelöst werden. Zu diesem Zweck hatte Refo mehrere Schachteln mit Zündern besorgt. Die bleistiftförmigen Kapseln aus Kupferblech hatten Anschlußbuchsen für den positiven und den negativen Pol der elektrischen Leitung. Vor der Sprengung wurden je zwei Zünder in die Ladungen gesteckt und mit gewöhnlichem schwarzem und rotem Leitungsdraht an die Zündvorrichtung angeschlossen. Diese Vorrichtung gab zu einer vorher eingestellten Zeit den elektrischen Impuls. Alle Ladungen ließen sich an denselben Stromkreis schließen, was die gleichzeitige Detonation gewährleistete.

Das alles war nicht besonders schwierig. Man mußte nur darauf achten, daß die in der Dunkelheit gelegten Drähte nicht durcheinandergerieten. Die Sprengung ließ sich jedoch schon vorher im einzelnen vorbereiten. In dem Haus in Aqaba schnitt Roscoe die Kabel zurecht und machte die Enden blank. Die Zündvorrichtung sollte angeschlossen werden, sobald die Männer in ihrem Versteck in Jericho waren.

Während des Aufenthaltes in Aqaba verbrachte Roscoe viele Stunden damit, die einzelnen Phasen des Unternehmens mit seinem Kommando durchzusprechen und jedem einzelnen seine Pflichten genau einzuprägen. Er breitete den Bauplan des »Alcatraz« auf dem Boden aus und erläuterte, auf welchem Weg die Ladungen an Ort und Stelle gebracht werden sollten. Nachdem sie den Vorgang täglich mehrmals durchgespielt hatten, wußte jeder genau über seine Aufgaben Bescheid. Roscoe ließ die Männer die israelischen Uniformen anprobieren und veranstaltete mit den Uzis ein Übungsschießen in der Wüste. Refo hatte, wie versprochen, auch die hohen Schnürstiefel in den verlangten Größen beschafft.

Nachts fuhren sie ans Wasser, um das Fahren mit den Schlauchbooten zu üben. Dabei ergab sich eine Schwierigkeit. Fuad, Ibrahim und der Zigeuner hatten keine Erfahrung im Umgang mit Wasserfahrzeugen. Nur Walid war darin ausgebildet, aber er konnte nicht zwei Fahrzeuge auf einmal steuern. Es war ohnedies nicht ganz einfach, sie mit den Paddeln zu lenken. Roscoe besprach die Angelegenheit mit Nazreddin, der sich bereit erklärte, ihm einen geeigneten Mann zur Verfügung zu stellen.

Das war ein alter Beduinensergeant mit Namen Mukhtar, der an einem Lehrgang für spezielle Kommandounternehmen teilgenommen hatte — ein untersetzter, schon fast grauhaariger Mann mit scharfen, wie aus Holz geschnitzten Gesichtszügen.

Mukhtar machte kein Geheimnis daraus, daß er die Palästinenser verachtete, war jedoch offenbar bereit, sich einem Engländer zu unterstellen. Er übernahm die Leitung der amphibischen Operation. Zwar war die Gruppe durch ihn verstärkt worden, aber die Moral hatte gelitten. Walid fühlte sich zurückgesetzt, und die anderen trauten Mukhtar nicht, obwohl sie anerkannten, daß er mit den Booten umzugehen wußte.

Da Roscoe fürchtete, es werde in seiner Abwesenheit zu Reibereien kommen, nahm er Walid am Abend vor seiner Abreise nach Israel zu einem Spaziergang an den Strand mit. Es war windstill, und der Golf lag wie ein tiefer Graben unter ihnen. Dort, wo er sich zwischen den felsigen Küsten des Sinai und Saudi-Arabiens weit nach Süden hin erstreckte, verfärbte sich das Blau des Wassers in ein sattes Purpur. »Wie ich sehe, gefällt dir Mukhtar nicht. Du mußt aber zugeben, daß wir seine Hilfe brauchen.«

Nur zögernd gab Walid ihm recht. »Du weißt, was diese Beduinen uns angetan haben.«

»Ja, ich weiß. Aber wir können uns unsere Verbündeten nicht immer aussuchen.«

»Hussein ist nicht mein Verbündeter. Er ist schlimmer als die Juden.«

»Hussein weiß nichts von diesem Unternehmen. Wenn er etwas davon erführe, würde er versuchen, uns daran zu hindern.«

»Mukhtar glaubt das nicht.«

»Laß doch Mukhtar glauben, was er will. Wenn er denkt, das Unternehmen habe den Segen des Königs, wird er sich um so mehr anstrengen. Für die Zeit meiner Abwesenheit übertrage ich dir die Verantwortung. Aber ich erwarte, daß du deine Gefühle im Zaum hältst.« Roscoe blickte zum israelischen Grenzposten hinüber. Vom Posten lief ein Hindernis aus verrosteten Stacheldrahtrollen über den Sandstrand bis hinunter ins Wasser. »Um die da drüben solltest du dir Sorgen machen, nicht um Mukhtar.«

Walid lächelte. Sein weißes Hemd und die Baumwollhosen, die er bei jeder Gelegenheit wusch, sahen noch so frisch aus wie bei der Abreise aus Beirut.»Du hast recht«, sagte er.»Es tut mir leid.«

In einiger Entfernung von der Grenze setzten sie sich in den Sand und sahen den Leuten zu, die zum Baden an den Strand gekommen waren. Roscoe zeigte ihm die Stelle am israelischen Ufer, wo er und Horowitz auf die Schlauchboote warten würden.»Wollen wir die Sache noch einmal durchspielen?«

»Wenn du willst . . .«

Walid grinste und zeigte dabei sein blendendweißes Gebiß. Die unermüdlichen Wiederholungen des Engländers amüsierten ihn. Sie hatten den Vorgang schon ungezählte Male durchgesprochen.

Nach ein paar Minuten gingen sie zurück und sahen, wie zwei israelische Streifenboote mit Außenbordmotoren von Eilat aus im weiten Bogen auf den Golf hinausfuhren. Das war die Hauptgefahr, dachte Roscoe; diese Streifen und die Abhörvorrichtungen im Wasser, die Suchscheinwerfer und Gott weiß, was sonst noch! Wenn die Israelis über Phantom-Bomber verfügten, dann hatten sie bestimmt auch Nachtfernrohre.

»Weshalb tust du das, Stephen?« sagte Walid.»Weshalb riskierst du dein Leben für Palästina?«

Fast hätte Roscoe geantwortet »ich werde dafür bezahlt«, aber diese Antwort stand nicht im Drehbuch.»Weil ich an eure Sache glaube.« Sie waren an dem Haus angekommen, und er reichte dem Araber die Hand.»Auf Wiedersehen, Walid. Nimm dich in acht.«

»Auf Wiedersehen, mein Freund. Viel Glück.«

Nachdem sich Roscoe auch von den anderen verabschiedet hatte, fuhr er mit Nazreddin nach Amman. Dabei ließ ihn der Gedanke nicht los, daß er möglicherweise wichtige Dinge übersehen hatte. Er war erschöpft und hatte Fieber. Die Straße schien aus dem Nichts zu kommen und ins Nichts zu führen; ein schmales Asphaltband schlängelte sich durch steiniges, mit niedrigen Büschen bewachsenes Land. Weit draußen grasten Kamele bei einer Gruppe von Beduinenzelten. An einer Bahnkreuzung mußten sie halten. Eine alte Dampflok puffte schwarzen Rauch in die Abenddämmerung und zog die mit Phosphat beladenen offenen Kippwaggons zur Küste. Es war, wie Nazreddin erzählte, die berühmte Hedschasbahn, die früher Medina mit Istanbul verbunden hatte. Auf eben diesen Gleisen waren die Truppen befördert worden, die Lawrence von Arabien überfallen hatte; die Lokomotive hatte man später aus dem Sand ausgegraben.

Roscoe fielen die Augen zu. Von Lawrence wollte er nichts hören.

Gegen Mitternacht kamen sie in Amman an, und Nazreddin fuhr nach Hause zu seiner Frau. Am folgenden Tag sollte er nach Aqaba zurückkehren.

In Roscoes Zimmer im Intercontinental wartete Marsden mit einer Flasche Scotch auf ihn. Er war eben aus London zurückgekehrt und machte ein besorgtes Gesicht. Er berichtete, Brown sei wahrscheinlich von den Israelis bedroht worden.

Roscoe trank ein Glas Whisky und goß sich ein zweites ein. »Ich muß vorsichtig sein.«

»Werden Sie trotzdem weitermachen?«

»Ja.«

»Sie sehen müde aus.«

»Ich glaube, ich habe mir eine Grippe geholt. Das kommt von dem Herumpaddeln auf dem Wasser.«

»Das hat uns grade noch gefehlt! Gehen Sie lieber gleich zu Bett.«

Roscoe goß sich noch ein Glas ein. »Das ist die richtige Medizin.«

Marsden zündete sich eine Zigarette an. »Übrigens, dieser Journalist . . .«

»Cassavetes? Ist er noch hier?«

»Es scheint ihm viel an Ihrer Gesellschaft zu liegen.«

»Vielleicht bin ich ihm sympathisch.«

Marsden lächelte nicht. Er nahm die Zigarette so vorsichtig

zwischen die Lippen, als müsse er sich vor einer Ansteckung hüten.

»Wußten Sie nicht, daß er auch nach Israel gehen wird?«

»Ach, wirklich?«

»Ja, leider. Er wird am gleichen Tag wie Sie über die Brücke gehen.«

Teil VI
Gewinner und Verlierer

6. bis 9. November 1972

1. Die Lage wird ernster

Am Montag, dem 6. November, gegen 8.oo Uhr vormittags verließ Roscoe das Jordan Intercontinental, um nach Israel zu fahren. Die Sprengung des »Alcatraz« war um zwei Tage vorverlegt worden. Saladin war bereit für seinen großen Auftritt.

Aber dieser November war nicht gerade ein günstiger Monat für Friedensgespräche.

In Deutschland war geschehen, was alle gefürchtet hatten. Angehörige des »Schwarzen September« hatten ein Flugzeug der Lufthansa entführt und damit die Freilassung der drei in München inhaftierten überlebenden Terroristen erzwungen. Die Israelis waren empört über die deutsche Nachgiebigkeit, die Golda Meir als »schockierend, eine Schande für den Geist der Menschlichkeit« bezeichnete. Der israelische Botschafter wurde aus Bonn nach Jerusalem zurückgerufen, und die israelische Luftwaffe bombardierte Flüchtlingslager bei Damaskus. Dabei kamen fünfundvierzig Menschen ums Leben.

Die drei freigelassenen Terroristen wurden nach Libyen ausgeflogen, wo sie eine Pressekonferenz abhielten. Sie erklärten: »Wir sind keine Wilden. Wir hatten gehofft, das Unternehmen in München ohne Blutvergießen durchführen zu können. Aber nach dem Verrat der Deutschen wußten wir, daß wir sterben mußten. Das war, wie man gesehen hat, auch das Schicksal der Geiseln.«

Dann tauchten sie unter, um der Rache der Organisation »Gottes Zorn« zu entgehen. Man vermutete, Gaddafi habe sie in seine geheime Freiwilligenarmee aufgenommen. Durch Gaddafis Verhalten mußten neue Schwierigkeiten entstehen, und auch Hussein steuerte jetzt einen härteren Kurs an. In einer Rede vor dem jordanischen Parlament sagte er, er sei nicht bereit, mit Israel eine friedliche Lösung auszuhandeln, wie dies in weiten Kreisen angenommen werde. »Wir werden niemals verhandeln.«

Aber diese harten Worte beeindruckten seine Feinde nicht. Ein enttäuschter jordanischer Pilot flog einen Tiefangriff gegen den Königspalast in Amman, der König wurde verwundet und mußte sich im Krankenhaus eine Schrapnellkugel aus der Hüfte entfernen lassen. Eine vom »Schwarzen September« organisierte und von Gaddafi finanzierte Offiziersverschwörung wurde aufgedeckt, und der libysche Rundfunk behauptete, es werde nicht die letzte sein. »Die arabischen Massen werden den Kampf fortsetzen.«

Sadat entkam in Kairo nur knapp einem Attentat, dem dritten dieses Jahres. Angesichts der Erfolglosigkeit aller diplomatischen Bemühungen wurde seine Lage immer unhaltbarer. Er konnte weder den Frieden bewahren, noch war er zum Kriege gerüstet. Er schwankte unentschlossen zwischen beiden Möglichkeiten hin und her. Ein Berichterstatter des *Guardian* schrieb: »Er gleicht einer Ratte in der Falle. Bei jedem Versuch, durch die Gitterstäbe zu entkommen, wird sie wilder und verzweifelter.«

Das Dilemma Sadats bezeichnete den Punkt, von dem das Gleichgewicht im Mittleren Osten abhing. Nach seiner Vorstellung ließ sich die Lage für die Zukunft stabilisieren. Saladin hoffte, ihn zur Wahrung des Friedens bewegen zu können. Aber ausgerechnet im November erklärte der ägyptische Präsident seinen engsten Beratern, er habe die Absicht, jenseits des Suezkanals »einen Brand zu entfachen«.

Jerusalem meldete Zweifel an: »Die Tatsachen könnten uns zu der Schlußfolgerung führen, die Araber hätten gegenwärtig keine Aussicht, einen Krieg zu gewinnen, aber die Katastrophe kann schon im nächsten Augenblick eintreten.«

Auch der Postkrieg flammte im November neu auf. Ein Diamantenmakler in London verlor durch eine Briefbombe einen Finger. Er war der Inhaber einer der zwölf jüdischen Firmen in Großbritannien, die solche Sendungen bekamen. In diesen Briefen befand sich ein Streifen aus plastischem Sprengstoff zwischen zwei Kartons, der mit einer Feder gezündet wurde. Commander Matthew

Rodger von der Sonderabteilung warnte alle Empfänger derartiger Sendungen aus dem Ausland:»Legen Sie das verdammte Ding in die äußerste Ecke Ihres Gartens, wo die Kinder es nicht finden können, und lassen Sie es dort liegen.« Auf keinen Fall sollten diese Briefe ins Wasser geworfen werden, denn dann würden die Umschläge aufweichen, sich öffnen und die Feder freigeben. Die Post fürchtete, man werde zu Weihnachten mit einer großen Zahl von Briefbomben rechnen müssen. Ein Sprecher der Post sagte:»Es ist unmöglich, täglich drei Millionen Briefe zu untersuchen.«

Auch in Israel kam es zu ähnlichen Anschlägen. In Kiryat Shemona wurden drei Briefbomben entdeckt. Eine davon war an Präsident Nixon adressiert.

2. Auge in Auge

Die Zeit war nicht günstig — aber Roscoe hatte einen wohldurchdachten Aktionsplan, als er an die Grenze fuhr.

Noch am gleichen Tag wollte er Claudia treffen, sich den »Alcatraz« ansehen und mit Saladin zusammenkommen. Am Dienstag sollte er mit Horowitz abends nach Eilat fahren, um das Kommando in Empfang zu nehmen und in das Versteck nach Jericho zu bringen. Der Rest des Tages stand ihnen für die letzten Vorbereitungen zur Verfügung. Nach Einbruch der Dunkelheit sollte das Unternehmen gegen den »Alcatraz« beginnen. Zuerst mußten die Wachen überwältigt werden. Dann würden sie die Ladungen anbringen, die Zündung einstellen und anschließend zur Pressekonferenz Saladins fahren. Die Sprengung würde eine Sensation auslösen, und sie würden fliehen; Saladin und Giscard nach Beirut, die anderen nach Jordanien — und in die Heimat . . .

Das war der Plan. Aber Roscoe wußte, daß Unternehmen wie dieses nie planmäßig verliefen. Das galt vor allem für militärische Operationen. In der Schlacht mußte man, wie überall im Leben, mit Überraschungen rechnen, sich soweit wie möglich darauf vorbereiten und sofort einen Alternativplan bereit haben. Es gab viele Möglichkeiten. Manche ließen sich schon jetzt erkennen, andere nicht. Die Chance für einen geordneten Rückzug war nicht sehr groß. Man konnte aber auch Glück haben. Das Glück spielte immer eine Rolle, und Roscoe glaubte daran. Es reizte ihn, das Schicksal auf die Probe zu stellen, aber man mußte genauso etwas für das Glück tun, wie man auch von einem Freund nicht nur nehmen kann.

Roscoe lehnte sich im Wagen zurück und spürte, wie das Aspirin, das er nach dem Frühstück genommen hatte, zu wirken begann. Marsden saß neben ihm. Schweigend fuhren sie an Beqqa, dem größten Flüchtlingslager, vorbei. Von diesen elenden Hütten aus konnte man eben noch hinübersehen in das Land, das ihre Bewohner in der Panik des Krieges verlassen hatten.

Auch als Nichtbetroffener fühlte Roscoe die verzweifelte Stimmung, die hier herrschte. Das gab seinem persönlichen Einsatz einen Sinn. Nur der Grippeanfall war unangenehm. Ein Offizier der auf der richtigen Seite kämpfte, durfte es sich nicht leisten, krank zu werden. Im Plan war die Grippe nicht vorgesehen . . .

Westlich von Beqqa führte die Straße über eine Höhe und dann hinunter zum tiefsten Punkt der Erde. Rechts tauchte das Tote Meer auf, ein dampfender, türkisfarbener Kessel, gesäumt vor weißen Salzkristallen. Dahinter sah man das schmale Band des Jordan, daneben einen sich durch das Tal hinziehenden Schilfstreifen. Die Luft war feucht und heiß, und mit dem Dampf stieg ihnen der Salzgeruch in die Nase.

Die Hitze ließ Roscoe den Schweiß in Strömen am Körper hinunterlaufen. Er hatte starke Kopfschmerzen und spürte ein dünnes Singen in den Ohren. Kurz vor dem Fluß verabschiedete er sich von Marsden, um in einen Bus umzusteigen. Er setzte sich unter einen leuchtendrot blühenden Baum und sah zu, wie sein Gepäck verladen wurde. Die anderen Passagiere drängten sich wie eine Viehherde im Schatten zusammen, während der Fahrer nach den Koffern rief und sie auf dem Dach verstaute.

Nach einer halben Stunde warteten sie immer noch. Niemand hatte es eilig, nach Israel zu kommen.

Cassavetes saß im selben Bus. Ein Vertreter des jordanischen Pressebüros hatte ihn zur Haltestelle begleitet, und nachdem er seine Papiere vorgezeigt hatte, kam er zu Roscoe unter den Baum. Cassavetes trug ein Nylonhemd und leichte Kunstfaserhosen, die von einem billigen Gürtel gehalten wurden. Er hatte sich die Haare schneiden lassen. Sein Gepäck bestand aus einer Aktentasche und einer japanischen Kamera, die er über die Schulter gehängt hatte.

»Schadet dieser Ausflug Ihrer Arbeit in Beirut eigentlich nicht?« fragte Roscoe.

»Das hängt davon ab, was ich schreibe.«

»Und was werden Sie schreiben?«

»Oh, nur den üblichen Bericht — wie die Israelis arabische Häuser sprengen.«

»Tun sie das?«

»Aber sicher! Das ist die Vergeltung für den Terrorismus. Es ist billiger, als sie einzusperren, verstehen Sie?«

»Auf wessen Seite stehen Sie?«

Cassavetes wich der Frage aus und lachte. Es war ein humorloses, heiseres Lachen. »Ich berichte Tatsachen«, sagte er und sah auf die Uhr. »Himmel, was ist das für ein Land! Wo sind Sie gewesen? Ich habe Sie an der Bar vermißt.«

Für jemanden, der nur Orangensaft trinkt, war das eine sonderbare Bemerkung. Roscoe schnaubte durch die Nase. »Ich habe Petra besucht.«

»Wie hat es Ihnen gefallen?«

»Es war fabelhaft. Es hat mich auf den Gedanken gebracht, etwas über Lawrence zu schreiben. Wußten Sie, daß man heute noch die Eisenbahnen benutzt, die er damals überfallen hat?«

»Im Ernst?«

Cassavetes verlor das Interesse und ging fort. Ein paar Minuten später sah Roscoe, wie er ein arabisches Kind fotografierte. Immer wieder zog er die Kamera auf, kniete sich hin und versuchte, den Aufnahmewinkel zu dem Kind zu verändern, das dastand und grinste. Auf dem Hang hinter dem Kind waren militärische Stellungen zu erkennen. Dann rief der Busfahrer zum Einsteigen, und sie holperten über die zum Jordanufer hinunterführende Fahrbahn. Beiderseits des Weges standen verfallene Bauernhäuser, und brachliegende Felder breiteten sich aus. Hier hatte das Militär das Land übernommen.

Unten hielt der Bus zu einer letzten Kontrolle und rollte dann durch einen dichten Schilfgürtel auf die Planken einer Brücke. Roscoes Augen schmerzten, aber es entging ihm nichts. Er sah das langsam fließende braune Wasser unter der Brücke, das hier nur ein unbedeutendes Rinnsal war, die jordanischen Posten im Schilf und links die alte Allenby-Brücke, zerbrochene Tragbalken, über die damals der Flüchtlingsstrom gegangen war.

Der Bus schob sich im Schrittempo weiter. Immer wieder trat der Fahrer auf die Bremse, als fürchte er sich. Die Fahrgäste schwiegen. Ein gelangweilter israelischer Posten starrte sie über seinen Gewehrlauf an; ein dickes, schwitzendes, bebrilltes Gesicht mit einem Backenbart. Der Mann stand hinter einer Sandsackbarriere im Schatten eines Wellblechdachs. Rechts von ihm befand sich eine stärker befestigte Stellung. Sie war in einen Lehmhügel hineingebaut, auf dem ein Flaggenmast stand. Die Flagge war weiß mit zwei horizontalen blauen Streifen und trug den Davidstern in der Mitte.

Ein Zuruf, und der Bus rollte weiter. Schließlich hielten sie bei der Einreisekontrolle, wo jeder Koffer und jedes Päckchen geöffnet und alle Kleidungsstücke genau untersucht wurden. Roscoe hatte zu lange gestanden, und es wurde ihm schwindlig. Er mußte sich an dem Maschendrahtzaun festhalten. Dahinter gingen weibliche israelische Soldaten in kurzen Khakiröcken in

der Sonne auf u..d ab. Die Araber ließen ihr Gepäck nicht aus
den Augen.

Nicht weit von hier befand sich ein zweiter mit Maschendraht
umzäunter Platz, auf dem die über die Grenze gekommenen Lastwagen jeweils zu zweit abgestellt wurden. Jetzt verstand Roscoe,
weshalb Saladin es abgelehnt hatte, den Sprengstoff hier über den
Jordan schmuggeln zu lassen. Die arabischen Fahrer standen neben
ihren Fahrzeugen, während die Luft aus den Reifen gelassen wurde
und israelische Beamte die aus Zitrusfrüchten bestehende Ladung
kontrollierten. Sie stocherten mit langen Eisenstangen darin herum.
In die Seitenwände der Fahrzeuge waren Löcher gebohrt, und in
die Kraftstofftanks waren Glasscheiben eingelassen. Roscoe hatte
noch an keiner Grenze eine so gründliche Kontrolle erlebt.

Er ging hin, als sein Koffer auf einen Tisch gelegt und geöffnet wurde. Er mußte den Inhalt vor dem Beamten ausbreiten, hatte
aber nichts zu verzollen.

»Der Paß?«

Er reichte ihn dem Beamten.

»Setzen Sie sich bitte dorthin.«

Er setzte sich neben die Araber auf eine niedrige Holzbank und
sah, wie sein Paß einem Major übergeben wurde, der ihn genau
ansah.

Es folgte die Leibesvisitation in einer Untersuchungszelle. Von
dort führte man Roscoe in ein Gebäude. Hier saß derselbe Major
hinter einem Schreibtisch. Er hatte Roscoes Paß vor sich liegen.

»Shalom. Bitte setzen Sie sich.«

Roscoe nahm auf einem kleinen Holzstuhl Platz. Das Zimmer
hatte eine Klimaanlage, es war kühl und es fröstelte ihn.

»Welches ist der Zweck Ihres Besuchs in Israel?«

»Ich bin Journalist.«

»Haben Sie das auch den Syrern gesagt?«

»Nein.«

Yaacov lächelte. Dieser Mann war zu ruhig, fast wie eine Katze,
die eine Maus beobachtet.

»Wie lange werden Sie bleiben?«

»Ein paar Tage. Vielleicht eine Woche.«

»Wie ich sehe, wollen Sie im Hotel der amerikanischen Kolonie wohnen. Können Sie uns eine Referenz geben — irgend jemanden, der seinen Wohnsitz in Israel hat und für Sie bürgen kann?«

»Ich weiß nicht, ob das möglich ist. Dies ist mein erster Besuch . . .«

»Und das Mädchen auf dem Parkplatz?«

Roscoe wurde rot. Das Blut stieg ihm zu Kopf und hinderte ihn daran, klar zu denken.

»Ich nehme an, sie will Sie abholen«, sagte Yaacov freundlich.

»Ach, wirklich?«

»Ja, sicher.«

»Sie heißt Claudia Lees.«

»Ihre Adresse?«

»Sie arbeitet bei der anglikanischen Mission — ich weiß nicht . . .«

»Ja, das weiß ich«, sagte Yaacov und gab ihm den Paß zurück. »Vielen Dank, Mr. Roscoe. Das ist alles.«

»Danke.«

»Ich wünsche Ihnen einen angenehmen Aufenthalt.«

3. Katz und Maus

Roscoe nahm den Koffer und ging zu Fuß auf die israelische Seite hinüber. Am letzten Stacheldrahtzaun blieb er stehen, um Kräfte zu sammeln. Claudia wartete unter einem mit Schilf gedeckten Sonnendach auf ihn. In dem Augenblick, in dem sie ihn sah, nach sechswöchiger Trennung, erkannte sie, daß sie zu ihm gehörte. Er trug den gleichen Anzug wie in Beirut, der jetzt viel abgetragener wirkte. Das karierte Hemd war durchgeschwitzt und klebte ihm am Körper. Die khakifarbene Kordhose war zerknittert und an den Knien ausgebeult. Sein Haar war gewachsen und kräuselte sich an den Enden. Es war in der Sonne gebleicht, etwas fettig und glänzte wie Messing. Er blieb am Tor stehen, stellte den Koffer ab und lehnte sich gegen den Zaun. Es schien ihm Mühe zu machen, sich aufrecht zu halten.

Lächelnd kam sie auf ihn zu. Sie trug ein blaues Baumwollkleid und eine Sonnenbrille mit großen runden Gläsern, die sie nun abnahm. Sie kniff die Augen im grellen Licht zusammen und lachte. Dann legte sie ihm die Arme um die Schultern. Er fühlte ihre Lippen auf der Wange. In seinem Kopf dröhnte es. Ihr Anblick und noch viel mehr der Duft, den sie ausströmte, dieser saubere, englische Duft nach Seife, nahmen ihm den Atem. Wieder war er erstaunt von ihrer Offenheit. Sie freute sich, ihn wiederzusehen, und scheute sich nicht, es zu zeigen. Sie vertraute ihm und erzeugte damit Vertrauen — wie auch Zyniker es dazu bringen, daß die schlimmsten Befürchtungen sich bewahrheiten. Er hatte noch nie eine Frau kennengelernt, die so arglos war wie sie.

»Hallo!«

»Hallo«, sagte sie und drückte ihn an sich, »hallo, hallo, hallo!«

»Wie geht es dir?«

»Danke, gut. Und dir?«

Roscoe sagte, alles sei in Ordnung.

Claudia spürte, wie er sich einen Augenblick verkrampfte. Aber dann löste sich die Anspannung. »Du bist so braun gebrannt. Ach, ich freue mich, dich wiederzusehen.«

»Ich auch.«

Sie trat einen Schritt zurück, um ihn anzusehen. Dabei ließ sie seine Hände nicht los. »Was hast du? Du zitterst.«

»Laß uns gehen.«

Er bückte sich nach dem Koffer, aber sie legte ihm die Hand auf den Arm. »Stephen, du bist krank.«

»Ein kleiner Grippeanfall — im ungeeignetsten Augenblick.«

»Dann solltest du bei mir bleiben. Ich bin eine sehr gute Krankenschwester.«

Roscoe bedankte sich, lehnte das Angebot aber ab. Das sei nicht notwendig und auch nicht klug.

Sie nahm den Koffer, hängte sich bei ihm ein, und auf dem Weg zum Wagen tauschten sie die letzten Neuigkeiten aus. Sie erzählte ihm, Saladin sei in Sicherheit, ebenso Bassam und Horowitz. Sie kannte die Wohnung, in der sie sich versteckt hielten, und hatte ihnen etwas zu essen gebracht. Morley war mit seinem Kamerateam in Jerusalem. »Er hat gesagt, wenn er bis heute abend nichts von dir hört, reist er ab. Der arme kleine Dom! Er fürchtet, seine Reportage könnte abgelehnt werden.«

Roscoe nickte geistesabwesend, dann sah er Cassavetes.

Cassavetes stand neben dem Wagen und wartete auf ihn.

»Himmel, ist das eine Prozedur!« sagte er und deutete auf den israelischen Grenzposten. »Können Sie mich nach Jerusalem mitnehmen?«

Ohne auf die Antwort zu warten, nahm er Claudia den Koffer ab und legte ihn in den Kofferraum des Fiat. Als er sein Gepäck dazustellen wollte, legte ihm Roscoe die Hand auf den Arm.

»Nein, es tut mir leid, das ist nicht möglich. Besorgen Sie sich ein Taxi.«

Cassavetes klopfte sich auf die Taschen und hob die geöffneten Hände. »Ich habe kein israelisches Geld!«

»Sie werden es schon schaffen.«

Roscoe winkte Claudia einzusteigen und setzte sich neben sie in den Wagen. Sie sah unzufrieden aus. Unhöflichkeit konnte sie nicht ertragen. Für sie war es eine Art Gewalttätigkeit. Sie fuhr an und fragte: »Wer war das?«

»Jemand, dem man nicht trauen kann.«

Als Roscoe ihr seine Ablehnung deutlicher erklärt hatte, machte sie sich Sorgen. »Du glaubst, du wirst beobachtet?«

»Das ist möglich.«

»Dann fällt die Sache also aus? Ich meine, wenn sie dich festnehmen.«

»Mich festnehmen? Unter welchem Vorwand?«

Er habe sich noch keines Verbrechens schuldig gemacht, sagte Roscoe, und Claudia entnahm daraus, daß das bald der Fall sein würde. »Sag mir, was du vorhast.«

Roscoe zögerte. »Wenn ich es dir sage, bist du in die Sache verwickelt.«

»Das ist mir klar.«

»Ich dachte, wir hätten uns geeinigt . . .«

»Du mußt es mir jetzt sagen.«

Als er fertig war, wurde sie blaß. »Der ›Alcatraz‹«, sagte sie schließlich, »der ›Alcatraz‹? Mein Gott! Du weißt doch, was das für ein Gebäude ist?«

»Niemand scheint es genau zu wissen.«

»Nun, vielleicht in Beirut — aber hier weiß es jeder. Stephen, es ist das neue Hauptquartier des israelischen Geheimdienstes!«

»Ja, das habe ich gehört.«

Sie blickte ihn von der Seite an, um festzustellen, ob er es ernst meinte. »Du bist verrückt. Das wird dir nie gelingen. Du wirst dabei ums Leben kommen . . .«

»Das werde ich nach Möglichkeit zu vermeiden suchen.«

». . . und auch andere werden sterben.«

»Auch das werde ich zu verhindern suchen.«

»Ach, hör doch auf!« Ihre Furcht hatte sich in Ärger verwandelt. »Ich habe dir gesagt, daß ich mich auf so etwas nicht einlassen werde.«

»Du hast dich doch gar nicht darauf eingelassen. Du hast einen Freund an der Grenze abgeholt. Du bringst ihn in sein Hotel. Dann gehst du wieder an deine Arbeit und rettest Seelen.«

»Jetzt bist du wirklich gemein.« Claudias Augen füllten sich mit Tränen. »Jetzt bist du zum erstenmal wirklich gemein. Weißt du das?«

»Verzeih, aber du hast mich nervös gemacht.«

Roscoe legte ihr die Hand auf den Arm. Er wollte sie überzeugen, daß er es ehrlich meinte. Er sagte ihr, sie solle sich keine Sorgen machen. Sie hätte ihn nicht fragen und er hätte ihr nicht antworten dürfen. Aber jetzt, da sie es wußte, dürfe sie sich nicht mehr um die Sache kümmern und sich keine Gedanken machen. Das Ganze sei perfekt vorbereitet, und wenn alles nach Plan ging, werde niemand zu Schaden kommen.

»Schon gut«, sagte sie mit matter Stimme.

Er streichelte sie. Als sie über den Hauptplatz von Jericho fuhren, fiel ihm ein Wagen auf, der aus den parkenden Fahrzeugen ausscherte und dem Fiat in einigem Abstand folgte. Roscoe beobachtete ihn eine Zeitlang im Rückspiegel. Dann bat er Claudia, ihn auf das Lager Aqabat Jabr aufmerksam zu machen, an dem sie in wenigen Minuten vorbeikommen mußten.

Roscoe hatte etwas Ähnliches wie Beqqa erwartet, es war aber eine alte arabische Stadt, eine Ansammlung brauner Lehmhäuser, die in der Hitze zerbröckelten. Auf den schmutzigen leeren Straßen spielten ein paar Kinder. Er hatte sich das Lager an diesem Vormittag näher ansehen wollen, hielt es aber jetzt für besser weiterzufahren. Damit änderte er den Plan zum erstenmal . . .

Claudia saß schweigend am Steuer. Sie bereute jetzt ihren Gefühlsausbruch. Sie mußte zugeben, daß sie in diese Situation geraten war, weil sie sich nicht klar hatte entscheiden können. Sie hätte schon lange darauf bestehen müssen, daß man ihr die Wahrheit sagte, hatte es aber nicht getan. Roscoe hatte folgerichtig gehandelt, aber sie war inkonsequent gewesen. Zwar wollte sie mit ihm zusammenbleiben, sie war aber nicht bereit, für ihn das Gefängnis zu riskieren. Sie war, wie sie glaubte, von der Liebe überrascht worden und wurde jetzt deutlich an die Grenzen dieser Liebe erinnert. Unzufrieden mit sich selbst, unsicher und voller Angst hätte sie am liebsten auf das Gaspedal gedrückt und wäre so lange gefahren, bis sie und Roscoe in Sicherheit waren.

Nach Aqabat Jabr kamen sie an eine Straßengabelung. Rechts ging es nach Jerusalem und links zum Toten Meer, wo die Touristen vor den Badestränden wie Leichen auf der Oberfläche des schweren Salzwassers trieben. Claudia bog nach Jerusalem ab. Der Wagen hinter ihnen fuhr nach links weiter. Roscoe atmete erleichtert auf. Er wußte nicht, daß Yaacov ihm in einem anderen Wagen in etwas größerem Abstand folgte.

Yaacov war schon sehr früh aufgestanden, um Roscoes Empfang vorzubereiten. Er hatte sogar einen Hubschrauber bereitstellen lassen für den Fall, daß sie in die Negevwüste abbogen. Den brauchte er jetzt nicht mehr. Es gab keine Möglichkeit mehr für Claudia, die Straße vor den Außenbezirken von Jerusalem zu verlassen, wo andere Wagen die Verfolgung fortsetzen würden.

Roscoe hatte damit gerechnet. Er wollte nichts dem Zufall überlassen. Er sagte Claudia, sie solle ihn irgendwo in der Stadt aussteigen lassen und selbst weiterfahren, das Gepäck im Hotel abgeben und zu Hause auf ihn warten. Von nun an dürfe sie nichts mehr mit Saladin zu tun haben. »Wenn du telefonierst, erwähne ihn mit keinem Wort, und sprich auch in deiner Wohnung nicht darüber. Kümmere dich nur um deine Arbeit — eines Tages werden wir vielleicht darüber lachen können.«

Claudia nickte. »Es tut mir leid.«

»Was tut dir leid?«

»Daß ich so ein Feigling bin. Ich habe einfach zu große Angst, um dir helfen zu können.«

Roscoe lächelte. »Vielleicht hast du schlechte Nerven, aber deine Skrupel sind begründet.«

Nach einiger Zeit sagte sie ganz ernst und mit fester Stimme: »Ja, es ist nicht nur Feigheit. Ich glaube wirklich, daß es falsch ist. Man darf Gewalt nicht mit Gewalt begegnen. Dadurch verändert sich nichts.«

»Man kann mit Gewalt gewisse Dinge verändern«, sagte Roscoe. »Manchmal ist das unvermeidlich.«

»Das ist nie unvermeidbar. Saladin sollte ebenso wie Gandhi mit den Methoden der Gewaltlosigkeit vorgehen. Wenn ihr dieses Gebäude gesprengt habt, dann ist er nicht besser als Arafat.«

»Du kennst seine Argumente.«

»Ja, aber dabei geht es nur um politische Fragen. Es kommt darauf an, auf welcher Ebene du argumentierst. Die Beschaffenheit eines Lebens ist wichtiger als alle politischen Interessen.«

Roscoe dachte an Beqqa. »Wessen Leben meinst du?«

»Zunächst denke ich an dein Leben.«

Claudias Stimme war unsicher geworden. Unter der Sonnenbrille rollte eine Träne über ihre Wange. »Du bist dabei, dich zu entwürdigen, wie du es in Irland getan hast. Wofür? Es ist irgendein zweifelhafter Ehrbegriff, den du zum Vorwand nimmst, um dich wie ein Tier zu betragen.« Sie biß sich auf die Lippen. »Es tut mir leid. Aber ich will einfach nicht, daß du dabei stirbst. Hör auf, Stephen!«

Roscoe blickte zur Seite. »Dafür ist es zu spät«, sagte er.

»Das ist es nicht.«

»Hör einmal zu: Ich habe Gessner erschossen.«

Claudia hatte es fast erwartet. Roscoe war überrascht, zu sehen, wie ruhig sie es aufnahm. Ihr kam es im Augenblick mehr auf seine physische Sicherheit als auf die Moral an. Als er ihr die Geschichte erzählte, fuhr sie an den Straßenrand, stellte den Motor ab und suchte in ihrer Handtasche nach einem Taschentuch. Sie bemerkte nicht, wie ein anderer Wagen hinter ihnen um die Kurve kam, kurz bremste und dann mit hoher Geschwindigkeit an ihnen vorüberpreschte. Roscoe hatte ihn gesehen, erzählte aber seine Geschichte zu Ende. »Du siehst also, nichts wird anders, ob ich nun weitermache oder nicht. Ich stecke bis zum Hals drin.«

Claudia nahm seine Hand. »Du hast Zeit; wahrscheinlich das Leben gerettet.«

»Gewalt ist manchmal unvermeidbar.«

Claudia fuhr weiter. Nach wenigen Kilometern kamen sie in den Ostteil von Jerusalem; ein Gewirr von Straßen wie in Amman. Ostjerusalem war von Arabern bewohnt, aber die Atmosphäre unterschied sich irgendwie von der aller anderen Städte, die Roscoe in den letzten Wochen kennengelernt hatte. Das waren Provinzstädte gewesen. Dies war die Metropole — die Metropole der Welt. Zwischen den Minaretts ragten die Türme christlicher Kirchen in den Himmel, eine überwältigende Vielzahl von Gotteshäusern, und angesichts dieser Fülle von Heiligkeit sagte Roscoe unvermittelt: »Ich kann nicht dafür garantieren, daß niemand getötet wird. Das mußt du verstehen. Ich werde nur versuchen, die Sache in der Hand zu behalten.«

»Das ist deine Aufgabe.«

»Ja.«

»Dann laß dich auch selbst nicht umbringen.«

»Es ist, als gehörten wir verschiedenen Religionen an, nicht wahr? Das heißt, ich habe gar keine.«

»Du hast mehr davon, als du glaubst«, sagte Claudia. »Willkommen in der Stadt Gottes, Captain Roscoe.«

Sie verlangsamte das Tempo und winkte die folgenden Fahrzeuge vorbei, während sie um den Ölberg herumfuhren und an die Stelle kamen, an der alle Fotografen die Kameras zücken. Der moderne Teil der Stadt, der sich vor ihnen auf den Hügeln ausbreitete, war nicht besonders eindrucksvoll, aber in der Senke darunter lag das, worauf es Claudia Lees, König Hussein von Jordanien und dem toten Sammy Gessner ankam: ein kleines, dunkles, enges Netz brauner Straßen hinter einer Umfassungsmauer. Die Farbe der Steine dieser Mauer war heller. Unmittelbar dahinter sah man die Moschee Al Aqsa. Auf der anderen Seite standen die Kirchen oberhalb von Golgatha, und auf jedem freien Fleck Erde unterhalb der Festungsmauer lagen die Gräber frommer Juden. Das Fundament des großen Herodestempels, die einzige heilige Stätte, die ihnen geblieben war, konnte man von hier aus nicht sehen.

Roscoe übersah die Stadt mit einem Blick und ließ die Augen zu einem anderen Hügel wandern. »Das ist er«, sagte er.

Claudia zögerte, in die Richtung zu sehen, die er ihr zeigte. »Ja, du hast recht.«

Der »Alcatraz« war bereits zu einem Wahrzeichen der Stadt

geworden. Er stand an einer markanten Stelle auf einem Felsen und überragte alle Gebäude in seiner Umgebung. Das Gerüst war schon abgenommen. Jetzt sah man, daß das Bauwerk fast die Form eines Würfels hatte. Es fehlte jede Verzierung. Der Name war gut gewählt.

Claudia mußte lachen. »Man wird dich wenigstens nicht des Vandalismus bezichtigen.«

»Ich werde mir das Ding jetzt näher ansehen.«

»Du gehörst ins Bett.«

»Nein, ich muß es sofort tun, bevor sie anfangen, das Gebäude zu beziehen. Aber wir müssen von der Straße weg.«

»Sollen wir hier abbiegen?«

»Ja, wende hier. So ist's richtig. Gib Gas!«

Claudia bog nach rechts ein und fuhr schnell eine steile, enge Straße hinauf, die am Garten Gethsemane vorbeiführte. An der nächsten Ecke mußte sie bis auf Schrittempo hinuntergehen und hupen. Roscoe hatte die Tür auf seiner Seite geöffnet, sprang hinaus und schlug sie hinter sich zu. »Fahr weiter!« rief er. Dann sprang er durch ein Tor in den Garten einer Kirche. Ein Mönch in weißer Kutte goß ein Blumenbeet. Überrascht blickte er auf. Roscoe lächelte ihn freundlich an, hörte zwei andere Wagen vorbeifahren, lief hinaus und die Straße hinunter. Am Ende angekommen, nahm er sich ein Taxi.

Er wollte Claudia erst in England wiedersehen, aber als ihm bewußt wurde, daß sie sich nicht einmal hatten verabschieden können, nahm er sich vor, sie vielleicht doch noch anzurufen oder sogar in der Mission zu besuchen. Er hielt das für kein besonderes Risiko, da man sie ohnehin schon zusammen gesehen hatte.

Roscoe bezahlte den Taxifahrer an der Nationalbibliothek und ging das letzte Stück zu Fuß. Aus der Nähe sah der »Alcatraz« unzerstörbar aus. Das festungsartige Gebäude ragte mit seinen dicken Betonmauern wie ein gewaltiger Klotz vor ihm auf, und sogar Roscoe konnte sich kaum vorstellen, wie er es zum Einsturz bringen sollte. Er hielt sich in einiger Entfernung und kletterte über zwei Baustellen durch das felsige Gelände, um das Objekt von allen Seiten anzusehen. Die Vorderfront blickte nach Osten. Eine neuangelegte Zufahrtsstraße führte den Höhenzug hinauf. Auf dieser Seite befanden sich eine breite Treppe mit niedrigen Stufen und der von einem Posten bewachte Haupteingang. Der Posten stand gelangweilt da und hatte ein Schnellfeuergewehr nachlässig über die Schulter gehängt. Auf dem freien Platz unterhalb der Treppe standen Betonmischmaschinen, anderes Baugerät, einige Autos und daneben die noch in Kisten verpackten Lifts.

Die Rückseite des Gebäudes erhob sich über einem steinigen, mit niedrigem Buschwerk bewachsenen Hang. Von hier hatte man Überblick über die ganze Stadt. Über diesen Abhang sollte der »Alcatraz« hinunterstürzen, und hier wollte Roscoe das Fundament der Mauer sprengen.

An der Nordseite machte die Straße eine scharfe Biegung und verschwand über eine Rampe im Kellergeschoß. Auf dem Dach erhob sich ein Gewirr von Antennenmasten und der fensterlose Aufbau, in dem die Vernehmungsräume untergebracht werden sollten. Das Obergeschoß schien fertig zu sein, aber in den unteren Stockwerken wurde offensichtlich noch gearbeitet, denn die Fenster waren noch nicht verglast. Alles stimmte mit dem Bauplan und Bassams Beschreibung überein. Es gab keine Überraschungen.

Die Erkundung nahm den ganzen Nachmittag in Anspruch. Am Schluß war Roscoe erschöpft. Er hatte Kopfschmerzen, schwitzte und spürte, daß das Fieber zugenommen hatte. Er setzte sich in den Schatten, um eine Weile auszuruhen. Hier wollte er bis zum Dunkelwerden warten, um sich dann das Gebäude aus der Nähe anzusehen und festzustellen, wann die Wachen abgelöst wurden und ob nachts jemand in dem Gebäude zurückblieb.

Von der Stelle, wo er saß, überblickte er das Panorama der Stadt, die jetzt in ein honigfarbenes Licht getaucht war. Er sah die heiligen Stätten, den markanten Turm des YMCA und weiter rechts die Silhouette der Knesseth. Auf den Hügeln standen die

Luxushotels und zahlreiche Wohnblocks, gleich einer massiven äußeren Umfassungsmauer.

Unmittelbar westlich des »Alcatraz« auf der anderen Seite der Senke, in die das Gebäude stürzen sollte, lag das kleine Park International Hotel. Roscoe sah deutlich das große Fenster des Empfangsraums auf dem Dach.

In diesem Raum würde Saladin am Mittwoch seine Pressekonferenz abhalten. Sie sollte abends kurz vor 21.00 Uhr beginnen.

Auf der einen Seite dieses Raums befand sich eine Plattform, auf die Saladin hinaustreten und wo er die Journalisten überraschen wollte, die einen ganz anderen Gesprächspartner erwarteten. Hier würde er eine kurze Ansprache halten, seinen Zuhörern sagen, wer er war, darauf hinweisen, wie Jerusalem verunstaltet worden sei, und sie auffordern, nach links zu blicken...»Bitte treten Sie vom Fenster zurück.« Ja, dachte Roscoe, das ist wichtig. Zur gleichen Zeit würde er irgendwo in der Nähe des Hotels sein, und wenn es die Umstände erlaubten, ein paar Leuchtpatronen abschießen, um die Szene zu beleuchten. Pünktlich um 21.00 Uhr würde die elektrische Zündung vierundzwanzig Ladungen PE zur Detonation bringen. Morleys Kamera würde das Ereignis festhalten.

Einige Journalisten würden sich vielleicht empört gegen Saladin wenden, der den Raum aber schon verlassen hätte. Er sollte mit Bassam in dem von Horowitz bereitgehaltenen Lastenaufzug hinunterfahren und durch die Küchenräume zu dem Wagen gehen, in dem Giscard auf ihn wartete, um ihn zu dem in der Nähe geparkten Fahrzeuge der UNWRA zu fahren. Bassam und Horowitz sollten in einen zweiten Wagen umsteigen, den Roscoe vor dem Hotel abgestellt hatte, um mit ihm nach Jericho zu fahren. Dort stiegen alle in den von Ibrahim gelenkten Lastwagen um, der mit ihnen wie geplant den Grenzzaun durchbrechen sollte ...

Nach Roscoes Meinung war dies ein wohldurchdachter Plan. Nur einige Kleinigkeiten mußten noch geklärt werden. Bis es ganz dunkel geworden war, hatte Roscoe Zeit, bei Saladin anzurufen. Er ging die Straße hinunter zur nächsten Telefonzelle.

Saladin war selbst am Apparat.

»Stephen?«

»Ja, ich bin's.«

»Sie sind also da.«

»Ja.«

»Keine Schwierigkeiten?«

»Nichts Besonderes.«

»Ich habe mir Sorgen gemacht. Ich dachte, Claudia würde mich anrufen ...«

Roscoe erzählte, was er mit Claudia verabredet hatte. Saladin hatte Verständnis. Dann berichtete er über die Vorkommnisse auf der Reise und wandte sich schließlich der bevorstehenden Aktion zu. Saladin sagte, Bassam und Horowitz seien in die Stadt gegangen, um die Einladungen für die Presse auf die Post zu bringen. Roscoe meinte, er brauche jetzt nicht zu Saladin zu kommen, wollte aber wissen, wo er sich morgen mit Horowitz treffen könne. Saladin sagte es ihm. Dann besprachen sie noch einmal den genauen Ablauf der Pressekonferenz und der Flucht.

Als Roscoe zum »Alcatraz« zurückging, war es bereits dunkel. Die arabischen Bauarbeiter waren schon gegangen. Zuletzt verließen einige israelische Techniker das Gebäude. Um 18.00 Uhr wurden die beiden Posten abgelöst, wie Refo es erkundet hatte. Der zweite bewachte das Kellergeschoß. Der neue Mann am Haupteingang schien seine Aufgabe nicht sonderlich ernst zu nehmen. Er zündete sich eine Zigarette an und setzte sich auf die Stufen, um beim Schein seiner Taschenlampe ein Buch zu lesen.

Roscoe ging wieder zur Straße hinunter, nahm ein Taxi und fuhr zum Hotel. Er wollte eine Kleinigkeit trinken, baden und zu Bett gehen. Er hatte das Leben im Hotel satt, aber hier in der amerikanischen Kolonie war es recht gemütlich. Es war ein altes arabisches Haus mit herrlichen Blumenbeeten im Innenhof.

In der Bar traf er den aufgeregten Morley mit seinem Kamerateam. Man hatte ihm für seinen Filmbericht fünfzig Minuten Zeit gegeben, und es war ihm gelungen, General Dayan zu interviewen.

Morley war in Hochstimmung und spendierte großzügig jedem einen Drink. Roscoe bat ihn in den Hof hinaus und erzählte ihm, er werde morgen von einer britischen Parlamentsabordnung, die nach Jerusalem gekommen sei, um sich mit Mitgliedern der Knesseth zu treffen, eine Einladung zu einer Pressekonferenz bekommen. Morley war entsetzt, daß jemand wie Roscoe nicht begriffen hatte, worauf es im Fernsehen ankommt. »Sind Sie nur deshalb hergekommen, um mir das zu sagen?«

»Ich würde Ihnen raten, der Einladung zu folgen. Seien Sie rechtzeitig dort, um Ihre Kamera aufzustellen.«

»Es tut mir leid, mein Lieber; morgen fliegen wir zurück.«

Aber Roscoe ließ nicht locker. »Sagen Sie den Flug ab«, sagte er. »Ich habe Ihnen etwas Besonderes versprochen. Es ist die Chance Ihres Lebens, Mann.«

Morley zögerte. »Aber worum geht es denn . . .«

»Um mehr, als Sie glauben.«

»Sie meinen . . .«

»Sie werden schon sehen, was ich meine. Verspäten Sie sich nicht«

Morley wurde ungeduldig. »Ich muß mehr darüber wissen. Trinken wir noch einen.«

Aber Roscoe weigerte sich, mehr zu sagen. Er wollte zu Bett gehen. In der Halle stieß er auf Cassavetes, der, wie er geahnt hatte, auch hier abgestiegen war. Mit kühlem Lächeln gingen sie aneinander vorbei. Roscoes Zimmer lag in einem Nebengebäude. Als er über die Straße ging, hielt ein Wagen hinter ihm. Er drehte sich um und erkannte Claudias Fiat.

Sie lief auf ihn zu, und als sie in das Licht des Eingangs kam, sah er, daß sie schlechte Nachrichten brachte.

»Sie haben Bassam«, sagte sie.

4. Via Dolorosa

Roscoe blieb ruhig. Er führte sie zum Wagen zurück. »Woher weißt du das?«

»Horowitz hat mich angerufen. Auch ihn hätten sie fast erwischt.«

»Was ist passiert?«

»Irgendein junger Mann aus dem Kibbuz hat sie auf der Post erkannt. Und ich bin schuld daran.«

Roscoe dachte, daß es viel eher seine Schuld war. »Wieso?«

»Ich hätte die Briefe auf die Post bringen sollen. Aber wir sind zu spät von der Grenze zurückgekommen, und da ich nicht anrief, hat Bassam es selbst getan. Die Einladungen mußten rechtzeitig ankommen. Die Journalisten sollten sie am Mittwoch haben.«

»Und Horowitz hat ihn zur Post gefahren?«

»Ja.«

»In welchem Wagen?«

Bassam hatte Claudia am vergangenen Freitag Geld gegeben, damit sie einen Wagen mietete. Horowitz hatte ihn jetzt an der Jaffa Road stehenlassen und ihr sofort telefonisch vorgeschlagen, ihn als gestohlen zu melden.

Roscoe überlegte. »Nein«, sagte er, »unternimm nichts. Wenn du gefragt wirst, ist das vielleicht eine ganz gute Erklärung.«

Es war der Wagen, mit dem Bassam und Horowitz vom Park International nach Jericho hätten fahren sollen. Es wäre besser gewesen, wenn Giscard ihn gemietet hätte.

»Die Lage hat sich also verändert. Der arme Bassam!«

»Stephen, er wird reden. Er wird bestimmt reden. Er ist nicht hart genug.«

»Das dürfen wir nicht sagen.«

»Du willst es trotzdem tun?«

»Ich denke, ja. Aber zuerst muß ich mit Saladin sprechen. Wo ist das nächste Telefon?«

Als sie im Wagen saßen, fing es zu regnen an. Ein Windstoß und ein plötzlicher Wolkenbruch. Als sie ein Telefon fanden, lief Roscoe zur Zelle. Claudia blieb am Lenkrad sitzen.

Auch Saladin war ganz ruhig, obwohl man seiner Stimme die Enttäuschung anmerkte. Er war mit Roscoe der Meinung, daß es zu spät sei, den Plan zu ändern. Mit Giscard hatte er schon gesprochen. Auch er war einverstanden. Roscoe sagte, Giscard sollte einen zweiten Wagen besorgen, und erkundigte sich dann nach Horowitz. Er wollte wissen, ob Horowitz noch bereit war mitzumachen. Aus Saladins Antwort glaubte er entnehmen zu können, daß Horowitz zuhörte.

»Er fährt mit Ihnen nach Eilat.«

Roscoe spürte Saladins Vorsicht. Er sagte, er werde Walid und die anderen abholen und mit ihnen wie besprochen zu dem Versteck fahren. Am Mittwoch werde er von Jericho aus anrufen. Wenn Bassam geredet haben sollte, würde man das nicht nur daran erkennen, daß bestimmte Leute festgenommen würden, sondern die Armee würde auch den Schutz des »Alcatraz« übernehmen. Deshalb müßte irgend jemand kurz vor dem Anschlag die Lage an Ort und Stelle erkunden. Der geeignete Mann dafür war Giscard, der am gleichen Tag von Gaza nach Jerusalem kommen sollte.

Saladin war mit diesen Vorschlägen einverstanden; es ließ sich jetzt kaum noch etwas anderes machen. »Bassam werden wir nicht wiedersehen.«

»In nächster Zeit jedenfalls nicht.«

»Überhaupt nicht mehr«, sagte Saladin. Roscoes britische Zurückhaltung schien ihn zu ärgern. »Offiziell existiert er hier überhaupt nicht. Sie werden sich daher gar nicht die Mühe machen, ihn vor Gericht zu stellen. Sie werden ihn foltern und dann töten.«

»Das bezweifle ich.«

»Stephen, Sie kennen diese Leute nicht.«

»Das stimmt«, sagte Roscoe. Er kannte weder die Israelis noch die Araber. Er kannte die Geschichten, die im Umlauf waren, und war überzeugt, daß man den Israelis einiges zutrauen könnte. Er hielt es aber auch für möglich, daß die Araber übertrieben.

Nach dem Telefongespräch setzte er sich neben Claudia in den Wagen. Saladins Niedergeschlagenheit hatte ihn angesteckt. Es regnete in Strömen. Das Wasser gurgelte im Rinnstein. Die staubige Stadt wurde gewaschen.

Auch Claudia war deprimiert. »Ich wußte, daß du dich nicht abhalten lassen würdest«, sagte sie. »Stephen, es ist der reinste Wahnsinn.«

»Wir werden schrittweise vorgehen. Dann können wir das Unternehmen immer noch in jedem beliebigen Augenblick einstellen.«

»Ihr wollt den Plan also nicht ändern?«

»Dazu ist es zu spät.«

»Ihr seid verrückt. Saladin sollte nach Beirut zurückgehen, und du solltest dich ins nächste Flugzeug setzen und nach London fliegen. Vielleicht klappt es das nächste Mal.«

»Jetzt oder nie, das weißt du auch«, sagte Roscoe. »Es kommt darauf an, was Bassam tut. Wenn er durchhält, dann sind wir es ihm schuldig weiterzumachen.«

»Ihr Männer mit euren Ehrbegriffen!« Claudia senkte den Kopf und zupfte an ihrem Kleid. »Der arme Bassam. Er war so ein netter Mann.«

Sie legte den Kopf an Roscoes Brust, und er drückte sie an sich. So blieben sie eine Zeitlang sitzen. In einem plötzlichen Stimmungsumschwung küßte sie ihn. »Ich möchte heute nacht bei dir bleiben.«

»Ich glaube, das wäre falsch.«

»Bitte! Ich möchte es.«

»Wir werden beobachtet.«

»Was macht das schon aus? Sie werden uns sowieso beobachten.«

Roscoe konnte sich nicht mehr wehren.

»Ich habe den großen Krieger verführt!« rief Claudia. »Jetzt werde ich ihm die Haare abschneiden.«

Roscoe ging ins Hotel und holte sein Gepäck. Dann fuhren sie in Claudias Wohnung; vier kleine Zimmer über der anglikanischen Mission in der Altstadt, nicht weit von der Stadtmauer. Als sie die Tür aufschloß, sah er im Erdgeschoß, wo die Büros untergebracht waren, helle Wände, einfache Holzmöbel und ein Kruzifix. Oben bei ihr war es ebenso sauber und ordentlich — Kleider, Schuhe und ein paar Bücher. Sie führte ihn an ein Bett. Er legte sich sofort hin und bekam einen Schüttelfrost. Dann schwitzte er die Laken naß. Claudia betätigte sich als Krankenschwester, gab ihm etwas Heißes zu trinken und Aspirin. Lächelnd wischte sie ihm das Gesicht mit einem Handtuch ab. »Ich liebe dich, das weißt du doch?«

»Ich liebe dich auch«, sagte er und schloß die Augen. Sie küßte ihn und schaltete das Licht aus.

Er hörte den Regen gegen das Fenster trommeln und schlief ein.

Am Morgen hatte es aufgehört zu regnen. Claudia weckte ihn schon in aller Frühe mit einer Tasse Tee. Dann legte sie sich neben ihn auf das schmale Bett. Sie sahen, wie es allmählich heller wurde, und horchten auf die Geräusche der erwachenden Stadt, auf den Ruf des Muezzins, das Klappern von Eselshufen und das Schlurfen von Pantoffeln auf dem alten Pflaster. Roscoe fühlte sich wohler. Sein Kopf war seltsam leicht. Die Geräusche schienen von weither zu kommen. Die Welt außerhalb dieses Zimmers war irgendwie unwirklich; Jerusalem, dessen Bewohner sich zu regen begannen, seine lange Reise hierher, das bevorstehende Unternehmen — in diesem ganzen wilden Traum war Claudia die einzige Realität. Sie lag mit geschlossenen Augen neben ihm und atmete leise, während er ihr sanft über die Haare und das Gesicht strich.

Er kam sich vor wie jemand, der auf einen Schatz gestoßen ist und diesen Schatz berühren muß, um sich seiner zu vergewissern, aber vorsichtig, um ihn nicht zu zerbrechen. Claudia ließ es gern geschehen, aber sie dachte, daß er wahrscheinlich sterben würde. Sie fragte ihn, was er nächste Woche um diese Zeit tun werde.

»Ich werde mir anhören, wie man sich über mich das Maul zerreißt. Und du?«

»Ich denke, ich bleibe hier. Vielleicht bekomme ich zu Weihnachten Urlaub.«

»Ich hoffe, du besuchst mich.«

»Soll das eine Einladung sein?«

»Natürlich.«

»Dann komme ich.« Claudia öffnete die Augen und sah ihn lächelnd an. »Wie fühlst du dich?«

»Viel besser. Ich danke dir.«

Die Sonne zeichnete ein gelbes Viereck an die Decke. Roscoe dachte, mit diesem Sonnenaufgang fängt mein Leben erst an. Die ganze Zeit vorher habe ich im dunkeln gelebt . . .

Claudia stand auf. Er sah ihr zu, wie sie die Teetassen wegstellte, im langen weißen Nachthemd im Zimmer umherging und mit den bloßen Füßen die Fliesen berührte. Als sie aus der Küche zurückkam, stellte sie sich ans Fenster. »Ist das nicht seltsam«, sagte sie, »wenn man sich vorstellt, daß Christus nur hundert Meter von hier gestorben ist?«

»Weiß man genau, wo es war?«

»O ja. Es gibt eine schreckliche Kirche mit einem Loch im Fußboden. Die Stationen des Kreuzwegs haben eine ganze Industrie entstehen lassen. Wohin du auch gehst, stellt sich dir ein schmutziger Mönch in den Weg und hält dir eine Sammelbüchse hin. Das hat mit Religion soviel zu tun wie ein Jahrmarkt.«

Roscoe zog sich an und ging zu ihr ans Fenster. Da er wußte, daß die Israelis ihn beobachteten, machte es ihm nichts aus, sich auch nach ihnen umzusehen. Die Luft draußen war frisch. Unten führte eine abschüssige gepflasterte Straße in Stufen zu einem überdachten belebten Basar hinunter, ein Bild wie eine Bibelillustration. Man konnte sich vorstellen, wie Christus hier das Kreuz vorbeigetragen hatte, wie die Kreuzritter mordend und sengend vorübergezogen waren oder wie manche israelischen Fallschirmjäger hysterisch weinten, als sie sich den Weg zur Tempelmauer freischossen. Die Touristen unternahmen hier eine Reise durch die Zeit. Sie wanderten mit ihren Kameras an den Kefias der Araber, den gestärkten weißen Hauben christlicher Nonnen und den schwarzen runden Hüten orthodoxer Juden vorbei.

In der Wohnung hatten sie es vermieden, über Saladin zu reden, und Roscoe sprach jetzt ganz leise. »Wir müssen einen Hinterausgang finden, durch den ich in die Nähe des Tores kommen kann.«

Claudia dachte einen Augenblick nach und nannte den Namen von Miss Carter.

»Wer ist das?«

»Eine gute Freundin. Sie hat einen Souvenirladen. Er liegt ein Stück die Straße hinauf, dort, wo ich immer meinen Wagen parke. Wir können in den Laden gehen, und sie wird dich mit ihrem Lieferwagen fortbringen.«

»Gut.«

Roscoe sah auf die Uhr. Um die Mittagszeit sollte er sich mit Horowitz treffen. »Wollen wir etwas essen?«

Nach dem Frühstück gingen sie die Via Dolorosa hinauf, wo es ebenso viele Heiligtümer wie Läden gab. Hier hatte man IHN gegeißelt, dort hatte ER das Kreuz fallen lassen, und dort hatte man IHM den Schweiß von der Stirn gewischt ... Die Touristen zückten ihre Fotoapparate, und ein aufdringlicher Araber versuchte, Roscoe eine Dornenkrone zu verkaufen. Claudia war nachdenklicher Stimmung, aber Roscoe war fast übermütig. Nachdem er die Grippe überwunden hatte, war seine gute Laune zurückgekehrt. Der Regen hatte alles saubergewaschen, und Roscoe befand sich in dem glücklichen Zustand, in dem ihm schon die Berührung ihres Arms, den sie bei ihm eingehängt hatte, Vergnügen bereitete. Er wollte nicht glauben, daß das Glück ihn verlassen könnte.

Miss Carter war eine ältere Amerikanerin mit ausdrucksvollen Augen, die die Politik der Israelis in den besetzten Gebieten empört ablehnte. Claudia stellte Roscoe als Journalisten vor. Miss Carter bot ihm an, ihn nach Hebron mitzunehmen, wo sie ihn mit einem Ehepaar bekannt machen wollte, dessen Haus zerstört worden war, weil der Sohn sich den Fedajin angeschlossen hatte. Sie sollte sich erkundigen, was diese Leute am dringendsten brauchten, weil sich eine private Hilfsorganisation ihrer annehmen wollte. Roscoe war gern bereit mitzufahren, und schon nach zehn Minuten saß er unter der Plane ihres Lieferwagens. Er erklärte, er wolle nicht beobachtet werden, und Miss Carter hielt das für eine vernünftige Vorsichtsmaßnahme. Sie sagte, nur sehr wenige Journalisten seien vernünftig und mutig genug, sich nicht den Anweisungen der Israelis zu fügen.

Als sie die Stadt verlassen hatten, setzte sich Roscoe zu ihr ins Führerhaus. Sie kamen an Bethlehem vorbei und fuhren in südlicher Richtung nach Hebron weiter. Von dort nahm Roscoe ein Taxi nach Beersheba, wo Horowitz in dem mit Tarnfarbe angestrichenen Lastwagen auf ihn wartete.

Roscoe war erschüttert zu sehen, wie Horowitz sich verändert hatte. Er war aufgedunsen und hatte allen Schwung verloren. Sie begrüßten sich als Freunde, hatten sich aber kaum etwas zu sagen.

Von Beersheba fuhren sie nach Osten über eine leicht gewellte Ebene. Wieder tauchten die Beduinen mit ihren Kamelen auf. Dann kamen sie an dem streng bewachten israelischen Atomforschungszentrum Dimona vorbei und fuhren hinunter zur Salzgewinnungsanlage bei Sodom, wo sie sich nach Süden wandten und parallel zum Jordan der Grenze folgten. Nichts ging schief. Anhalter ließen sie stehen. Auf dem Weg nach Süden gab es nirgends eine Kontrolle. Die Straße stieg fast unmerklich bis auf Seehöhe an und führte an den Kupferminen des Königs Salomon vorbei, die Moses seinem Volk versprochen hatte.

Am späten Nachmittag kamen sie in Eilat an, parkten den Lastwagen und gingen am Strand bis zur Grenze, die die Stadt von Aqaba trennte und wo die Stacheldrahtrollen bis ins Wasser hinausreichten. Drüben hockte Walid wie verabredet im Sand. Sie gaben ihm das Zeichen, gingen zum Lastwagen zurück und fuhren zu einem Restaurant, wo Roscoe sich etwas zu essen bestellte, während Horowitz ihm schweigend zusah. Das Wasser war ruhig wie immer, und nirgends war ein Schiff oder ein Boot zu sehen. Am israelischen Strand kampierten Hippies, und in einiger Entfernung sah man die Zelte eines Grenzpostens. Roscoe beobachtete, wie die beiden Streifenboote abfuhren. Er kaufte sich eine Flasche Whisky, und gegen 22.00 Uhr brachen sie auf. Sie fuhren die Küste entlang zum Treffpunkt. Dort stellten sie das Fahrzeug im Gebüsch ab und gingen zu einer schmalen Bucht hinunter, die von der Straße aus nicht zu sehen war. Es war eine stille, dunkle, mondlose Nacht.

Sie gingen bis ans Wasser hinunter und setzten sich auf die dort herumliegenden großen Steine, um zu warten. Horowitz sagte nichts. Roscoe nahm ab und zu einen Schluck aus der Whiskyflasche und dachte an Claudia, von der er annahm, daß sie zu Bett gegangen war und sich in Sicherheit befand. Hier im Dunkeln am Golf von Aqaba stellte er sich vor, wie sie ihn auf dem Bahnsteig von Saltfleet-in-the-Marsh an dem von grünen Büschen umstandenen Lincolnshire-Bahnhof empfangen würde. Das Bild stand ihm deutlich vor Augen. Er glaubte fest an sein Glück.

5. Sackgasse

Aber Claudia befand sich weder im Bett noch in Sicherheit. Nachdem Yaacov aus einem Bericht des Shin Beth erfahren hatte, daß Roscoe verschwunden war, beschloß er, sie zu vernehmen. Er mußte endlich Erfolg haben — der nächste Fehlschlag konnte sich katastrophal für ihn auswirken. Saladin und Horowitz hielten sich noch versteckt. Bassam hatte geschwiegen. Roscoe hatte sich seinen Verfolgern entzogen, und wenn es ihm gelang, die kleine Kampfgruppe nach Israel einzuschleusen, mußte man mit allem rechnen. Nach der Festnahme von Bassam bestand die Möglichkeit, daß sie auf einem anderen Weg ins Land kamen und ihren Aktionsplan änderten. Ja, man konnte sagen, Saladin hatte, ohne etwas zu tun, eine Trumpfkarte gezogen.

Aber Yaacov behielt einen klaren Kopf. Er besprach die Sache mit Ariel, und sie beschlossen, drei Dinge zu tun.

Erstens mußte Bassam Owdeh in aller Härte nach den Regeln verhört werden, die für gewisse Sicherheitskräfte und die Armee galten. Ariel selbst wollte die Vernehmung leiten und Tag und Nacht dabeibleiben, bis sie beendet war. Auch Yaacov würde sich, soweit es die Zeit erlaubte, daran beteiligen. Er würde die Rolle des freundlichen Mannes spielen, Ariel die des harten. Dabei wollten sie sich in der üblichen Weise abwechseln. Owdeh befand sich jetzt in der Hauptwache der Jerusalemer Polizei. Hier hatte sich niemand aus seiner Aussage einen Reim machen können. Deshalb hätte er eigentlich nach Sarafand gebracht werden müssen, aber weil das für Yaacov sehr unbequem war, schlug Ariel vor, ihn in den »Alcatraz« zu bringen, der schon entsprechend eingerichtet war. Yaacov war einverstanden, und so geschah es dann auch.

Der zweite Punkt betraf die Straßensperren. Es mußten jetzt bestimmte Defensivmaßnahmen eingeleitet werden. Yaacov glaubte nicht, daß es Roscoes Männern gelingen würde, die Grenze zu überschreiten. Wenn sie jedoch den Versuch unternahmen, dann sicher zwischen Eilat und Jericho. Man konnte ihnen dort den Weg mit nur drei Straßensperren verlegen. Eine davon mußte zwischen Jericho und Jerusalem, die zweite bei Dimona und die dritte westlich von Arad errichtet werden. Das geschah gegen 14.00 Uhr. Als sich die dabei verwendeten Einheiten bei Yaacov in Beit Agron meldeten, trug er ihre genauen Positionen auf einer Karte ein. Er war überzeugt, daß Roscoe, wenn er sich zu diesem Zeitpunkt zwischen Jericho und Eilat aufhielt, in der Falle saß.

Yaacovs dritte Entscheidung, die er am Spätnachmittag getroffen hatte, war, Claudia Lees zu vernehmen; das konnte auf keinen Fall schaden. Da sie wußte, daß sie beobachtet wurde, würde sie seine Agenten nicht zu Saladin führen. Andererseits konnte man sie gegen Bassam verwenden. Verdächtige sagten eher aus, wenn sie zu zweit waren. Man konnte sie gegeneinander ausspielen und behaupten, der andere habe gestanden, und alles Leugnen sei nutzlos. Yaacov gab daher den Befehl, Claudia in das oberste Stockwerk des »Alcatraz« zu bringen, wo Bassam bereits in die Mangel genommen wurde.

Aber dann erlebte Yaacov den zweiten Schock. Der Shin Beth hatte nicht nur Roscoes Spur verloren, er wußte auch nicht, wo Claudia war. Sie war in der Altstadt verschwunden, ebenso der Agent, den man auf ihre Spur gesetzt hatte.

Nachdem sie sich von Roscoe verabschiedet hatte, war Claudia zur Mission zurückgegangen, um dort zu arbeiten. Am Spätnachmittag kam ein junger Araber in europäischer Kleidung, der eine Stahlbrille trug, in ihr Büro. Er lehnte sich über ihren Schreibtisch und flüsterte ihr zu, er habe eine wichtige Botschaft für Saladin. Sie fragte ihn nach seinem Namen, und er stellte sich als Adnan Khadduri vor.

Claudia wurde es heiß und kalt. »Was wünschen Sie?« sagte sie.

»Ich muß Sie sprechen.«

»Nicht hier.«

»Nein«, sagte Adnan, »bitte kommen Sie mit.«

»Dieses Haus wird beobachtet.«

»Das wissen wir. Machen Sie sich keine Sorgen.« Adnan lächelte vielsagend.

Claudia versuchte, ruhig zu bleiben. Sie hatte keine Möglichkeit zu fliehen, aber solange sie in der Mission blieb, konnte ihr nichts geschehen. »Mit der Volksfront wollen wir nichts zu tun haben«, sagte sie.

Adnan tat überrascht. Er setzte sich und ärgerte sich scheinbar über dieses sinnlose Parteiengezänk. »Wir stehen auf derselben Seite«, sagte er nach einer Pause.

»Nicht ganz.«

»In Beirut vielleicht nicht, aber hier gibt es nur einen Feind. Wir müssen zusammenarbeiten, Miss Lees. Sie sind in Gefahr.«

»Können Sie mir größere Sicherheit bieten?«

»Bei uns sind Sie unter Freunden. Und wenn Sie Ihren Freund Stephen Roscoe schützen wollen, dann kommen Sie mit.«

»Ist das eine Drohung?«

»Nein, nein — es ist eine Warnung. Verstehen Sie doch, man wartet auf ihn.«

»Wer?«

»Die Israelis haben Straßensperren errichtet. Wenn er versucht zurückzukommen, wird er getötet.«

Claudia zögerte. »Wissen Sie das genau?«

Adnan nickte. »Meine Informationen sind zuverlässig.«

Claudia schien überzeugt. »Gut«, sagte sie, »warten Sie draußen auf mich. Ich komme in einer Minute nach.«

Adnan erklärte sich nach einigem Zögern bereit, das Zimmer zu verlassen.

Claudia versuchte, ruhig nachzudenken. Sie wagte nicht, ans Telefon zu gehen. Davor hatte Roscoe sie gewarnt. Die Mission würde sehr bald schließen, und dann wäre sie in ihrer Wohnung allein. Die Leute von der Volksfront waren keine Freunde Saladins. Andererseits hatte sie den Eindruck, daß Adnan die Wahrheit sagte. Sie glaubte nicht, daß er ihr etwas antun würde. Deshalb schloß sie ihre Papiere in den Schreibtisch ein und ging zu ihm hinunter auf die Straße.

»Bleiben Sie in meiner Nähe«, sagte er und lächelte.

Claudia tat, was er verlangte, und gewann mehr Zutrauen zu ihm, da sie wußte, daß ein israelischer Agent ihr folgte.

Sie gingen den Berg hinunter und kamen aus den von der Sonne beschienenen Straßen unterhalb des Neuen Tors in das dunkle Gewirr der überdachten engen Gassen der alten Araberstadt. Händler und Touristen drängten sich um sie. Alles ging so schnell, daß Claudia kaum merkte, was geschah. Sie folgte Adnan durch eine Tür in einen engen Gang und an eine Steintreppe, die ins Dunkle hinunterführte. Dicht an der Wand standen zwei Männer. Einer von ihnen packte sie und zog sie die Stufen hinunter. Der andere war Zeiti. Er hatte eine Pistole mit einem langen Lauf in der Hand, die er an seine Brust preßte. Als Claudia an ihm vorbeigezerrt wurde, sah er sie nicht an und sprach kein Wort. Adnan sagte etwas auf arabisch und ging wieder hinaus auf die Straße. Als Claudia protestieren wollte, legte ihr jemand die Hand auf den Mund. Jetzt war sie unten an der Treppe angekommen und wurde fest gegen die Wand gedrückt. An der Tür oben erschien ein Schatten und stürzte mit einem Aufschrei hinunter. Der Israeli, der Claudia verfolgt hatte, lag zu ihren Füßen. Zeiti stürzte ihm nach. Der Israeli hatte sich halb aufgerichtet, fiel aber mit einem Aufschrei zurück, als Zeiti ihm ins Gesicht trat. Eine Pistole fiel auf den Boden. Der Mann bewegte sich. Zeiti trat zum zweitenmal nach ihm und zog ihn dann am Kragen durch eine weitere Tür. Claudia und der Mann, der sie die Treppe hinuntergeschleppt hatte, folgten. Die Tür wurde zugeschlagen, und Zeiti schaltete das Licht ein, eine einzelne, von der Decke herabhängende Birne. Der Israeli lag mit dem Gesicht nach unten auf dem Boden und bewegte sich leicht. Zeiti hob ihn auf, setzte ihn mit dem Rücken gegen einen Sack und schoß ihm durch die Brust. Dann zerrte er ihn in eine Ecke des Raums, wo der Körper zuckend liegenblieb. Adnan kam herein und sagte etwas zu dem Mann, der Claudia festhielt. Dieser ließ sie los und ging aus dem Zimmer die Treppe hinauf. Adnan schloß die Tür, Zeiti steckte seine Pistole weg und zündete sich eine Zigarette an. Claudia sank auf den Boden. Adnan rückte ihr einen Sack zurecht, auf den sie sich setzen konnte. Es dauerte einige Zeit, bis sie fähig war, ein Wort zu sagen. Adnan erzählte ihr, er und Zeiti seien von Syrien über die Grenze gekommen. Sie beteiligten sich an einem von der Volksfront und dem »Schwarzen September« gemeinsam geplanten Unternehmen. Jetzt wollten sie sich Saladin anschließen. Sie brauche ihnen nur den Aufenthaltsort von Saladin zu nennen.

Vor dem sanften Adnan fürchtete sich Claudia am meisten. Seine Verschlagenheit schockierte sie fast noch mehr als die kaltblütige Ermordung des Israeli durch Zeiti. Sie konnte kaum glauben, was sie eben mit angesehen hatte, und noch nach Stunden rechnete sie fest damit, daß Roscoe im nächsten Augenblick mit der Pistole im Anschlag hereinstürmen würde.

6. Am Golf

Roscoe wartete am Golf von Aqaba auf seine Männer. Das Verhalten von Horowitz beunruhigte ihn. Der Mann schien verzweifelt zu sein. Seit sie sich in Beersheba getroffen hatten, hatte Horowitz kaum ein Wort gesagt, und während sie in der Dunkelheit am Wasser saßen und darauf warteten, daß das leise Geräusch der Paddel im Wasser zu hören war, konnte Roscoe die ängstliche und zugleich feindselige Stimmung dieses Mannes fast mit Händen greifen.

»Nehmen Sie einen Schluck«, sagte er und hielt ihm die Whisky-flasche hin.

Keine Antwort.

Roscoe schüttete den Rest ins Wasser. Er hatte genug. Aber irgend etwas mußte mit Horowitz geschehen.

»Sie bereuen es jetzt, nicht wahr?«

Horowitz antwortete nicht. Zusammengekrümmt saß er auf seinem Stein. Anderthalb Kilometer weiter im Norden leuchteten die Lichter von Eilat und Aqaba über dem Golf.

»Ich habe gesagt, Sie bereuen es jetzt.«

Neben dem leisen Plätschern der Wellen konnte Roscoe kaum hören, wie Horowitz die Frage bejahte.

»Ich kann das verstehen.«

»Können Sie das wirklich?«

»Ja, ich glaube schon.«

»Ich glaube nicht«, murmelte Horowitz. »Ich glaube, Sie können nicht verstehen, was das für mich bedeutet.«

»Ich erinnere mich genau an alles, was Sie im Kibbuz gesagt haben. Mir hat es Eindruck gemacht, als Sie sagten, Israel dürfe nicht zerstört werden.«

»Aber es ist Ihr Auftrag zu zerstören. Sie sind Soldat.«

»Ich glaube, wir werden etwas Neues aufbauen. Sie haben selbst gesagt, Sie wollten sich daran beteiligen, um Ihrem Volk zu helfen.«

»Das war die Theorie — und theoretisch ist das schön und gut. Aber in der Praxis bedeutet es wieder nur dasselbe.« Horowitz schleuderte einen Stein ins Wasser. »Diese Leute, auf die wir hier warten — worin unterscheiden sie sich denn von denen, die uns täglich angreifen, die unsere Frauen und Kinder ermorden?«

»Natürlich unterscheiden sie sich von ihnen. Gott weiß, was in ihren Köpfen vorgeht, aber sie stehen unter meinem Kommando. Niemandem wird etwas geschehen, wenn ich es verhindern kann.«

»Wenn Sie es verhindern können!« Horowitz schnaubte verächtlich. »Ach, ihr Engländer seid solche Heuchler! Ihr wollt immer eure saubere Weste behalten. Ihr behauptet, fair zu sein, aber das seid ihr schließlich immer nur euch selbst gegenüber.« Wieder warf er zornig einen Kiesel ins Wasser. »Was, glauben Sie, bedeutet es, ein Jude zu sein? Das können Sie nicht wissen. Deshalb wurde der Staat Israel geschaffen — um uns vor Leuten wie diesen zu schützen und vor Leuten wie Sie. Deshalb frage ich mich, was ich hier noch zu tun habe.«

Horowitz fügte ein paar hebräische Worte hinzu. Vielleicht war es ein Fluch. Roscoe sah ein, daß es keinen Zweck hatte, mit ihm zu sprechen. Die Stimmung, in der sie sich im Kibbuz begegnet waren, war längst verflogen. Wenn es darauf ankam, war eben das Blut stärker als die Vernunft, und Saladin würde ebensowenig Erfolg haben wie die armen frommen Briten oder alle neutralen Organisationen, weil die an der Auseinandersetzung beteiligten Kräfte zu stark waren. Zwischen der Angst der Juden und dem Stolz der Araber war für Kompromisse kein Platz.

Schon seit Wochen hatte er das gespürt, und jetzt war es zur Überzeugung geworden, die ihm jede Hoffnung nahm. Er hätte ebensogut alles hinwerfen und nach Hause gehen können.

»Na schön«, sagte er, »ob es uns gefällt oder nicht, hier sind wir aufeinander angewiesen. Lassen Sie uns die Sache um Gottes willen so gut machen, wie es geht, und später darüber reden.«

»Lassen Sie Gott aus dem Spiel.«

»Wie Sie wollen. Dann eben im Namen Ihres verdammten Volkes.« Roscoe sah auf die Uhr. »Es ist Zeit für das Leuchtzeichen. Haben Sie die Taschenlampe?«

Horowitz reichte sie ihm schweigend hinüber. Das Signal war ein schmaler grüner Lichtstreifen. Er ging in eine Höhle am Fuß der Klippen und schaltete die Lampe ein. Dann richtete er sie mit dem Kompaß auf die verabredete Stelle, an der die beiden Schlauchboote auf sie zukommen sollten. Anschließend kletterte er über die Steine zurück ans Wasser, um zu warten. Sie setzten das Gespräch nicht mehr fort.

Der Golf vor ihnen war ein schwarzes Loch. Man konnte die Trennungslinie zwischen Wasser und Land nicht ausmachen. Nur an den Sternen sah man, wo der Himmel anfing. Roscoe wußte, daß die israelischen Streifenboote bestimmte Zeiten einhielten. Das eine kontrollierte die Hafeneinfahrt, während das andere draußen im Golf blieb. Nazreddin hatte vor, das Boot draußen mit einem jordanischen Streifenboot abzulenken, während Mukhtar mit abgestelltem Motor auf einem festgelegten Kurs zwischen beiden hindurchfuhr, bis er das grüne Licht sah. Wenn etwas schiefgegangen wäre, dann müßte man auf dem Wasser irgendeine Bewegung wahrnehmen können.

Mukhtars Schlauchboote konnten nicht mehr weit sein. Die größte Gefahr kam von dem israelischen Beobachtungsposten auf dem Turm, der 300 Meter weiter südlich auf den Klippen stand. Der Suchscheinwerfer hatte ein paarmal die Wasserfläche abgetastet, war aber jetzt abgestellt. Es war genau 22.55 Uhr. Sie hatten noch fünf Minuten Zeit. Roscoe hielt den Atem an, um auch das geringste Geräusch zu hören — und dann waren sie plötzlich da: pünktlich auf die Minute tauchten die beiden Boote hintereinander aus der Dunkelheit auf. Roscoe sah, wie die Paddel ins Wasser tauchten. Ein Stein fiel ihm vom Herzen. Rasch lief er in die Höhle zurück, schaltete die Stablampe aus und zeigte ihnen dann den Weg bis zu einer Stelle unterhalb der Straße. Dabei watete er bis zu den Knien ins Wasser, schüttelte den Männern die Hände und klopfte ihnen auf die Schultern. Ihre Gesichter konnte er nicht sehen. Er hörte nur ein paar leise geflüsterte arabische Worte. Unter Mukhtars Anleitung wurden die Schlauchboote an Land gezogen, entladen, die Luft wurde aus ihnen herausgelassen, dann wurden sie zusammengepackt und in der Höhle versteckt. Alles geschah mit der Präzision und Schnelligkeit einer militärischen Demonstration. Es nahm etwas mehr Zeit in Anspruch, den Sprengstoff und die Ausrüstung auf den Lastwagen zu verladen. Das Material mußte auf einem steilen, gewundenen Pfad den Hang hinaufgebracht werden, und jedesmal, wenn ein Fahrzeug auf der Straße vorbeifuhr, unterbrachen sie ihre Arbeit. Walid übergab Roscoe ein Bündel — es war der Browning und die israelische Uniform. Unten am Strand zog Roscoe sich um. Mit dem letzten Mann kam er hinauf zum Wagen. Ibrahim setzte sich ans Steuer, Horowitz daneben. Roscoe saß mit den anderen auf der Ladefläche am Rückfenster. Als sie abfuhren, zündete sich jeder eine Zigarette an.

Die Fahrt ging glatt vonstatten, und sie begegneten keinen anderen Fahrzeugen. Im Morgengrauen waren sie am Toten Meer. Die Salzkristalle glitzerten wie Eis, als die ersten Sonnenstrahlen die Mauern der links von ihnen gelegenen Festung Masada beleuchteten. Am nördlichen Ausläufer des Toten Meeres verlangsamte Ibrahim das Tempo, um sich die Fluchtroute anzusehen, eine Fahrspur, die zum Grenzzaun hinunterführte. Dann sahen sie Jericho liegen und bogen nach rechts in das verlassene Flüchtlingslager Aqabat Jabr ein. Sie fuhren über die holperigen Straßen bis zu dem Haus, das Bassam ihnen angegeben hatte.

Es war eine alte, aus Hohlblocksteinen gebaute und mit rostigem Wellblech gedeckte Garage der UNWRA. Einige Blechplatten fehlten, und durch die rechteckigen Löcher schien die Sonne auf den mit Unrat bedeckten Boden — ein wenig angenehmer Aufenthaltsort, aber für ihre Zwecke wie geschaffen. Fuad und der Zigeuner übernahmen die Wache, während Ibrahim das Fahrzeug in eine Ecke der Garage zurücksetzte, wo es entladen wurde. Horowitz hielt sich abseits. Keiner der Araber hatte mit ihm gesprochen. Keiner achtete auf den anderen, und doch machten sie den Eindruck einer geschlossenen Einheit. Sie hatten jetzt alle ihre grünen israelischen Uniformen an. Der einzige Israeli war von den Arabern nicht zu unterscheiden.

Während Mukhtar und Ibrahim das Fahrzeug entluden, legte Walid alles nebeneinander auf den Boden, und Roscoe sah sich jeden Gegenstand genau an. Nichts war beschädigt oder naß geworden. Dann versammelte er die Männer im Kreis um sich und gab ihnen genaue Verhaltensvorschriften. Er teilte die Wachen

ein, befahl, die Waffen zu reinigen, die Sprengladungen vorzubereiten, und regelte jede Einzelheit für den Fall, daß sie gestört
würden. Er freute sich über das disziplinierte Verhalten der
Männer in der Nacht und sagte es ihnen durch Walid als Dol-
metscher. Roscoe hatte festgestellt, daß sie nach der Landung
schweigsam und nervös gewesen waren. Aber jetzt unterhielten
sie sich angeregt über das bestandene Abenteuer. Roscoe war
überzeugt, daß sie sich bald beruhigen würden. Die größte Gefahr
war überstanden. Wenn Bassam durchhielt, konnte es keine besonderen Schwierigkeiten mehr geben. Und wenn man Bassam vergessen wollte, mußte man etwas zu tun haben.

Zu tun gab es reichlich. Zu den Fertigkeiten des Zigeuners
gehörte es, ein Feuer ohne Rauch zu machen. Er brühte Tee,
während die anderen die Sprengsätze vorbereiteten, die Drähte
an den Zündern befestigten und sie in die Plastexladungen drückten. Dann wickelten sie die Verlängerungsdrähte sorgfältig zusammen und steckten sie in die Säcke. Roscoe überprüfte die Zündvorrichtungen und Sprechfunkgeräte, die Stablampen und das
Funkgerät, das ein kurzes Antwortsignal von Nazreddin in Jordanien empfing. Schließlich breitete er die Baupläne des »Alcatraz«
aus und sprach das ganze Unternehmen noch einmal durch.
Horowitz sah schweigend zu. Am Nachmittag legten sie sich
schlafen. Gegen 17.00 Uhr fuhr Roscoe nach Jericho und rief Saladin an, der ihm sagte, Giscard habe sich den »Alcatraz« angesehen
und gemeldet, alles sei in Ordnung. Er habe schon einen neuen
Wagen gemietet. Jetzt sei Giscard zum Frauenzentrum der
UNESCO nach Ramallah gefahren, werde aber noch vor der
Pressekonferenz zurück sein.

»Dann wären wir soweit«, sagte Roscoe.

»Ja, es ist soweit. Viel Glück, Stephen.«

»Gleichfalls.«

»Wir sehen uns bald.«

Roscoe fuhr ins Lager zurück. Dort beluden sie das Fahrzeug,
ließen aber einiges in der Garage. Nachdem Roscoe die Ladung
überprüft hatte, fuhren sie ab.

324

7. Der Anschlag

Am Mittwoch, dem 8. November, um 17.30 Uhr verließ Saladins Kommando die Garage in Aqabat Jabr und machte sich auf den Weg zum Anschlag gegen den »Alcatraz«. Auf dem Dodge-Lastwagen waren 800 Pfund Plastex verladen. Welche ungeheure Energie bei der Detonation frei werden würde, läßt sich vorstellen, wenn man bedenkt, daß die stärksten von Terroristen verwendeten Bomben selten mehr als 20 Pfund wiegen. Die sechzehn Säcke, in die der Sprengstoff verpackt war, lagen hinter dem Fahrerhaus neben der übrigen Ausrüstung und wurden von dem mit einem Uzi-Schnellfeuergewehr bewaffneten Fuad bewacht. Der Laderaum des Dodge war mit einer verblichenen Plane abgedeckt, und darunter saßen, ebenfalls mit Schnellfeuergewehren ausgerüstet, Walid und der Zigeuner. Walids Aufgabe war es, auf mögliche Verfolger zu achten.

Sie alle trugen israelische Uniformen, und das Fahrzeug glich den Kleinlastwagen der israelischen Armee, die man täglich auf den Straßen in den besetzten Gebieten beobachten konnte.

Ibrahim saß am Steuer. Neben ihm auf dem Vordersitz hatte wie in der Nacht zuvor Horowitz seinen Platz. Auch Roscoe war vorn, hatte sich aber auf den Boden neben den Schalthebel gesetzt. Links von ihm lag Ibrahims Schnellfeuergewehr, und rechts am Gurt trug er seinen Browning im Halfter. Er konnte gerade noch durch die Windschutzscheibe und nach rückwärts durch das Rückfenster des Führerhauses, aus dem das Glas entfernt worden war, bis zu Walid sehen.

Sie fuhren jetzt auf derselben Straße, auf der Claudia ihn von der Grenze nach Jerusalem gebracht hatte. Die Sonne stand schon tief, und der Verkehr am späten Nachmittag nach Arbeitsschluß war rege. An der Straßengabelung bog Ibrahim nach rechts in Richtung Jerusalem ab, und als es in die Berge hinaufging, lehnte sich Roscoe zurück und sah auf die Benzinuhr. Nach einer Kurve lag Yaacovs Straßensperre plötzlich vor ihnen.

Roscoe setzte sich mit einem Ruck auf. Ibrahim trat auf die Bremse, hatte aber keine Möglichkeit mehr, seitlich von der Straße abzubiegen. Langsam fuhr er an die Schlange wartender Fahrzeuge heran. Roscoe rief Walid eine Warnung zu, und Horowitz begann zu zittern.

Sie hatten vereinbart, daß Horowitz bei einer Kontrolle seine Reservistenpapiere vorzeigen und sagen sollte, sie kämen von einer Übung. Würde er das jetzt auch tun? Roscoe war sich dessen nicht sicher. Wahrscheinlich würde Horowitz kein Wort herausbringen können und einfach abwarten, was geschah.

Horowitz benahm sich wie ein Schlafwandler vor dem Abgrund. Weder wollte er die Katastrophe heraufbeschwören noch etwas unternehmen, um sie zu verhindern. Die Entscheidung lag daher bei Roscoe. Er hatte nur noch sehr wenig Zeit. Etwa zwölf Fahrzeuge warteten vor ihnen, und die Schlange wurde ständig kürzer. Ibrahim fuhr langsam weiter. Horowitz zitterte immer noch. Roscoe nahm die Pistole aus dem Halfter, zeigte sie Horowitz und sagte sehr deutlich:»Wenn Sie Mist machen, werde ich schießen. Halten Sie sich an Ihre Anweisungen.«

Horowitz sah die Pistole überrascht an. In seinem Gesicht spiegelten sich die widersprüchlichsten Gefühle. Er lächelte und sah zugleich erschreckt und gleichgültig aus. Roscoe wurde im gleichen Augenblick klar, daß er einen Fehler gemacht hatte. Er würde diesem Mann den größten Gefallen tun, wenn er ihn tötete. Mit dieser Drohung war die Wahrscheinlichkeit, daß Horowitz überlief, nur größer geworden. Einen Augenblick lang wußte Roscoe nicht, was er tun sollte. Er blickte zur Kontrollstelle hinüber. Vor ihm standen noch vier Fahrzeuge. Eines davon war ein Bus. Impulsiv faßte Roscoe einen Entschluß. Er richtete sich auf, riß das Lenkrad nach links und rief Ibrahim zu:»Fahr vorbei!« Ibrahim gehorchte automatisch, und bevor er noch begriffen hatte, was geschah, überholte er die Schlange. Roscoe drückte auf die Hupe. »Weiter! Schneller!« Ibrahim gab Gas. Es war nur eine gewöhnliche Kontrolle, und es standen keine Hindernisse auf der Straße. Die Soldaten, die die Fahrzeuge kontrollierten, sahen überrascht auf und winkten den Dodge mit einem lässigen Gruß vorbei. Roscoe winkte zurück, kam dabei mit dem Gesicht aber nicht zu nah ans Fenster. Nach der nächsten Kurve erhöhte Ibrahim das Tempo, und sie fuhren ohne weiteren Aufenthalt nach Jerusalem.

Roscoe steckte die Pistole wieder ins Halfter zurück. In diesen wenigen Sekunden hatte er die Uniform durchgeschwitzt. Nun nahm er die Karte heraus, rief Walid ans Rückfenster des Führerhauses und zeigte ihm einen Umweg über Ramallah für die Rückfahrt nach Jericho. Roscoe sagte, er solle sich dann neben Ibrahim setzen und sich bei einer eventuellen Straßenkontrolle ebenso verhalten — hupen, winken und weiterfahren. Walid nickte, steckte die Karte ein und begab sich wieder an seinen Platz.

Auf der in die Berge hinaufführenden Straße fuhren sie in die Abenddämmerung hinein. Horowitz hatte sich beruhigt. Zunächst schwieg er eine ganze Weile. Dann schnalzte er mit der Zunge und lächelte. »Sie sind schlau, Roscoe.« Er schüttelte den Kopf, und sein Lächeln wurde breiter. »Schlau, schlau!« Dann klopfte er auf Roscoes Pistole. »Aber Sie hätten nicht geschossen.«

»Woher wollen Sie das wissen?«

»Sie haben sie nicht einmal durchgeladen.«

»Sie sind auch nicht auf den Kopf gefallen«, sagte Roscoe. Beide lachten. Jetzt, in der elften Stunde, kam eine Stimmung auf, die sie an ihr Zusammensein im Kibbuz erinnerte. Beide dachten an Bassam. Roscoe fragte, wie man ihn wohl behandeln würde, und Horowitz meinte, er wolle lieber nicht daran denken. »Ich fürchte, in dieser Abteilung gibt es ein paar recht unangenehme Leute.«

»Haben Sie einmal etwas mit ihnen zu tun gehabt?«

»Nein. Ich war kein besonders guter Soldat. Ich habe nur in der Schreibstube gesessen.«

Roscoe kannte die Vernehmungsmethoden aus eigener Erfahrung und wußte, daß dabei alles möglich war. Nur schwere Körperverletzung wurde vermieden. Die Israelis würden wahrscheinlich weitergehen als die Briten in Nordirland. Das Ziel solcher Verhöre war es, die Leute in Angst und Schrecken zu versetzen. Dabei kam es weniger darauf an, sie körperlich zu quälen. Zu diesen Methoden gehörte es, den Gefangenen nicht schlafen zu lassen. Er wurde nackt ausgezogen und mußte stehen, bis er zusammenbrach, um dann wieder auf die Beine gerissen zu werden. Das konnte Stunden dauern. Er wurde in einem kleinen Raum von zwei oder drei Leuten pausenlos angeschrien und manchmal in genau berechneten Dosierungen körperlich mißhandelt. Er wurde hin und her gestoßen, mit der Hand oder kurzen Gummiknüppeln auf empfindliche Körperstellen geschlagen, an den Haaren oder Ohren gerissen, in die Hoden gekniffen oder mit obszönen Beschimpfungen bedroht. Man zog ihm eine Kapuze über den Kopf, damit er die Orientierung verlor, und die ganze Zeit ging das Verhör weiter, wobei Brutalität und Milde einander abwechselten. Als Begleitmusik hörte er auf Band aufgenommene Schreie aus der Nachbarzelle und Schüsse vor dem Fenster. Es gab ungezählte Methoden dieser Art bis zur Verwendung von Drogen, gegen deren Wirkung sich niemand wehren konnte. Am Schluß würde Bassam reden. Aber vielleicht war sein Widerstand noch nicht gebrochen.

»Alles hängt davon ab, wie ernst sie die Sache nehmen«, sagte Roscoe. »Ich glaube, sie halten uns für recht harmlos.«

Horowitz nickte. Er teilte diese Meinung nicht. »Wollen wir es hoffen.«

Als sie nach Jerusalem kamen, war es schon dunkel. Sie fuhren sofort auf die Anhöhe, auf deren Gipfel der »Alcatraz« stand, und stellten das Fahrzeug an der Hebräischen Universität ab. Dann gingen Roscoe und Horowitz zum »Alcatraz« hinauf und kontrollierten, ob die Arbeitskommandos schon gegangen waren. Mehrere Wagen fuhren fort, einige vom Parkplatz, andere kamen auf der Rampe aus dem Kellergeschoß heraus. Die Lichter im Gebäude gingen eines nach dem anderen aus, und um 18.45 Uhr hatte man den Eindruck, daß niemand mehr zurückgeblieben war. Nur die Treppen und die Halle waren erleuchtet, dazu zwei Fenster im obersten Stockwerk. Hinter den Fenstern ließ sich keine Bewegung feststellen. Auf dem Dach sah man auch noch ein Licht, und Roscoe glaubte, von oben Hundegebell zu hören. Er sagte nichts dazu, sondern machte Horowitz auf den Wachtposten am Haupteingang aufmerksam, der in dem aus der Halle kommenden Lichtschein undeutlich zu erkennen war. Er sagte: »Wir werden saubere Arbeit leisten und jede Aufregung vermeiden. Aber das Leben dieses Mannes liegt in Ihrer Hand. Je näher wir an ihn herankommen können, desto besser wird seine Chance. Das gleiche gilt für den Posten im Kellergeschoß.«

Horowitz nickte, sagte aber nichts. Er zitterte wieder.

»Denken Sie daran, daß Sie die Leute auf hebräisch ansprechen sollen«, sagte Roscoe. »Alles andere überlassen Sie mir. Verstanden?«

»Verstanden.«

»Dann können wir gehen.«

Sie gingen zum Lastwagen zurück, und Horowitz setzte sich allein ins Führerhaus, während Roscoe die Männer einteilte und ihre Waffen überprüfte, die durchgeladen, aber gesichert waren. Er wiederholte eindringlich, niemand dürfe ohne seinen Befehl schießen. Walid übersetzte es. Roscoe wünschte ihnen Glück und setzte sich ins Führerhaus. Ibrahim übernahm das Steuer. Es war jetzt 18.55 Uhr. Sie fuhren an, wendeten nach rechts und bogen nach 300 Metern links in die Zufahrtsstraße ein. Jetzt stand der »Alcatraz« unmittelbar vor ihnen, ein massiver viereckiger Klotz vor dem bestirnten Nachthimmel. Zu ihren Füßen breitete sich der Lichterteppich der Stadt aus.

Ibrahim hielt vor dem Eingang, wo noch immer ein Wagen stand. Roscoe und Horowitz stiegen aus. Der Posten kam die Treppe herunter auf sie zu. Er hatte das Gewehr noch über der Schulter hängen und sagte etwas zu Horowitz. Horowitz antwortete. Mit dem gleichen Schlag, den er bei Gessner angewandt hatte, streckte Roscoe den Mann zu Boden, nahm das Schnellfeuergewehr fort und sicherte es. Walid sprang hinzu und hielt dem hingestürzten Soldaten einen mit Chloroform durchtränkten Wattebausch aufs Gesicht. Als der Mann sich nicht mehr rührte, legten sie ihn ins Fahrzeug, wo Fuad ihm den Mund mit Heftpflaster verklebte und ihm Handschellen anlegte, die er an das Gestänge des Verdecks anschloß. Der Zigeuner fesselte ihm die Fußgelenke.

Horowitz stand wie erstarrt daneben. Roscoe sagte, er solle sich wieder in den Wagen setzen. Ibrahim hatte den Motor die ganze Zeit laufen lassen.

Walid übernahm die Stelle des Postens und ging mit einem Funksprechgerät in den Schatten. Für den Fall, daß er angesprochen würde, hatte er ein paar hebräische Worte gelernt.

Roscoe ging mit dem Zigeuner durch den Haupteingang in den Neubau. Die Türen waren nicht verschlossen, es mußte sich also noch jemand im Gebäude befinden. Roscoe hatte keine Zeit, länger darüber nachzudenken. Der Boden in der Halle war erst zur Hälfte mit Fliesen belegt, auf der anderen Hälfte ging man über den rohen Beton. Der Aufzugsschacht war leer. Roscoe sah hinein und bemerkte dort, wie erwartet, eine eiserne Leiter. Er schickte den Zigeuner hinunter und ging zum Fahrzeug zurück. Ibrahim fuhr um die Kisten mit den Aufzügen und die Betonmischmaschinen herum, die Nordseite des Gebäudes entlang und die Rampe hinunter ins Kellergeschoß, das von Neonröhren an der Decke beleuchtet wurde. Am Fuß einer Treppe standen in einer Ecke eine Limousine und ein Armeejeep. Es war also tatsächlich noch jemand im Gebäude. Aber wenn Horowitz die gleiche Vermutung hatte, dann erwähnte er es nicht. Roscoe kümmerte sich nicht darum. Sie fuhren auf den Posten zu, der auf der Treppe saß. Als sie ausstiegen, sprang er erschreckt auf und nahm das Gewehr von der Schulter. Er rief sie an, aber diesmal brachte Horowitz kein Wort heraus. Er hatte Angst. Roscoe ging auf den Mann zu und begrüßte ihn lässig mit »Shalom«. Aber der Posten rief ihn zum zweitenmal scharf an und hob die Waffe. Roscoe blieb stehen. Er sah, wie der Zigeuner aus dem Aufzugsschacht herauskam und sich wie eine Katze hinter dem Rücken des Soldaten heranschlich. Der Posten drehte sich zu spät um. Der Zigeuner hatte ihn schon gepackt. Roscoe sprang zu und ergriff das Schnellfeuergewehr. Der Israeli fiel hin und zerrte mit aller Kraft an seiner Waffe. Roscoe riß sie ihm aus der Hand und schlug mit dem Kolben auf ihn ein. Es gelang dem Mann jedoch, auf die Füße zu kommen, sich loszureißen und auf die Rampe zu laufen. Dort traf er auf Fuad. Der Araber sprang aus dem Fahrzeug und lief wie ein Hundertmeterläufer hinter dem Soldaten her, faßte ihn an der Uniform und warf ihn zu Boden. Er hielt ihn am Oberkörper fest, während der Zigeuner die strampelnden Beine packte. Dann drückte ihm Fuad den Wattebausch aufs Gesicht. Sie legten ihn neben den anderen auf die Ladefläche des Wagens und blieben einen Augenblick stehen, um Atem zu schöpfen. Es war jetzt genau 19.00 Uhr. Seit dem Verlassen des Parkplatzes vor der Universität waren erst fünf Minuten vergangen.

Horowitz schlug die Hände zusammen. Er war den Tränen nahe. Roscoe ging zu ihm und legte ihm den Arm um die Schultern. Er sagte, bisher sei alles glattgelaufen, niemand sei ernstlich verletzt, und dafür müsse man dankbar sein. Horowitz nickte und hatte Mühe, einigermaßen ruhig zu bleiben. Roscoe war überzeugt, daß er jetzt nicht mehr fortlaufen würde, und bat ihn, auf die aus dem Kellergeschoß nach oben führende Treppe zu achten. Horowitz erklärte sich dazu bereit, hängte sich das Gewehr des Postens um und nahm ein Funksprechgerät mit. Als Roscoe das dritte Gerät, das er selbst mitnehmen wollte, aus dem Wagen holte, summte es. Er hörte die Stimme Walids, der berichtete, daß ein Wagen auf den Haupteingang zufuhr. Roscoe wartete gespannt.

Vor dem Eingang blieb Walid im Schatten auf der Treppe stehen, während zwei Israelis, der eine in Uniform, der andere in Zivil, an ihm vorbei in das Gebäude liefen. Walid meldete, daß

die Gefahr vorüber sei, und Roscoe sah auf die Uhr. Es war
19.05 Uhr.

Jetzt war Eile geboten. Roscoe holte eine Zündvorrichtung und
acht Säcke Sprengstoff aus dem Fahrzeug, die für den Aufzugsschacht bestimmt waren. Er erkannte sie an den Magneten, für die
Löcher in das Gewebe geschnitten worden waren. Am Eingang
zum Schacht wurden die Ladungen scharf gemacht. An der Innen-
wand befand sich die Leiter, auf der der Zigeuner heruntergekommen war. An der gegenüberliegenden Wand war eine zweite Leiter.
Roscoe ließ die Männer auf beiden Seiten hinaufklettern, um eine
Kette zu bilden. Er selbst stieg ganz nach oben. Es folgten der
Zigeuner, Fuad und Ibrahim. Dann reichten sie sich die jeweils
56 Pfund schweren Säcke zu. Jeder mußte ein Stück hinaufklettern,
um die schwere Last weiterzugeben. Als Roscoe an der Öffnung
vorbeikam, die in das Erdgeschoß führte, sah er sich in der Halle
nach Walid um, konnte ihn aber nirgends entdecken. Ein Stück
weiter oben, in Höhe der Decke des Erdgeschosses, brachte er die
erste Ladung an. Bei allen Sprengsätzen war es der gleiche
Vorgang. Er drückte die Pole der Magneten gegen die Eisenträger und schaltete den Strom ein. Als die Magneten das Gewicht
hielten, öffnete er den Sack, leuchtete mit der Taschenlampe hinein, nahm die mit den Sprengsätzen verbundenen Drähte heraus
und ließ sie in den Schacht fallen. Die Drähte waren sehr sorgfältig aufgewickelt worden, und an ihren Enden waren Gewichte
angebracht, damit sie sicher nach unten fielen. Bevor er die Säcke
wieder schloß, vergewisserte sich Roscoe, daß die Kapseln fest im
Sprengstoff saßen und die elektrischen Anschlüsse Kontakt hatten.
Dann stieg er zum Zigeuner hinunter, um die nächste Ladung in
Empfang zu nehmen. Es war eine gefährliche Arbeit, die akroba-
tische Geschicklichkeit verlangte, denn die Träger waren stellen-
weise so weit von der Leiter entfernt, daß Roscoe über einen Querträger hinüberbalancieren mußte. Diese Trägerkonstruktion war
die Hauptstütze des ganzen Gebäudes. Roscoe arbeitete mit äußer-
ster Konzentration. Er hatte die Taschenlampe zwischen die Zähne

genommen und dachte an nichts anderes als an die technische Aufgabe, die er hier erledigen mußte. Während der ganzen Zeit war es still im Gebäude, und aus dem Funksprechgerät in seiner Tasche hörte er kein Summen, das ihn hätte warnen sollen.

Um 19.20 Uhr war die Arbeit getan. Die acht wichtigsten Ladungen waren angebracht. Nun nahm Roscoe die Drähte am Boden des Schachts auf — es waren sechzehn schwarze und sechzehn rote — und verband die negativen und positiven Pole mit den Zuleitungen. Als er sich dem Zündkasten zuwenden wollte, horchte er auf. Sie alle konnten die Schritte hören, die — noch ein paar Stockwerke über ihnen — die Treppe herunterkamen. Horowitz und Walid flüsterten ihre Warnung gleichzeitig in die Mikrofone. Roscoe wies sie an, nicht zu nah an die Eingänge heranzugehen und sich ganz natürlich zu verhalten. Er wartete mit den anderen im Schacht. Niemand rührte sich. Die Schritte kamen näher, gingen durch die Halle und dann auf den Haupteingang zu. Es war ein israelischer Major, der sich draußen in seinen Wagen setzte und abfuhr. Er hatte Walid nicht angesprochen, der eine Minute später meldete, daß die Luft rein sei.

Roscoe wandte sich wieder der elektrischen Zündung zu, stellte die Zeituhr ein, drehte den Griff um, drückte auf den Prüfknopf und stellte fest, daß die Zündung funktionierte. Dann schloß er die Leitkabel an die beiden Messingkontakte an und schraubte sie fest.

Damit war die Hauptaufgabe erledigt. Das Anbringen der vier anderen Ladungen an der äußeren Rückwand ging schneller. Sie sollten die beiden starken vertikalen Träger sprengen, die zwar in die Betonmauer eingelassen waren, deren Umrisse man jedoch von außen sehen konnte. Die vier Ladungen wurden mit dem zweiten Zündkasten verbunden und dieser an den ersten im Kellergeschoß mit Drähten angeschlossen, die Roscoe anschließend so gut es ging mit herumliegenden Brettern, leeren Zementsäcken und Bauschutt verdeckte.

Jetzt waren alle Vorbereitungen getroffen. Die Zeiger standen auf 19.30 Uhr. Sie legten die Stablaternen, Werkzeuge, die übrig-

gebliebenen Kabel, einen Reservezündkasten und die Sprechfunkgeräte zusammen mit der Reserve von 200 Pfund Sprengstoff zurück in den Lastwagen. Walid setzte sich auf die Ladefläche. Dann
fuhren sie die Zufahrtsstraße hinauf auf die Höhe, bogen nach
links ab, folgten der zum Ölberg führenden Straße hinunter und
hielten dann.

Roscoe gratulierte den Männern und reichte eine kleine Flasche
Whisky herum, aber nur der Zigeuner trank daraus. Die anderen
rauchten. Walid war der einzige, der weder trank noch rauchte.
Horowitz erklärte ihnen den Weg nach Ramallah, dann stiegen er
und Roscoe aus. Roscoe sagte, sie würden am späten Abend nach
Aqabat Jabr kommen, er könnte aber noch keine bestimmte
Zeit angeben. Er wußte nicht, ob er mit Horowitz in einem Zivil-
fahrzeug durch die Straßensperren kommen könnte, mit denen sie
rechnen mußten. Vielleicht würden sie gezwungen sein, an einer
anderen Stelle über die Grenze zu gehen. Er sagte Walid, wenn sie
bis zum nächsten Abend nicht angekommen seien, sollte er mit den
anderen nach Jordanien gehen, sich aber vorher über Funk bei
Nazreddin melden. Auch wenn sie keine Verbindung bekämen,
sollte er den Übergang wagen, aber zwei Minuten, bevor sie den
Zaun durchbrächen, eine rote Leuchtpatrone abschießen.

Die israelischen Posten sollten sie in Aqabat Jabr zurücklassen, sie
vor der Abfahrt noch einmal chloroformieren und mit den Handschellen an irgendeinen festen Gegenstand anschließen. Im übrigen
sollten sie sie auf keinen Fall mißhandeln. Walid wiederholte seinen Auftrag und schüttelte Roscoe mit stolzem Lächeln die Hand.
Ibrahim startete den Wagen, und sie fuhren ab.

Roscoe und Horowitz gingen in das Wadi el Dschos hinunter.
Von hier sah Roscoe noch einmal zurück zum »Alcatraz«. Jetzt
konnte er sich gut vorstellen, wie der Betonklotz um 21.00 Uhr
zerbarst und in die Tiefe stürzte. Er freute sich darauf und sah auf
die Uhr. Es war 19.50 Uhr.

Am Park International angekommen, gingen er und Horowitz
zuerst auf den Hotelparkplatz, wo Giscard einen britischen Ford

abgestellt hatte, mit dem sie nach Jericho fahren sollten. Unter der Fußmatte holte Roscoe den Schlüssel hervor. Er drehte eine Proberunde und stellte den Wagen wieder am gleichen Platz ab. Dann nahm er eine Leuchtpistole und vier Patronen aus der Uniformbluse und steckte sie in den Stiefel. Schließlich ging er mit Horowitz über die Straße in ein Nebengebäude des Hotels. Dort befanden sich Angestelltenwohnungen, von denen eine Refo unter falschem Namen gemietet hatte. Refo reiste während dieser Zeit ständig zwischen Israel, dem Libanon, Jordanien und einigen westlichen Ländern hin und her. An diesem Tag war er natürlich nicht in Jerusalem. Seit dem 29. Oktober hatte die Wohnung Saladin als Versteck gedient. Für diesen Zweck war sie hervorragend geeignet. Das Hotel lag in einem wohlhabenden, ruhigen Stadtteil, der von Diplomaten und Geschäftsleuten bewohnt wurde, die sich zur Ruhe gesetzt hatten. Es war eine Europäerkolonie mit einigen Geschäften, die weit außerhalb der Stadt lag. Die Bewohner waren angesehene Leute, die nie mit dem Gesetz in Konflikt gerieten, und hier würde Yaacov Saladin zu allerletzt vermuten.

Roscoe hatte Morley gesagt, er werde von einer britischen Parlamentsdelegation eine Einladung bekommen. Diese Delegation gab es tatsächlich. Es war eine der zahlreichen Gruppen, die aus der ganzen Welt schon vor dem 25. Jahrestag der Gründung Israels, der am 14. Mai 1973 begangen wurde, nach Jerusalem kamen. Die Briten sollten am gleichen Abend eintreffen und Abba Eban in der Knesseth einen silbernen siebenarmigen Leuchter überreichen. Die einzige Ungereimtheit in ihrem Programm war diese Pressekonferenz. Die Politiker nahmen an, sie sei von der Botschaft in Tel Aviv arrangiert worden. Die Botschaft glaubte, die Politiker hätten dazu eingeladen. In Wirklichkeit hatte Marsden das Park International von London aus angerufen. Horowitz hatte die Einladungen in Tiberias gedruckt und so zur Post gebracht, daß die Journalisten sie rechtzeitig erhielten, aber doch so spät, daß sie keine unbequemen Fragen mehr stellen konnten. Auch der Zeitpunkt war geschickt gewählt. Das Flugzeug, das die Parlamentarier nach Jerusalem brachte, sollte um 20.40 Uhr in Lod landen. Sie konnten also erst im Park International sein, wenn Saladin schon längst auf dem Weg in den Libanon war.

Aber diese Berechnungen waren, wie das manchmal geschieht, nur in der Theorie richtig, denn Saladin war tot. Er war schon um 20.00 Uhr nicht mehr am Leben, als Roscoe und Horowitz — immer noch in israelischer Uniform — in den vierten Stock des Nebengebäudes hinauffuhren und an seine Wohnungstür klopften.

Roscoe erkannte sofort, daß er in eine Falle geraten war. Die Ruhe im ganzen Gebäude, die beiden Männer in der Halle, die offene Tür am anderen Ende des Ganges — er begriff die Zusammenhänge einen Augenblick zu spät . . .

8. Launen des Kriegsglücks

Die Tür wurde von jemandem offengehalten, den er nicht sehen konnte. In der Wohnung war es dunkel.

Jeder Widerstand war sinnlos. Roscoe erkannte das sofort. Er mußte sich in das Unvermeidliche fügen.

Beim nächsten Schritt fühlte er eine Pistolenmündung im Nacken und blieb stehen. Man nahm ihm den Browning fort, und eine Hand tastete seine Taschen ab. Er hörte, wie Horowitz vor Schreck einen unartikulierten Laut ausstieß. Jemand lief mit gummibesohlten Schuhen den Gang herauf. Überall in der dunklen Wohnung rührte es sich jetzt. Dann schaltete der israelische Offizier, der ihn am Grenzübergang vernommen hatte, das Licht ein.

Mit der Hand am Schalter stand Yaacov da und lächelte triumphierend. »Guten Abend, Mr. Roscoe. Wie ich sehe, sind Sie in die Armee eingetreten.«

Roscoe war nur enttäuscht.

Saladin lag auf dem Sofa. An den Füßen trug er Pantoffeln. Sie waren mit seinem Monogramm bestickt. Ein Arm hing schlaff herab. Er hatte einen eleganten Morgenmantel an. Die Bernsteinspitze lag auf dem Boden.

Yaacov schickte seine Leute aus dem Zimmer. Mit quietschenden Gummisohlen gingen sie hinaus und schlossen die Tür. Horowitz ließ sich auf einen Stuhl fallen, beugte sich nach vorn und legte das Gesicht in die Hände.

Roscoe trat an das Sofa und sah sich die Leiche an. Der Kopf war zur Seite gedreht, die Lippen waren zurückgezogen und ließen die Zähne sehen. Ein Auge stand halb offen. Die Gesichtshaut lag straff über den Backenknochen. Sie war glatt und gelb. Das schwarze Haar war etwas in Unordnung geraten. Ein Geschoß hatte die Brust durchschlagen, der zweite Einschuß lag seitlich im Hals.

Roscoe bückte sich, hob die Zigarettenspitze auf und steckte sie in die Tasche. Dann wandte er sich an Yaacov. »Haben Sie das getan?« Yaacov lehnte jede Verantwortung ab.

»Dann waren es Ihre Leute?«

»Nein.«

»Wer sonst?«

Yaacov nahm eine Zigarettenschachtel aus der Tasche und ließ mit geschickten, leichten Bewegungen das Feuerzeug aufflammen. »Vielleicht kann Miss Lees diese Frage beantworten — wenn wir sie finden.«

Roscoe ließ es sich nicht anmerken, aber er hatte Angst. Er fühlte, wie das Blut in seinen Adern erstarrte. »Was meinen Sie damit?«

Yaacov sagte, Claudia sei im Verlauf des vorangegangenen Abends verschwunden.

Roscoes Befürchtungen wurden zu einem bösen Verdacht. »Aber Ihre Leute haben sie doch ständig beobachtet.«

»Wir haben ihre Spur verloren.«

»Wirklich?«

»Ja.«

»Das glaube ich Ihnen nicht.« Roscoe zeigte auf die Leiche. »Wenn Sie das nicht getan haben, weshalb sind Sie hier?«

»Es wurde mir gemeldet. Wir haben ihn tot aufgefunden.«

»Und dann haben Sie im Dunkeln gewartet.«

»Wir haben auf Sie gewartet«, sagte Yaacov und nickte.

»Schön. Und wer hat ihn erschossen?«

»Ich würde sagen, es waren Araber.«

»Das hätte ich mir denken können, daß Sie das sagen. Und was hat Claudia Lees damit zu tun?«

»Sie ist vom ›Schwarzen September‹ entführt worden.«

Roscoe wehrte sich dagegen, das zu glauben. »Sie sind ein verdammter Lügner«, schrie er. »Wo ist sie?«

Yaacov verlor die Geduld nicht. »Vor drei Tagen«, sagte er, »haben Ahmed Zeiti und Adnan Khadduri die Grenze am Golan überschritten. Dafür haben wir zahlreiche Beweise. Sie und ich wissen, weshalb sie dieses Risiko auf sich genommen haben. Sie wollten Sie an Ihrem Vorhaben hindern, und das konnten sie nur auf ihre Weise tun. Und sie wußten, wo sie Miss Lees finden würden. Stimmt das nicht?«

Roscoe antwortete nicht. Yaacov fuhr fort.

»Sie können es zugeben oder abstreiten, aber ich kann Ihnen zwei Dinge versichern. Zeiti und Khadduri sind in Israel, und Miss Lees wurde von einem Mann, dessen Beschreibung auf Khadduri paßt, aus ihrem Büro entführt. Es gibt Zeugen. Wenn Sie mir nicht glauben, fragen Sie den Geistlichen, für den sie arbeitet.«

Yaacov wies auf das Telefon.

Roscoe schüttelte den Kopf und setzte sich. Er wußte, daß Yaacov die Wahrheit gesagt hatte.

Yaacovs Ton wurde sanfter. »Einer unserer Leute hatte den Auftrag, ihr zu folgen, wie Sie ja festgestellt haben. Wir haben den Mann tot in einem Keller wiedergefunden. Wo sie dann geblieben sind, wissen wir nicht. Ich wünschte, ich könnte es Ihnen sagen.«

»Ich nehme an, sie werden wieder über die Grenze gehen«, sagte Roscoe.

Yaacov schüttelte den Kopf. »Zeiti nicht. Bevor er Israel verläßt, wird er ein paar Juden umbringen wollen.«

»Ja, das ist gut möglich.«

Yaacov zog einen Stuhl heran und setzte sich. »Ich glaube, jetzt wird es allmählich Zeit, daß Sie mir sagen, was Sie hier zu tun hatten.«

Roscoe brauchte Zeit zum Überlegen. »Könnten Sie mir eine Zigarette geben?«

»Natürlich. Nehmen Sie sich eine.«

Yaacov hielt ihm die Packung hin und gab ihm Feuer. Horowitz saß immer noch da und hielt sich den Kopf. Im Zimmer war es still wie in einem Vakuum. Es war möbliert wie alle Dienstwohnungen der ganzen Welt — einigermaßen bequem, aber steril. Kein schöner Ort, um zu sterben.

Yaacov wartete.

Roscoe nahm einen Zug und sah dann auf die Uhr. Es war 20.10 Uhr. Die Lage hatte sich geändert. Deshalb brauchte er einen neuen Plan, und zwar rasch. Er dachte zwei Minuten nach, bevor er etwas sagte.

»Ich möchte Ihnen einen Vorschlag machen.«

Yaacov hob die Augenbrauen und sah ihn überrascht und amüsiert an. »Sind Sie dazu in der Lage?«

»Ich glaube schon.«

»Sehr gut. Ich höre.«

»Erstens«, sagte Roscoe, »habe ich gestern fünf Männer über die Grenze gebracht. Sie sind bewaffnet und verfügen über genug Sprengstoff, um großen Schaden anzurichten. Zweitens haben wir heute ein öffentliches Gebäude in Jerusalem zur Sprengung vorbereitet. Die Zündung ist so eingestellt, daß die Ladungen in fünfzig Minuten detonieren werden.«

Roscoe machte eine Pause, um Yaacovs Reaktion abzuwarten. Der Major blieb ruhig. »Und was haben Sie mir vorzuschlagen?«

»Ganz einfach. Ich werde Ihnen sagen, um welches Gebäude es sich handelt, und meine Männer veranlassen, nichts zu unternehmen, und zwar unter der Bedingung, daß Sie uns freien Abzug gewähren. Damit meine ich uns alle — auch Bassam Owdeh.«

Yaacov wurde bleich vor Wut und stand auf. »Selbst für einen Engländer sind Sie ungewöhnlich anmaßend.«

Er ging zur Tür und rief seine Leute herein. Roscoe und Horowitz wurden mit Handschellen gefesselt und über die Hintertreppe hinausgebracht. Als sie ins Freie traten, sah Roscoe Giscard in einem Wagen auf den Parkplatz kommen. Er sah zu ihnen herüber und fuhr sofort wieder ab. Roscoe und Horowitz mußten sich in einen Kombi setzen. Yaacov und ein zweiter Mann stiegen mit ein, die Türen wurden zugeschlagen und das Licht im Wagen ging an. Der Kombi fuhr in schnellem Tempo mit heulenden Sirenen ab. Yaacov sagte auf hebräisch etwas zu Horowitz und schlug ihn ins Gesicht. Horowitz fiel auf den Boden. Der andere Mann hob ihn auf. Yaacov wiederholte seine Frage und schlug noch einmal zu. Sein Gesicht war wutverzerrt. Aber Horowitz wollte nichts sagen. Auf seiner Wange zeigten sich rote Streifen. Roscoe saß schweigend dabei und überlegte, was er unternehmen könne. Dann bremste das Fahrzeug, und die Türen wurden geöffnet. Man führte sie über eine Treppe und durch Glastüren in ein halbfertiges Gebäude.

Roscoe hätte lachen können. Es war der »Alcatraz«. Yaacov war zu aufgeregt, um sich nach dem Posten umzusehen, der verschwunden war, und er hatte es zu eilig, um auf die Drähte zu achten, die die Sprengladungen miteinander verbanden. Er führte sie die schwach beleuchtete Betontreppe hinauf an dem ersten Stockwerk vorbei, dann in das zweite, das noch nicht verputzt war und wo elektrische Leitungen von der Decke hingen. Sie gingen bis ins achte Stockwerk hinauf, wo die Arbeiten fast beendet schienen. Dort kamen sie in ein Büro: Stahlmöbel, ein gefliester

Fußboden, Leuchtstoffröhren, ein paar Telefone und zwei Männer in Hemdsärmeln. Yaacov schrie sie an. Der eine hatte Kratzer im Gesicht, als sei er von einem Raubtier angefallen worden. Der zweite ging durch eine schwere Stahltür hinaus und kam mit einem dritten zurück. Der Mann war hochgewachsen, hatte ein steinernes Gesicht und einen glattrasierten Schädel. Roscoe kannte diesen Typ.

Yaacov und Ariel sprachen hebräisch miteinander. Ariel blieb einen Augenblick nachdenklich stehen. Dann ging er auf Horowitz zu und schlug ihm mit der Faust in die Leistengegend. Horowitz krümmte sich und fiel auf den Boden. Er winselte wie ein Hund, während Ariel ihm seine Fragen ins Gesicht brüllte und mit den Füßen nach ihm trat.

Yaacov wandte sich an Roscoe. »Es wäre besser, Sie sagten uns, was Sie wissen.«

»Ich habe Ihnen mein Angebot gemacht«, sagte Roscoe.

»Wir könnten mit Ihnen auch so verfahren.«

»Wollen Sie Ihren Freunden schaden?«

»Sie schaden ihnen. Ich versuche, ihnen zu helfen.«

Ariel blickte lauernd vom einen zum anderen. Roscoe stellte fest, daß er kein Englisch verstand.

Yaacov sah auf die Uhr an der Wand. Es war 20.30 Uhr. Wieder wechselte er ein paar Worte mit Ariel. Horowitz wurde aufgehoben und durch die Stahltür hinausgeführt. Hinter der Tür konnte Roscoe eine Treppe sehen, die zum Dach hinaufging. Oben bellte ein Hund, und man hörte ganz in der Nähe die Geräusche einer Fernmeldezentrale — das Piepen eines Funkgerätes und das Klappern eines Fernschreibers. Dann wurde die Stahltür geschlossen, und es war still. Ariel war mit den beiden Männern und Horowitz fortgegangen. Roscoe stand gefesselt in der Mitte des Zimmers. Yaacov setzte sich an einen der Schreibtische. Sie waren allein.

»Das ist dumm«, sagte Yaacov.

»Warum ist es dumm?«

»Wenn Sie ein Gebäude in dieser Stadt zerstören, dann werden Sie jahrelang bei uns im Gefängnis sitzen.«

»Das weiß ich.«

»Und das gleiche Schicksal blüht auch Ihren Freunden, auch Miss Lees.«

»Sie hat nichts damit zu tun.«

»Natürlich hat sie etwas damit zu tun. Das Gericht wird sie ebenso verurteilen wie die anderen.«

Roscoe antwortete nicht. Yaacov fuhr fort. »Sie können Ihren Freunden so nicht helfen. Sie verschlimmern nur ihre Lage, und Ihre Aktion hat keine politische Bedeutung. Sie ist völlig sinnlos.«

»Das würde ich nicht sagen.«

»Nehmen wir an, das Gebäude wird zerstört. Es ist unsere Sache, die richtige Erklärung dafür zu finden. Mit Ihrem Fall werden wir uns in einem nichtöffentlichen Verfahren beschäftigen, und die Öffentlichkeit wird nicht erfahren, daß Sie irgendwelche Beziehungen zu Saladin gehabt haben.«

»Jetzt sind Sie sehr dumm«, sagte Roscoe. »Sie wissen sehr genau, daß Sie nicht die Möglichkeit haben, das alles geheimzuhalten. Nehmen Sie doch meine Bedingungen an. Was haben Sie zu verlieren? Saladin ist tot, und am günstigsten für Sie wäre es, wenn alles ohne viel Aufsehen über die Bühne ginge.«

Yaacov sah Roscoe finster an. Dann blickte er auf die Uhr. Es war 20.35 Uhr. Er nahm das Telefon in die Hand und sagte ein paar Worte auf hebräisch. Dann legte er den Hörer auf und nahm einen anderen, wohl von einem Haustelefon, denn an dem Apparat befanden sich viele Tasten. Er sprach wieder, legte den Hörer auf die Gabel und wartete. Aber nichts geschah. Er zündete sich eine Zigarette an. 20.37 Uhr.

Einer von Ariels Männern kam ins Zimmer und ging mit Roscoe und Yaacov durch die Stahltür hinaus. Sie stiegen die Treppe hinauf in einen Gang, an dem sechs Zellen lagen. Bassam war zusammen mit einem Schäferhund in eine Zelle gesperrt. Der Hund lag an der Kette. Wenn Bassam sich rührte, bellte der Hund und schnappte nach ihm, konnte ihn aber nicht ganz erreichen. Yaacov ließ den Hund hinausbringen. Bassam glitt auf den Boden. Der Kopf fiel ihm auf die Brust, und er sah aus, als sei er kleiner geworden. Sein Anzug war zerknittert und schmutzig. Er war unrasiert und schwitzte. Er roch nicht nur nach Schweiß, sondern auch nach Exkrementen. Yaacov redete ihn auf arabisch an, und Roscoe sagte: »Glaub es nicht. Sag kein Wort!« Bassam schwieg. Yaacov bückte sich zu ihm hinunter und bog seinen Kopf hoch. Er deutete auf Roscoe und sprach auf ihn ein. Aber Bassam reagierte nicht. Er war weit weg von allem. Dann ging Yaacov mit Roscoe wieder die Treppe hinunter in das Büro.

Die Uhr an der Wand zeigte auf 20.43 Uhr. Ein Telefon läutete. Yaacov legte den Hörer ans Ohr, horchte hinein, legte ihn auf die Gabel, nahm das Haustelefon auf und sagte schnell ein paar Worte auf hebräisch. Dann ging er an die Stahltür und rief einen von Ariels Männern herunter, dem er eine Anweisung gab. Der Mann lief die Treppe hinauf, Yaacov setzte sich und zündete sich eine neue Zigarette an. Roscoe stand noch mitten im Zimmer. Es war 20.45 Uhr.

Roscoe konnte sich aus Yaacovs Verhalten keinen Reim machen, stellte aber fest, daß sich die Lage verändert hatte, und zwar zu Yaacovs Vorteil. Er schien entspannt, legte die Füße auf den Tisch, lehnte sich zurück und rauchte. 20.46 Uhr.

»Sie machen mir Spaß«, sagte er.

Roscoe wußte nicht, was er meinte. Yaacov erklärte es ihm.

»Sie werden mir jetzt sagen, was Sie wissen, denn Sie haben keine andere Wahl. Aber Sie versuchen mich trotzdem zu bluffen, weil Sie hoffen, ich würde Ihnen etwas versprechen. Sie erwarten, daß ich Sie freilassen werde, wenn ich es Ihnen zugesagt habe. Das ist sehr englisch, sehr arrogant und unter den gegebenen Umständen komisch. Sie kommen in mein Land, um etwas zu zerstören, und dann haben Sie noch die englische Unverfrorenheit, an mein Ehrgefühl zu appellieren.«

»Falsch«, sagte Roscoe, »ich appelliere an Ihre persönlichen Interessen.«

»Wie denn das?«

»Keine Sprengung, keine Verluste, keine peinlichen Gerichtsverhandlungen, keine Veröffentlichungen über Saladin; das ist für Israel ein gutes Geschäft. Aber Sie müßten sich beeilen.«
Yaacov schüttelte den Kopf und lächelte. Er rauchte, und die Minuten vergingen.

20.48 Uhr, 20.49 Uhr, 20.50 Uhr.

Jetzt konnte Roscoe nicht länger warten. »Na schön«, sagte er, »Sie sollen recht behalten. Ich weiß, daß ich nichts anderes habe als Ihr Wort. Aber wollen Sie bitte versuchen, Miss Lees aus der Sache herauszuhalten?«

»Ist das Ihre einzige Bedingung?«

»Ja.«

Yaacov nickte herablassend. »Ich werde mich um den Schutz dieser guten christlichen Dame bemühen.«

Dann sagte Roscoe ihm, das zur Sprengung vorbereitete öffentliche Gebäude sei das, in dem sie sich befänden, der »Alcatraz«.

Aber Yaacov rührte sich nicht. Er verzog keine Miene und ließ sogar die Füße auf dem Schreibtisch liegen.

Roscoe sagte, wenn er hinunterginge, könne er feststellen, daß die Posten nicht mehr daseien. »Die Ladungen sind im Aufzugsschacht und an der Rückmauer angebracht. Ich könnte die Kontakte in zwei Minuten lösen.«

Yaacov seufzte nur. »Wenn das auf einen Fluchtversuch hinauslaufen soll, haben Sie keine Chance.«

»Es ist die Wahrheit, glauben Sie mir.«

»Und wo sind Ihre Männer?«

»Das werde ich Ihnen später sagen.«

»Sie werden es mir jetzt sagen.«

Roscoe weigerte sich.

»Na schön«, sagte Yaacov, »dann bleiben wir hier so lange sitzen, bis Sie Ihre Meinung geändert haben.«

Roscoe setzte sich und war einigermaßen erleichtert, denn er wußte, in welcher Weise sich die Lage inzwischen geändert hatte. Die Zeiger der Uhr an der Wand standen auf 20.54 Uhr. Nach zwei Minuten wurde Horowitz, gestützt auf zwei von Ariels Leuten und gefolgt von Ariel selbst, hereingebracht. Yaacov richtete auf hebräisch eine Frage an ihn. Roscoe wollte sich einmischen, sah aber, daß es nicht notwendig war. Horowitz schwieg. Er hob den Blick und sah auf die Uhr. Er war entschlossen zu sterben. Auch Yaacov sah diesen Blick und gab seinen Versuch auf. Es war still im Zimmer, als der Zeiger der vollen Stunde näher rückte — und darüber hinwegging.

Horowitz wurde hinausgebracht. Ariel trat vor Roscoe hin, und es sah aus, als wolle er ihn schlagen. Doch dann ging er aus dem Zimmer. Wieder waren Yaacov und Roscoe allein. Yaacov drückte die Zigarette aus. »Sie haben es also gewußt.«

Yaacov nickte.

»Wie sind Sie auf den Gedanken gekommen, hier zu suchen?« fragte Roscoe.

»Das waren recht einfache Überlegungen. Die beste Aussicht vom Hotel hat man auf diese Höhe. Ich habe nicht geglaubt, Sie hätten sich die Universität oder die Bibliothek zum Ziel genommen.«

»Das war sehr scharfsinnig.«

»600 Pfund PE — für halbe Sachen sind Sie wohl nicht?«

»Es ist ein recht solides Bauwerk«, sagte Roscoe.

»Das wird es auch bleiben.« Yaacovs Miene wurde ernst. »Wo sind die Wachen?«

»Sie sind in Sicherheit.«

»Das möchte ich Ihnen raten.«

»Ich bin immer noch bereit, zu verhandeln.«

»Mr. Roscoe, Sie haben nichts in der Hand. Ihre Männer werden ohne Sie nichts unternehmen, und ich kann Ihr Gesicht nicht mehr sehen. Kommen Sie mit.«

Er ließ Roscoe die Handschellen abnehmen, ihn die Treppe hinaufbringen und in die Zelle neben Bassam einschließen. Es war ein kleiner rechteckiger Raum mit Ziegelwänden. An der einen Wand lag eine Matratze mit einer Decke darauf. Gegenüber war ein Loch im Boden mit einer Wasserspülung. An der Decke brannte eine schwache Birne, und hinter einem Gitter hörte man das Summen eines Ventilators. Die Tür war verschlossen. In der Mitte befand sich ein Guckloch. Roscoe sah sich die Zelle genau an und überlegte, wie lange er hier wohl bleiben mußte. Dann benutzte er die Toilette und legte sich hin. Er blieb eine Zeitlang unbeweglich liegen und horchte angestrengt nach draußen und zur Nachbarzelle, aber alles blieb still. Er nahm Saladins Zigarettenspitze aus der Tasche und betrachtete sie traurig. Sie roch noch nach türkischem Tabak. Dann dachte er an Claudia, und wenn es ihm möglich gewesen wäre, aufrichtig zu beten, dann hätte er es für sie getan. Statt dessen wurde das Verlangen, Zeiti in die Hände zu kriegen, immer stärker in ihm.

Als er wieder auf die Uhr sah, war es Mitternacht. Roscoe versuchte einzuschlafen, und endlich gelang es ihm auch. Aber bald wachte er wieder auf. Schlagartig kam ihm seine Lage zu Bewußtsein. Dann schlief er wieder ein. Er fing an, sich mit diesem Zustand abzufinden, eine Phase, die jeder Gefangene durchläuft. Es konnte Jahre dauern, bis er Granby wiedersah. Das Glück hatte sich von ihm abgewandt, aber er war nicht böse darüber. Er hatte es wohl etwas zu sehr strapaziert.

Aber die Resignation kam zu früh. Das Glück war trotz allem noch auf seiner Seite und führte den Shin Beth zu einem Haus am Stadtrand von Nablus, aus dem in den frühen Morgenstunden ein Schuß gehört worden war. Die Bewohner des Nachbarhauses hatten nach einigem Zögern die Polizei alarmiert. Die Polizei brach die Tür auf und fand ein halb ohnmächtiges englisches Mädchen darin, das sie bald als Claudia Lees identifizierte. Sie kam zu sich, man legte sie in einen Krankenwagen und stellte durch ein Radiotelefon die Verbindung zum »Alcatraz« her. Yaacov sagte ihr, Saladin sei tot, ihre Freunde seien festgenommen, und sie solle ihm sagen, was sie wisse. Claudia weigerte sich. Sie sagte, sie würde nur mit Stephen Roscoe sprechen und mit niemandem sonst.

Um 4.20 Uhr öffnete sich Roscoes Zellentür. Er schlief fest. Einer von Ariels Leuten weckte ihn und brachte ihn in aller Eile nach unten in Yaacovs Büro.

Am Schreibtisch saß Yaacov und bedeckte die Muschel eines Telefonhörers mit der Hand. Er sah müde aus, sein Anzug war zerknittert und durchgeschwitzt, aber seine braunen Augen waren ganz wach. Ohne jede Vorbereitung hielt er Roscoe den Hörer hin. »Miss Lees ist am Apparat. Sie will mit Ihnen sprechen.«

Roscoe blinzelte, nahm das Telefon in die Hand und sagte: »Hallo . . . Claudia?«

»Stephen? Bist du es?«

Ihre Stimme war sehr schwach. Roscoe konnte sie kaum verstehen. Aber seine Erleichterung war so groß, daß es ihm schwerfiel, etwas zu sagen. »Ja, ich bin es«, sagte er. »Geht es dir gut?«

Claudia sagte ja.

»Wo bist du?«

»In Nablus.«

Yaacov hörte das Gespräch an einem zweiten Apparat mit.

Roscoe war jetzt hellwach. »Sie hören mit«, sagte er, »sage also nichts, wenn ich dich nicht ausdrücklich danach frage.« Dann bat er sie zu wiederholen, was die Israelis ihr gesagt hatten. Sie tat es, mußte aber immer wieder Atem holen und sprach so leise, daß er sie nur schwer verstehen konnte. Roscoe bestätigte, daß Saladin von Unbekannten ermordet worden sei. Er selbst und Horowitz seien aus Gründen festgenommen, die Claudia nicht kenne. »Hast du das verstanden?«

»Ja, das habe ich verstanden.«

Dann fragte er sie, ob Araber sie entführt hätten. »Sage nur ja oder nein.«

»Ja.«

»Gehörten sie zum ›Schwarzen September‹ oder zur Volksfront, ja oder nein?«

»Ja, zu beiden.«

»Wie lange ist es her, daß sie fortgefahren sind?«

»Vielleicht eine Stunde oder auch länger.«

Yaacov unterbrach. »Was für einen Wagen haben sie benutzt?«

»Das ist in Ordnung«, sagte Roscoe. »Du kannst es ihm sagen.«

»Einen grauen Mercedes«, sagte sie. »Ich glaube, es war ein altes Taxi.«

Yaacov wollte wieder sprechen, aber Roscoe kam ihm zuvor.

»Folgendes ist wichtig: Weißt du, wohin sie gefahren sind?«

»Ja, ich . . .«

»Vorsicht! Warte! Sage mir nur, ist es der Ort, den du mir an der Straße zeigen solltest?«

»Ja.«

»Gut, mehr brauche ich nicht zu wissen. Sage jetzt nichts mehr, weder mir noch irgend jemandem sonst. Gehe sobald wie möglich nach England zurück. Wenn sie es dir nicht erlauben, nimm dir einen Anwalt.«

»Aber Stephen . . .«

»Das ist für den Augenblick alles.«

»Stephen, bitte warte . . . Sie wollen Golda Meir umbringen.«

Yaacov und Roscoe waren zunächst so überrascht, daß sie nichts sagen konnten. Roscoe fand als erster die Sprache wieder.

»Woher weißt du das?«

»Ich habe sie davon sprechen hören . . . Sie haben ihren Namen erwähnt. Ich habe nicht alles verstanden.«

»Gut. Das genügt«, sagte Roscoe. »Sage jetzt nichts mehr. Gib ihnen den Hörer zurück.«

Er legte auf. Yaacov war schon an ein anderes Telefon gegangen, dann an ein zweites — ein rotes, das er bisher noch nicht benutzt hatte. Am ersten Telefon hatte er dringende Anweisungen durchgegeben. Dann legte er auf und wartete vor dem roten Apparat auf eine Antwort. Er wandte sich an Roscoe. »Nun, wo sind sie?«

»Was bieten Sie mir?« sagte Roscoe. »Sie müssen sich beeilen.«

Jetzt kam auch Ariel herein. Yaacov erklärte ihm die neue Lage. Ariel war wütend. Sein Blick ging zwischen Yaacov und Roscoe hin und her. Er tobte. Yaacov hob die Hand, um ihn zu beschwichtigen, und nahm den Hörer des roten Telefons in die Hand. Ariel hörte zu. Yaacov sprach schnell und überlegt. Das Gespräch dauerte etwa zwei Minuten. Als er die Antwort hatte, auf die er wartete, nickte er und reichte den Hörer zu Ariel hinüber, der eine sichtlich devote Haltung einnahm, als er die Stimme am anderen Ende der Leitung hörte. Ohne das Ende des Gesprächs abzuwarten, wandte sich Yaacov wieder an Roscoe. »Gut, wir machen ein Geschäft.«

»Nennen Sie Ihre Bedingungen«, sagte Roscoe.

»Zeiti und Khadduri, tot oder lebendig — wie, das ist gleich —, und wir wollen die Wachen wiederhaben. Wenn ihnen etwas geschehen ist, dann bleiben Sie in Haft.«

»Okay, und ich verlange, daß Sie Bassam freilassen.«

»Bassam ja, aber nicht Horowitz. Er bleibt hier.«

»Auch Horowitz.«

»Ich wiederhole, Horowitz bleibt.«

»Lassen Sie ihn herbringen«, sagte Roscoe.

»Sie können uns keine Bedingungen stellen.«

»Lassen Sie ihn herbringen, und beeilen Sie sich. Wenn nicht, können Sie mich wieder einsperren.«

Horowitz wurde aus der Zelle geholt und kam verschlafen herein. Roscoe erklärte ihm, was geschehen war, und Horowitz war sofort mit den Bedingungen einverstanden. »Das ist in Ordnung«, sagte er. »Nehmen Sie Bassam und lassen Sie mich hier. Das ist mir lieber.« Er lächelte und sah so glücklich aus wie noch nie, seit sie Beersheba verlassen hatten. Roscoe fragte ihn, ob das auch wirklich seine Meinung sei. Horowitz bestätigte es und ging zur Stahltür zurück. Roscoe wußte nicht, was er ihm noch sagen sollte.

Ariel hatte den Hörer des roten Telefons wieder aufgelegt. Er schien auf Yaacov ebenso böse zu sein wie auf Roscoe. Yaacov beachtete ihn nicht. Er wartete auf die Antwort von Roscoe, der sich mit dem Geschäft einverstanden erklärte. Er sagte, seine Männer seien in Aqabat Jabr.

»Wieviel Sprengstoff haben sie?«

»200 Pfund.«

Yaacov rollte mit den Augen und starrte an die Decke. »Und dort sind jetzt auch Zeiti und Khadduri?«

Roscoe nickte. »Haben Sie irgendwelche Straßensperren errichtet?«

»Nördlich von Jericho nicht.« Yaacov dachte einen Augenblick nach und sah auf die Uhr. »Sie werden jetzt schon dort sein. Wir müssen uns beeilen.«

Die Fronten hatten sich verändert. Roscoe stand jetzt im Lager des ehemaligen Gegners. Die Zusammenarbeit mit Yaacov klappte reibungslos, und obwohl er keine Garantie dafür hatte, glaubte er, die Israelis würden sich an ihre Zusagen halten. Saladin war tot, und nun kam es ihnen nur noch darauf an, Zeiti und Adnan unschädlich zu machen. Sie hatten beide an Terroranschlägen teilgenommen. Zeiti hatte die Waffen für den Anschlag in München besorgt, und Adnan war einer der Leute, die das japanische Massaker auf dem Flughafen Lod vorbereitet hatten. Ihre Festnahme wäre eine politische Sensation, während man das Unternehmen Saladins am besten unter den Teppich kehrte.

Yaacov hatte sofort erkannt, daß Roscoe ihm in der gegenwärtigen strategischen Lage sehr nützlich sein konnte. Es kam nicht mehr darauf an, Golda Meir zu schützen, denn alle nach Jericho führenden Straßen waren gesperrt. Jetzt mußten die beiden Männer gefaßt oder getötet werden, ohne daß eigene Verluste eintraten. Die Sprengkraft der 200 Pfund Plastex war erheblich. Zeiti und vielleicht Adnan wußten damit umzugehen, und sie würden nicht zögern, das eigene Leben zu opfern, wenn sie eine Anzahl Zionisten mit ins Grab nehmen konnten. Wenn sie mit ihrem Fahrzeug erst auf der Straße waren, konnte das für die militärischen Einheiten an den Sperren sehr gefährlich sein. Ein Unternehmen gegen die Terroristen in der Garage war noch schwieriger. Dabei konnte es zu einem furchtbaren Blutbad kommen, und auch die beiden Wachen konnten dabei sterben.

Da all diese Gefahren Saladin zu verdanken seien, meinte Yaacov, sei es Roscoes Aufgabe, damit fertig zu werden, auch wenn er das eigene Leben aufs Spiel setzte. Während sie auf dem Dach des »Alcatraz« auf den Hubschrauber warteten, der schon von Westen her unterwegs war, erklärte Roscoe seinen Plan. Es war jetzt 4.35 Uhr. Seit dem Gespräch mit Claudia waren fünfzehn Minuten vergangen. Es begann zu dämmern. Die Luft war still und warm. Die Kirchtürme, Kuppeln und Minaretts Jerusalems erhoben sich aus dem Dunst. Yaacov und Roscoe überblickten von ihrem erhöhten Standpunkt aus die ganze Stadt, die ihnen zu Füßen lag. Sie besprachen die bevorstehende militärische Aktion als Fachleute miteinander und waren sich bald über die technischen Einzelheiten einig.

Der Hubschrauber kreiste über ihnen und setzte schon zur Landung an.

Yaacov fragte Roscoe, wie er seine Männer nach Israel gebracht habe. Er sagte es ihm, da er sicher war, daß die Schlauchboote ohnedies bald gefunden würden. Wie Saladin nach Jerusalem gekommen war, behielt er für sich, um Giscard und die UNWRA nicht zu gefährden, die es sich als neutrale Institution nicht erlauben konnte, ihre diplomatischen Vorrechte zu mißbrauchen.

Dann sagte Yaacov: »Ich verstehe, weshalb Sie sich ihm angeschlossen haben. Eine Teilung wäre die vernünftigste Lösung, und eines Tages wird sie vielleicht kommen. Aber noch ist es nicht soweit.«

Roscoe mußte schreien, denn das Geräusch der Rotoren wurde immer lauter. Er fragte, weshalb das nicht möglich sei.

»Weil Krieg ist«, antwortete Yaacov, »und Kriege sind unlogisch. Sie werden durch Sieg oder Niederlage beendet.«

»Oder durch die Erschöpfung beider Gegner?«

»Davon sind wir und auch unsere Feinde weit entfernt . . .«

Jetzt war der Hubschrauber so laut, daß sie nicht weitersprechen konnten. Er umflog die Antennenmasten und landete auf einer mit einem Kreis markierten Stelle auf dem Dach. Gebückt liefen Yaacov und Roscoe unter den sich noch drehenden Rotorblättern auf die offene Tür zu. Dann hob die Maschine ab und flog über den Turm der Auferstehungskirche und die Berge Judäas nach Osten in Richtung auf das Tote Meer, das im Frühlicht so grau und farblos unter ihnen lag, als sei alles Blau in der Hitze verdunstet. Nach wenigen Minuten landeten sie am Rand von Aqabat Jabr auf freiem Feld.

Das Lager war inzwischen unmerklich von israelischen Truppen eingeschlossen worden, nachdem man die letzten Bewohner evakuiert hatte. Roscoe bekam seine Pistole zurück, und Yaacov stellte ihm einen israelischen Jeep zur Verfügung. Als er abfuhr, winkte er ihm nach und wünschte ihm Glück. Sehr aufrichtig war das allerdings nicht gemeint.

Roscoe fuhr langsam in das Lager hinein und versuchte, sich auf die Aufgabe zu konzentrieren, die er übernommen hatte. Es kam darauf an, einen klaren Kopf zu behalten. Das wollte ihm nicht recht gelingen. Gegen die Blutleere im Gehirn konnte er sich ebensowenig wehren wie gegen den Schlaf. Er hatte Angst, denn er wollte am Leben bleiben.

9. Reinen Tisch machen

Der Tag, an dem die endgültige Entscheidung fallen sollte, war grau verhangen, aber sehr warm. Es war kurz vor 5.00 Uhr. Der Himmel war trübe, und die Sonnenstrahlen beleuchteten nicht, wie an den vorangegangenen Tagen, das Jordantal. Über der ganzen Landschaft lag ein dichter Dunst, der die Schatten verschwimmen ließ, und die Luft war stickig wie in einem Zelt. Kein Windhauch ließ den Staub aufwirbeln, der die zerfallenen Häuser und Straßen von Aqabat Jabr bedeckte.

Roscoe war erschöpft. Er hatte wieder leichtes Fieber, als er mit dem Jeep über die betonharten Fahrspuren holperte, und Schweißtropfen standen ihm auf dem Gesicht. Er fuhr langsam, bog um eine Ecke und hielt an, um sich zu sammeln. Die Israelis konnten ihn hier nicht mehr sehen, die Araber noch nicht.

Während er dort einige Minuten wartete, dachte er an seinen Vater, mit dem ihn über die Jahre hinweg ein geheimnisvolles Band verknüpfte. Das tröstete ihn irgendwie. Der Familienstolz gab ihm den Mut zurück. Die gleiche verwegene Art lag auch ihm im Blut — noch konnte er sich wehren.

Er blickte auf seine grüne Uniform, wischte sich das Gesicht ab, atmete tief, spannte und entspannte die Muskeln wie ein Wettläufer am Start und nahm dann die Pistole heraus. Er fühlte den schweren blauen Stahl zwischen den Fingern. Der Holzgriff lag fest in der Handfläche. Er war froh, daß man ihm die Waffe zurückgegeben hatte. Um seine Angst zu überwinden, mußte er etwas tun. Er nahm das Magazin heraus, sah nach, ob die Patronen richtig drinlagen und drückte sie hinunter, um die Feder zu prüfen. Dann zog er die Gleitschiene zurück, spannte die Schlagbolzenfeder und drückte die noch nicht wieder geladene Waffe ab. Dann steckte er das Magazin hinein, lud durch und legte den Sicherungshebel herum. Er steckte die Pistole ins Halfter, ließ aber die Klappe offen, um sie schneller ziehen zu können. Er war bereit, zu lächeln oder zu schießen, denn wenn er hier auf Zeiti und Adnan traf, mußte er mit allem rechnen. Er wußte nicht, auf welche Weise und wie schnell sie reagieren und was die anderen tun würden. Er hatte verschiedene Pläne im Kopf, war aber darauf gefaßt, sofort zu improvisieren, wenn es nötig sein sollte. Noch länger darüber nachzudenken würde seine Entschlußkraft hemmen. Deshalb startete er den Motor und fuhr an.

Die israelischen Soldaten hatten den Ring hinter ihm enger geschlossen. Im Rückspiegel sah er, wie sie in Deckung gingen; hier und dort ein grüner Fleck zwischen den leeren braunen Lehmhäusern. Nun zog er den Jeep schnell rum, fuhr auf einen weiten Platz hinaus und über den hellen, von der Sonne ausgedörrten Boden auf den UNWRA-Komplex des Lagers zu. Als die Garage in sein Blickfeld kam, sah er, daß sich dort einiges verändert hatte. Beide Tore standen offen. Roscoe fuhr in das rechte hinein, nahm das Gas weg, und als er in der Mitte angekommen war, wendete er das Fahrzeug, trat auf die Bremse und ließ sich vom Fahrersitz auf den Boden fallen, so daß der Kühler ihn vor den Männern, deckte, die an einer Seite des Raumes standen.

Die Lage war ihm völlig klar, und als er den Boden berührte, wußte er, was er zu tun hatte.

Zeiti und Adnan standen neben ihrem Wagen, einem alten Mercedes, wie ihn Claudia beschrieben hatte. Walid half ihnen, den Sprengstoff zu verladen. Fuad und Ibrahim saßen neben den beiden israelischen Posten mit dem Gesicht zur Wand auf dem Boden. Mukhtar lag erstochen neben der Tür in einer Blutlache. Der Zigeuner war verschwunden.

In dem Augenblick, als Roscoe in die Garage fuhr, hatte Walid ein Paket Sprengstoff abgelegt, sich geduckt und war neben dem Wagen stehengeblieben. Zeiti hatte sich in den Kofferraum gebeugt. Sein Kopf war nicht zu sehen. Dann hatte er sich aufgerichtet und war hinter das Fahrzeug gesprungen. Adnan war als einziger bewaffnet. Er stand mit einem Uzi-Schnellfeuergewehr neben dem Auto und hatte offensichtlich die Absicht zu schießen. Als der Jeep auf ihn zurollte, hob er die Waffe, packte das Magazin, um ruhiger zielen zu können, aber dann war der Jeep ihm ausgewichen. Er hatte zu lange gezögert, und jetzt war Roscoes Pistole über den Kühler auf seine Brust gerichtet. Adnan wartete darauf, daß Roscoe sich zeigte, dessen Kopf er nicht deutlich sehen konnte; denn Roscoe hatte den Browning mit beiden Händen ergriffen, die Arme ausgestreckt und sich hinter den Kühler geduckt.

Zeiti stand immer noch hinter dem Mercedes. Walid rührte sich nicht. Adnan war unschlüssig. Mit hinter den Brillengläsern weit aufgerissenen Augen ging er langsam rückwärts auf den Mercedes zu.

Roscoe streckte die Pistole noch weiter vor und rief: »Keine Bewegung! Bleib stehen, wo du bist.«

Adnan blieb stehen, hielt die Waffe aber immer noch auf ihn gerichtet.

»Laß das Ding fallen!«

Adnan senkte die Uzi, behielt sie aber noch in der Hand.

Roscoe hob die Pistole und schlug mit dem Griff auf das heiße Blech der Kühlerhaube. »Laß sie fallen! Los! Laß sie fallen!«

Adnan ließ die Uzi auf den Boden fallen und sah sich verzweifelt nach Zeiti um, der jetzt vorsichtig hinter dem Mercedes hervorkam. Dabei war nur die obere Hälfte seines Kopfes hinter dem Kofferraumdeckel zu sehen. Roscoe richtete die Pistole auf den schwarzen Haarschopf im Schatten, hielt aber inne, als er sah, daß Zeiti eine Handgranate in der Hand hatte. Er streckte sie in die Höhe, um sie Roscoe zu zeigen, und zog mit der anderen Hand den Sicherungsstift heraus. Dann legte er die Faust mit der Handgranate auf das Sprengstoffpaket im Kofferraum.

Der Plastexsprengstoff ist nicht leicht zu zünden, aber wenn eine Handgranate darauf detoniert, genügt das. Die im Wagen befindliche Ladung war stark genug, um die ganze Garage und alles, was sich in ihr befand, in die Luft zu sprengen. Wenn Roscoe Zeiti erschoß, würde die Handgranate detonieren.

Roscoe überlegte, was zu tun sei, lockerte den Finger am Abzug, nahm eine Hand vom Pistolengriff und hob sie in die Höhe. »Schon gut«, sagte er, »schon gut. Laßt euch Zeit. Was geht hier überhaupt vor?«

»Wir haben die Sache selbst in die Hand genommen«, rief Zeiti. Seine Stimme hallte laut durch den leeren Raum. »Wir werden jetzt abfahren. Versuchen Sie nicht, uns aufzuhalten.«

»Einverstanden. Fahrt los. Walid, du bleibst hier.«

Aber Walid weigerte sich. Er hatte sich entschlossen, den Märtyrer zu spielen und rief: »Ich fahre mit!«

»Sei kein Dummkopf.«

»Du verstehst mich nicht. Ich will mitfahren.«

»Du fährst nicht mit.«

»Es tut mir leid, Stephen; Zeiti hat recht...«

Roscoe zitterte vor Wut. Sein Magen verkrampfte sich, und er wurde bleich. Der Finger, den er am Abzug hielt, zuckte. Er richtete die Pistole auf Walid und sagte mit rauher, gedämpfter Stimme: »Tu, was ich dir gesagt habe, oder ich schieße dir eine Kugel durch den Kopf.«

Walid zuckte zusammen, fing sich aber wieder. Er drehte sich nach Zeiti um, der ihm ein paar arabische Worte zurief. Walid protestierte, aber Zeiti winkte ab und sagte etwas zu Adnan, der die vierte Ladung aufhob und in den Mercedes legte. Dann setzte er sich ans Lenkrad. Zeiti rief ihm einen zweiten Befehl zu. Adnan öffnete die Wagentür. Zeiti schlug den Kofferraum zu und legte die Handgranate auf den Sitz. Walid trat einen Schritt zurück.

»Kommt hierher!« rief Roscoe. »Fuad, Ibrahim, steht auf! Kommt her, und nehmt die Israelis mit.«

Ibrahim begriff und faßte die israelischen Wachen an den Armen, um ihnen verständlich zu machen, daß sie ihm folgen sollten. Sie waren noch an Händen und Füßen gefesselt und krochen auf allen vieren hinter den Jeep. Fuad und Ibrahim hockten sich neben sie. Roscoe sagte ihnen, sie sollten sich unter den neben ihm geparkten Dodge legen. Zuerst wollte Walid gehorchen, blieb aber dann stehen. Mit der Pistole im Anschlag rief Roscoe zu Zeiti hinüber: »Okay. Abfahrt! Fahrt hinaus.«

Zeiti richtete sich langsam auf. In der einen Hand hielt er wieder die Handgranate, in der anderen eine Mauserpistole. »Versuch nicht, uns zu folgen.«

»Das werden wir nicht tun.« Roscoe hob den Kopf, und eine Sekunde starrten sie sich auf eine Entfernung von etwa fünfzehn Metern in die Augen. Jeder hätte in dieser Sekunde den anderen töten können. Das Gefühl gegenseitigen Hasses erzeugte eine vibrierende Spannung. Die Luft zwischen ihnen war geladen. Zeiti atmete stoßweise durch die weit geöffneten Nüstern. Am linken Arm trug er noch den dicken Verband. Sein Gesicht war bleich und verzerrt. Die Augen glänzten fiebrig, schienen aber auf irgendein fernes Ziel gerichtet, obwohl er Roscoe scharf beobachtete. Endlich öffnete er den Mund, als wolle er etwas sagen. Dann schwang er sich in den Wagen. Adnan ließ den Motor an und fuhr mit einem Ruck aus dem Tor hinaus, an der Leiche Mukhtars vorbei.

Roscoe wandte sich den anderen zu. »Hinlegen«, sagte er, »schnell!« und stieß sie unter den Dodge.

Fuad, Ibrahim und die Wachen gehorchten sofort. Nur Walid blieb stehen, bis Roscoe ihn mit einem Ruck zu Boden riß und sich neben ihn legte. Im gleichen Augenblick hörten sie einen Feuerstoß aus einem Maschinengewehr und dann den zischenden Abschuß einer Panzerfaust. Es folgte eine gewaltige Explosion, von der die Garage erschüttert wurde, als sei sie von einer riesigen Faust getroffen worden. Roscoe und Walid konnten gerade noch unter den Dodge kriechen, als die Frontmauer der Garage durchsackte und einstürzte. Dann fielen zwei Eisenträger, die das Dach gehalten hatten, herab. Es folgten mit lautem Krachen die Wellblechplatten.

Einzelne Brocken sausten durch die Luft und prasselten auf das Metall. Allmählich wurde es ruhig, und nur ein paar Hohlblocksteine lösten sich aus der Mauer und polterten in die Garage. Die anderen Wände hielten. Dann war es totenstill, heiß und stickig wie zuvor.

Aus der Ferne hörten sie Rufe und Schritte. Israelische Soldaten kamen über die Trümmer heran, räumten sie vom Dodge fort und halfen den Männern einzeln heraus. Benommen und halbtaub standen sie auf und stellten sich neben das Fahrzeug. Walid hatte sich offenbar gewehrt, denn einer der Soldaten schlug ihn zu Boden und hob ihn dann wieder auf. Roscoe löste die Fesseln der beiden Posten. Dann gingen sie alle hinaus ins Freie.

Auf dem Platz zwischen der Garage und dem Lager hatte sich eine schweigende Menge von Arabern versammelt. Die israelischen Soldaten waren ausgeschwärmt, um die Teile des gesprengten Wagens einzusammeln. Aber es ließ sich kaum etwas finden. Nur die zu einem Blechhaufen reduzierte Karosserie des Wagens lag noch am Rand eines flachen, rauchenden Trichters.

Die Soldaten holten den Dodge aus der Garage, der zwar beschädigt, aber noch fahrbereit war. Roscoe und seine drei überlebenden Männer mußten sich hineinsetzen und wurden unter Bewachung in eine Kaserne am Stadtrand von Jericho gebracht. Hier wartete Yaacov in einem Büro auf Roscoe. Er saß am Schreibtisch und empfing ihn kühl, aber höflich. Er bot Roscoe Stuhl und Zigarette an. Roscoe wußte nicht recht, was ihn erwartete, aber er war erleichtert, als Yaacov ihm sagte, bevor er ihn entließe, wollte er noch einmal darauf hinweisen, daß es für Horowitz besser wäre, wenn die Öffentlichkeit nichts über das Unternehmen Saladins erführe.

»Verlangen Sie von mir, daß ich schweigen soll?«

»Ich würde es Ihnen raten — nicht zuletzt in Ihrem eigenen Interesse. Wenn bekannt wird, was heute geschehen ist, dann werden die Araber nicht sehr freundlich über Sie denken.«

Dagegen konnte Roscoe nichts einwenden.

Yaacov stand auf und führte ihn in das Zimmer nebenan. Bassam saß auf einem Stuhl. Er hatte die Hände auf den Schoß gelegt und ließ den Kopf hängen. Yaacov sprach ihn leise an, aber er antwortete nicht. Auch Roscoe konnte keine Antwort von ihm bekommen. Wenn man ihn berührte, verkrampfte er sich, ließ sich aber auf die Füße stellen. Wenn man ihn losließ, versteifte sich sein ganzer Körper, und er stand da wie eine Statue. Sie faßten ihn unter die Arme und führten ihn langsam durchs Zimmer. Wie ein blinder oder sehr alter Mann, der keinen eigenen Willen mehr hat, folgte er ihnen mit schlurfenden kleinen Schritten. Bevor sie ihn in den Lastwagen setzten, legte Yaacov ihm die Hand auf die Schulter und flüsterte ihm ein paar arabische Worte ins Ohr. Dann wandte er sich an Roscoe: »Bringen Sie ihn so schnell wie möglich nach Beirut. Wir werden Miss Lees nach Hause schicken, sobald sie transportfähig ist.«

Roscoe fragte, was ihr fehlte. Yaacov sagte es ihm. Einen Augenblick blieb Roscoe erschüttert stehen; erschüttert über das, was er gehört hatte, und weil er sich nicht schon längst nach ihr erkundigt hatte. Er erinnerte sich ihrer Stimme am Telefon. Er bat Yaacov, sie gut versorgen zu lassen. Wie nicht anders zu erwarten, sagte Yaacov, in Israel gäbe es die besten Ärzte der Welt. Roscoe nickte und hielt ihm die Hand hin. »Danke für Ihre Hilfe.«

Auf diesen Dank hätte Yaacov verzichten können. Er zögerte, sah auf Roscoes ausgestreckte Hand und nahm sie dann doch. Er lächelte und sagte: »Versuchen Sie es nicht wieder.«

»Nein. Ich hoffe, eines Tages ...«

»Ja, eines Tages ... Leben Sie wohl.«

Roscoe stieg in den Lastwagen. Yaacov instruierte die beiden Soldaten, die sie bis zur Allenby-Brücke begleiten sollten. Dann trat er zurück und gab ihnen das Zeichen zum Abfahren. Ibrahim saß am Steuer. Der Schlagbaum hob sich, und sie fuhren in Richtung auf die jordanische Grenze ab. Von der Grenzstation aus rief Roscoe Marsden an. Zwanzig Minuten später durften sie weiterfahren. Während sie warteten, erzählte Roscoe, was in Jerusalem geschehen war, aber Walid weigerte sich, es zu übersetzen. Dann erkundigte sich Roscoe nach dem Zigeuner, bekam aber keine Antwort. Bassam saß zusammengesunken im Wagen und schlief.

Sie fuhren schweigend weiter aus dem Jordantal hinauf in die Berge. Als sie nach Beqqa kamen, hielten sie an, und Walid stieg aus. Auch Roscoe öffnete die Tür und sprang aus dem Wagen, um sich zu verabschieden. Aber Walid wandte sich von ihm ab, spuckte auf den Boden und ging auf die Barackenstadt zu.

In Amman wurden sie von Marsden und Nazreddin in Empfang genommen. Roscoe gab einen ausführlichen Bericht ab, und Nazreddin brachte Fuad und Ibrahim in ihre Quartiere. Roscoe und

Bassam wurden im Intercontinental untergebracht. Bassam mußte auf einer Bahre hinaufgetragen werden, denn er ließ sich nicht wecken. Ein Arzt, der ihn untersuchte, stellte nur blaue Flecken fest.

Marsden bestellte Flugkarten nach Beirut und kam dann zu Roscoe ins Zimmer. »Sie haben großes Glück gehabt. Es hätte schlimmer ausgehen können.«

Roscoe lag mit geschlossenen Augen auf dem Bett. Er war körperlich erschöpft, aber die Gedanken rasten ihm durch den Kopf. Er dachte, wie nahe er daran gewesen war, Walid zu erschießen.

»Es war Scheiße«, sagte er.

Epilog
Fragen und Antworten

I.

So endete das Unternehmen Saladins. Der einzig sichtbare Erfolg bestand darin, daß die israelische Regierung ihre Pläne für die Verwendung des »Alcatraz« änderte. Das Gebäude steht noch heute, aber es dient ausschließlich seinem offiziellen Zweck. Es beherbergt Einrichtungen der israelischen Post.

Saladin selbst geriet bald in Vergessenheit. Die Geschichte von seinem Tod machte zwei Tage lang Schlagzeilen, aber am 12. November wurde er nur noch mit ein paar Worten im Innenteil der Zeitungen erwähnt. Die von den Israelis der Presse gegebene Version, die auch die Al Fatah nicht bestritt, war die, daß Ahmed Zeiti und Adnan Khadduri — zu diesem Zweck aus Syrien über die Grenze gekommen — ihn erschossen hätten. Dabei blieb es, und vielleicht entsprach es sogar den Tatsachen. Aber je intensiver ich mich mit den Vorgängen beschäftigt habe, desto größer sind meine Zweifel geworden.

Zunächst muß man den Bericht von Claudia Lees analysieren.

Zeiti und Adnan haben sie in jenem Keller mehrere Stunden lang festgehalten und verhört. Doch bald mußten sie den Versuch aufgeben, sie auf ihre Seite zu ziehen. Adnan sagte ihr, es sei ihre Absicht, Saladin an seinem Vorhaben zu hindern. Er versuchte, sie nach marxistischer Manier durch einen ideologischen Vortrag zu überzeugen. Er sagte ihr, der Staat Israel sei ein anachronistisches Überbleibsel aus der Kolonialzeit. Sein Schicksal sei ebenso besiegelt wie das des weißen Rhodesien. Eine Teilung sei, wie die Grenzen auch aussehen mochten, nicht denkbar; Palästina müsse

361

den Palästinensern zurückgegeben werden. Die europäischen Juden müßten in ihre Heimatländer zurückkehren wie die Franzosen aus Algerien. Die Verfolgung der Juden sei ein Verbrechen der Europäer gewesen. Deshalb sei die Wiedergutmachung Sache des Westens und nicht der Araber. Claudia hatte sich diese Thesen angehört, war aber fest geblieben. Im Verlauf des Verhörs hatten die beiden Männer ein paarmal auf arabisch miteinander gesprochen, und dabei hatte sie gehört, wie sie den Namen Golda Meir erwähnten. Sie verstand etwas Arabisch, und sie war sicher, daß sie davon gesprochen hatten, die Ministerpräsidentin zu töten. Als sie das Verhör fortsetzten, änderten sie ihre Taktik. Beide Männer erzählten ihr von ihrem persönlichen Schicksal. Claudia kannte viele solche Fälle. Sie stammten beide aus Jaffa, von wo sie als Kinder vertrieben worden waren. Ihre Familien hatten sich aufgelöst und waren im Krieg in alle Winde zerstreut worden. Zeiti erzählte mit zunehmender Hysterie, wie seine damals schwangere Mutter im Chaos der Flucht und in der Hitze des Jahres 1948 auf der Straße gestorben sei. Claudia versicherte ihnen, daß sie Verständnis und Mitgefühl habe, weigerte sich aber trotzdem, ihnen jetzt zu helfen. Daraufhin verlor Zeiti die Beherrschung. Er zog die Pistole, fuchtelte ihr damit vor dem Gesicht herum, brüllte sie an und bedrohte sie. Er schüchterte Claudia soweit ein, daß sie sich später nicht mehr erinnerte, was sie gesagt hatte.

Als das Verhör soweit gediehen war, wurde es von einem dritten Mann unterbrochen, der mit der Nachricht in den Keller kam, daß die israelische Polizei die Häuser durchsuchte und in der Nähe sei. Das geschah am späten Abend des Dienstag. In aller Eile verließen sie den Keller und führten Claudia, die sie mit einer Pistole in Schach hielten, durch die Straßen zu einem Wagen, in dem sie sie nach Nablus brachten. Dort wurde sie in den Keller eines Hauses gesperrt und von einem Mann bewacht, den sie nicht kannte. In den folgenden vierundzwanzig Stunden sah sie Zeiti und Adnan nicht wieder, die also am Mittwoch in der Zeit zwischen 17.00 und 20.00 Uhr — zu der Zeit, als Saladin erschossen wurde — fort waren. Wenn sie ihn aber wirklich ermordet hatten, dann benahmen sie sich nach ihrer Rückkehr sehr eigenartig. Wieder wollten sie wissen, wo sich Saladin versteckt hielt, und diesmal waren ihre Fragen noch dringlicher. Als Claudia es ihnen nicht sagen wollte, schlug Zeiti sie ins Gesicht. Das war ein Wendepunkt in dem Verhör. Er schlug sie mehrmals mit der flachen Hand und schrie sie auf englisch und arabisch an. Claudia blieb fest. Sie hatte sich während der langen Wartezeit entschlossen, unter keinen Umständen etwas zu sagen. Dann ließen die beiden Männer sie im Dunkeln allein. In den frühen Morgenstunden des Donnerstag kamen sie zurück. Zwar schienen sie etwas Bestimmtes vorzuhaben, hatten aber, wie Claudia meinte, doch Angst davor.

Adnan wendete keine körperliche Gewalt an. Nur Zeiti schlug sie, aber nicht sehr hart. Ihm schienen die Schläge fast unangenehmer zu sein als ihr, denn bei jeder heftigen Bewegung Claudias zuckte er zusammen. Er wollte sie einschüchtern und nicht verletzen. Zwar hatte Claudia große Angst, glaubte aber nicht, daß Zeiti sie schwer mißhandeln würde. Sie sah in seinem Blick eine schmerzliche Verzweiflung. Offenbar fand auch er es schrecklich, daß er gezwungen war, die Rolle eines Ungeheuers zu spielen.

Nach einer Weile gingen die beiden wieder fort. Als sie nach wenigen Minuten zurückkamen, sah Claudia, daß Zeiti eine Pistole in der Hand hatte. Er lud und spannte sie, während Adnan ihr sagte, welche Wahl sie habe. Claudia glaubte, sie wollten sie nur einschüchtern, aber als Adnan sie gegen die Wand drückte und Zeiti ihr die Pistole an den Kopf hielt, verlor sie die Nerven. Sie schickte sie nach Aqabat Jabr, denn sie wollte nicht sterben und glaubte, Roscoe und seine Männer würden eher mit ihnen fertig werden als sie.

Dieser erste Erfolg veranlaßte Zeiti und Adnan jedoch, weiter in sie zu dringen und nach dem Versteck von Saladin zu fragen. Sie wiederholten die Frage immer wieder, bis Zeiti die Geduld verlor und sie durch den Fuß schoß. Dann verlor sie das Bewußtsein.

Das war Claudias Bericht. Man könnte nun vermuten, daß sie

sich vielleicht nicht mehr ganz genau an jede Einzelheit erinnerte. Möglicherweise hatte sie Zeiti und Adnan schon in Jerusalem Saladins Versteck verraten, und Zeiti hatte sie in Nablus nur in einer sadistischen Laune mißhandelt. Aber das entspräche weder ihrem noch seinem Charakter. Claudia würde nie versuchen, etwas zu vertuschen, und Zeiti war, auch wenn er sich in einer verzweifelten Lage befand, nicht kopflos oder unberechenbar. Adnan war es noch weniger. Seine Grausamkeit war kühl und überlegt.

Aber wenn sie Saladin ermordet hatten, ließ sich ihr Verhalten beim Eintreffen in Aqabat Jabr nicht erklären.

Walid und die anderen wußten nur, daß irgend etwas fehlgeschlagen war. Sie hatten um 21.00 Uhr keine Detonation in Jerusalem gehört. Im Morgengrauen weckte sie ein Geräusch an der Tür, und dann hatten sie Mukhtars Leiche gefunden. Dem Beduinen weinten sie keine Träne nach. Der Zigeuner war offenbar geflohen. Nun standen sie ihrem alten Kameraden Zeiti gegenüber, der behauptete, Saladin sei ein falscher Prophet, und sie drängte, sich der Al Fatah anzuschließen. Wenn Zeiti gewußt hätte, daß Saladin tot war, hätte er es in diesem Moment sicher gesagt. Aber er sprach nicht davon. Das bezeugen Fuad und Ibrahim. Sie sind nüchterne Männer, die keinen Grund haben, die Unwahrheit zu sagen — wenigstens nicht in diesem Zusammenhang. Allerdings haben sie in Nahr al Bared über ihre eigene Rolle bei dem Unternehmen eine für sie günstige Version verbreitet.

Ich hatte gehofft, ihre Aussagen in einem Gespräch mit Walid nachprüfen zu können, aber er weigerte sich, die meisten meiner Fragen zu beantworten. In Beirut sagte man mir, er habe sich dem »Schwarzen September« angeschlossen.

Der Zigeuner, den ich als Fremdenführer im Kloster wiedergefunden habe, konnte nichts Wesentliches berichten. Als Mukhtar erstochen wurde, war er geflohen. Zwei Wochen später tauchte er im Libanon auf, und außer ihm kennt niemand seinen Fluchtweg.

Das sind alle Argumente, die man zu Zeitis Gunsten vorbringen kann. Wenn er aber nicht der Mörder war — wer war es dann?

Roscoe meint, es seien die Israelis gewesen, denn ihnen habe am Tode Saladins ebensoviel gelegen wie dem »Schwarzen September«. Die Festnahme Saladins hätte ihn zum Helden gemacht, während der tote Saladin ebenso wie sein Plan der Gründung eines Palästinenserstaates, den die Israelis so sehr fürchteten, bald in Vergessenheit geraten mußte.

Ich schließe mich dieser Beurteilung an, kann aber nicht glauben, daß der Mord von höherer Stelle sanktioniert worden ist. Auch der Tod Saladins hätte ihn leicht zum Helden machen können, und es gibt manche Hinweise darauf — wie etwa das rote Telefon —, daß man höheren Orts unter Umständen bereit war, Milde walten zu lassen. Ich glaube, es ist in der Erregung des Augenblicks zu dieser Tat gekommen — wodurch die beiden Hauptverdächtigen folglich Yaacov und Ariel wären. Wenn das so ist, dann gibt es nur eine Möglichkeit. Yaacov wurde zwar am Tatort angetroffen, kann aber aus einem ganz einfachen Grund nicht der Mörder sein. Nach der offiziellen Autopsie war Saladin um 19.00 Uhr gestorben, und zu dieser Zeit war Yaacov — auch nach den Aussagen Walids — im »Alcatraz«. Er hat das Gebäude erst um 19.20 Uhr verlassen. Ariel andererseits kam erst kurz nach dem Mord dorthin, und bis nicht das Gegenteil bewiesen ist, muß man ihn als den Hauptverdächtigen ansehen.

In gewissem Sinne ist es gleichgültig, wer Saladin erschossen hat, ob ein Araber oder ein Jude. Die kompromißbereiten Kräfte haben dadurch gegenüber den Extremisten eine weitere Niederlage erlitten. Nimmt man jedoch an, daß es die Israelis gewesen sind, muß man sich fragen, wie sie erfahren haben, daß Saladin sich dort versteckt hielt.

Vielleicht liegt die Antwort bei Dominic Morley. Er könnte letztlich die Schuld am Tod Saladins tragen. Jedesmal, wenn ich dieses korrupte Gesicht auf dem Fernsehschirm sehe, denke ich so, auch wenn ich zugebe, daß es unfair ist. Wenn Morley das gesuchte Glied in der Kette ist, dann muß man sagen, daß der Fehler bei Roscoe liegt, der bei seinem Gespräch mit dem Journalisten in der amerikanischen Kolonie zumindest sehr unvorsichtig war. Das liegt daran, daß Roscoe die Bedeutung des Fernsehens überschätzt hat. Dieses Gespräch ist mit Sicherheit von Nick Cassavetes beobachtet worden, denn anschließend hat er sich wie ein Blutegel an Morley gehängt. Morley seinerseits hatte keine Veranlassung, dem freundlichen, in Griechenland geborenen Amerikaner aus Beirut aus dem Weg zu gehen. Ihm war dieser Mann sympathisch. Cassavetes und Morley gingen an die Bar, und Morley sprach natürlich über die bevorstehende Pressekonferenz der britischen Parlamentarier. Dabei haben sie wahrscheinlich verabredet, gemeinsam hinzugehen. Diese Verabredung wurde am Mordtag nach dem Mittagessen getroffen. Wenn wir annehmen, daß Cassavetes für den Mossad arbeitete, dann genügte das, die Israelis zu einer Durchsuchung des Hotels Park International zu veranlassen.

Es gibt natürlich noch eine Möglichkeit, und zwar daß Bassam durch Folterungen gezwungen worden war, das Versteck Saladins preiszugeben. Diese Frage interessierte mich am meisten, und deshalb reiste ich zu weiteren Nachforschungen nach Israel.

II.

Im Dezember 1973 kam ich nach Israel. Die Stimmung, die jetzt dort herrschte, war ganz anders als die, mit der es Saladin zu tun gehabt hatte. Die Israelis zerfleischten sich in Selbstkritik. Die Fehlschläge, die sie während des Yom-Kippur-Krieges im vergangenen Oktober erlebt hatten, schockierten sie. Zum Teil redeten sie in der Sprache der Bibel und taten, als seien sie für ihre Sünden bestraft worden. Aber für Aya Sharon, die ich in Tel Aviv kennenlernte, war die Sünde der Regierung Golda Meir nicht ihre Arroganz, sondern ihre Nachlässigkeit. Die einzige Lektion, die Israel aus dem letzten Krieg hätte lernen sollen, bestand ihrer Meinung nach darin, daß die Israelis allein weiterkämpfen müßten. Ich werde nie den Gesichtsausdruck vergessen, mit dem sie das sagte — eine Mischung aus Angst und frommer Überzeugung, aus Lebenswillen und Todesbereitschaft.

Als ich Yaacov erwähnte, füllten sich ihre Augen mit Tränen. »Wir waren Freunde«, sagte sie, »und er wird mich nie mehr sehen.«

Ich fragte sie nach dem Grund, und sie erzählte mir, Yaacov sei schon in den ersten Stunden nach Kriegsausbruch verwundet worden, als sein Panzer von einer ägyptischen Rakete getroffen wurde.

Ich habe ihn in der Wohnung seiner Tante besucht, nicht weit vom Krankenhaus in Herzliya, wo er noch behandelt wird. Er ist jetzt blind, und das Haar ist ihm bis auf ein paar Strähnen ausgefallen. Im Gesicht hat er so schwere Verbrennungen erlitten, daß es aussieht, als sei es in der Hitze zusammengeschmolzen. Er saß im Dunkeln und beantwortete meine Fragen mit leiser, undeutlicher Stimme, während sich die Tante die ganze Zeit um ihn zu schaffen machte.

Die alte Frau war Yaacovs einzige überlebende Verwandte. Sie trug die Narben eines früheren Krieges. Die auf ihrem Arm eintätowierte Nummer zeigte, daß sie in einem deutschen Konzentrationslager gewesen war. Ich beobachtete sie, um festzustellen, ob an ihr noch etwas von den Schrecken zu erkennen war, die meine Generation nur aus Büchern und ein paar zerkratzten Dokumentarfilmen kennt. Aber die schockierende Wirklichkeit dieser Vergangenheit war nirgends zu entdecken. In ihrem Gesicht sah ich nur den absoluten Mangel an Vertrauen. Sie hatte überlebt und erwartete nichts mehr vom Leben.

Mein Besuch paßte ihr nicht, aber Yaacov bestand darauf, mir seine Version von der Geschichte zu erzählen, und ich hatte den Eindruck, er habe den Auftrag, es zu tun. Als er von den politischen Zielen Saladins sprach, wiederholte er die Auffassungen seiner Regierung und sagte, ein Palästinenserstaat würde den Arabern nur als Sprungbrett dienen, deren einziges Ziel es sei, Israel zu vernichten. Der Westen ließe sich leicht täuschen, aber Israelis und Araber kannten einander allzu gut. Die Juden könnten ohne einen Staat nicht überleben. Die Araber seien entschlossen, diesen Staat zu vernichten, und es sei vergeblich, nach einer gerechten Lösung zu suchen, denn mit Gerechtigkeit habe die Sache nichts zu tun. In einem Krieg um das Überleben zählten nur die Machtverhältnisse. Ein Friede könne nie von Dauer sein, sagte er, weil andere an die Stelle der kompromißbereiten Persönlichkeiten wie Saladin und Hussein treten würden. Die wahren Führer der Araber seien Männer wie Gaddafi und Arafat . . .

Yaacovs Tante stimmte ihm leise zu. Sie ging im Zimmer hin und her und sagte: »Sie morden unsere Kinder.«

»Saladin war kein Mörder«, protestierte ich. »Er hat das Gegenteil befohlen.«

Yaacov schwieg einen Augenblick. Dann senkte er den verunstalteten Kopf. »Er hätte das deutlicher sagen sollen.«

Es hörte sich an, als habe er Schaum vor dem Mund und als liefe ihm der Speichel über die Lippen. Aber er beantwortete alle Fragen, darunter auch die, an deren Beantwortung mir am meisten gelegen war.

»Nein«, sagte er, »Bassam hat uns nichts gesagt. Er war sehr tapfer.«

»Was haben Sie ihm angetan?«

»Ich selbst habe ihm nichts getan.« Yaacov wandte mir seine leeren Augen zu. »Wie geht es Bassam?«

Als ich es ihm sagte, meinte er, Bassam sei ein Katatoniker. Ich stimmte zu, erzählte aber auch, daß die Ärzte in Beirut meinten, sein Zustand sei durch Elektroschocks verursacht worden. Yaacov widersprach und fragte, ob man irgendwo an seinem Körper Verbrennungen festgestellt habe. Ich mußte zugeben, daß dies nicht der Fall sei. Yaacov nickte erleichtert und lehnte sich im Rollstuhl zurück. »Das kann man nämlich sehen.«

»Und Drogen?«

Yaacov antwortete nicht, wandte aber das Gesicht dem Fenster zu. »Bassam kann nicht sprechen, und ich kann nicht sehen«, sagte er. »Jeder zahlt seinen Preis.«

Das war das Ende unseres Gesprächs. Die Tante begleitete mich hinaus, und als ich fortging, hatte ich das Empfinden, in den beiden Generationen, die dieses Haus bewohnten, habe sich mir das Wesen Israels offenbart — der bedingungslose Glaube an die Macht der Gewalt und das tiefe psychische Trauma, das ihn verursacht hat.

III.

Das Gespräch mit Yaacov beendete meine Nachforschungen im Nahen Osten. Am nächsten Tag flog ich nach Tanger, um Giscard aufzusuchen, der als letzter auf meiner Liste stand. Mit allen anderen hatte ich gesprochen, soweit sie zu einem Gespräch bereit gewesen waren. Heute leben sie unter den folgenden Umständen:

Bassam wird in einer libanesischen Klinik behandelt. Dort wird er gut versorgt. Ich bin mit ihm im Palmengarten des Krankenhauses spazierengegangen. Er kann jetzt schon ein wenig sprechen, aber nur unter allergrößter Willensanstrengung wie jemand, der sehr stark stottert. Wenn er etwas sagen will, schließt er die Augen, und der Schweiß tritt ihm auf die Stirn. Er atmet tief und öffnet den Mund. Nichts kommt heraus. Er versucht es zum zweitenmal, vielleicht auch zum drittenmal, bis die Worte in einem Schwall herausstürzen, aber so undeutlich und in einem solchen Durcheinander, daß er selbst Angst zu bekommen scheint, den Satz nicht beendet und den Mund fest verschließt. Man hatte mir streng verboten, mit ihm über die Ereignisse in Israel zu sprechen.

Horowitz verbüßt eine Gefängnisstrafe von sieben Jahren im politischen Gefängnis von Ramleh bei Tel Aviv. Die Verhandlung gegen ihn wurde im Dezember 1972 hinter verschlossenen Türen geführt. Horowitz folgte Yaacovs Rat und verteidigte sich selbst. Auch Zeugen wurden nicht zugelassen. Er lebt jetzt den Umständen entsprechend recht bequem. Ich durfte ihn nicht besuchen, er hat sich aber in einer schriftlichen Erklärung mit der Veröffentlichung der Geschichte Saladins einverstanden erklärt. Das war eine Formalität, auf die Roscoe bestand.

David Heinz dient in der israelischen Armee. Er hat sich entschlossen, im Kibbuz Kfar Allon zu bleiben. Ich habe ihn und seine Braut während seines Urlaubs kennengelernt. Die beiden jungen Leute sind die denkbar besten Vertreter des Zionismus. Sie sind braun gebrannt und in guter körperlicher Verfassung, und sie haben den etwas reservierten Blick, der so charakteristisch für die wahren Gläubigen ist. Die Idee vom jüdischen Staat lebt weiter. Der junge Bibliothekar aus Hampstead hat das Schwert aufgehoben, das Yaacov fallen lassen mußte.

Der geheimnisvolle Amerikaner Bernard Refo ist Professor am Massachusetts Institute of Technology und bewegt sich in der undurchsichtigen Sphäre zwischen Regierung und Geschäftswelt. Er hat meine Fragen brieflich beantwortet, aber seine Antworten sagen, wenn man sie näher betrachtet, überhaupt nichts aus. Ich weiß nicht, ob er für eine Ölgesellschaft oder für den amerikanischen Geheimdienst gearbeitet hat; vielleicht für beide. Ich halte es jedoch für wahrscheinlich, daß Saladins Pläne im geheimen von Washington unterstützt worden sind.

Heute bemüht man sich in der Hauptstadt der Vereinigten Staaten darum, die Landkarte im Nahen Osten so umzugestalten, wie Saladin es im Sinn hatte. Aber ohne ihn ist das eine schwierige Aufgabe. Nirgends zeigt sich ein gemäßigter politischer Führer der Palästinenser. Arafat wird immer mächtiger, Hussein verliert an Einfluß. Die Israelis verhandeln hart, und die Araber haben das Öl. Die Kriegsgerüchte verstummen nicht, und es läßt sich kaum voraussehen, wie alles enden wird.

Die Zwischenfälle an der libanesischen Grenze hören nicht auf. Palästinensische Selbstmordkommandos haben zwei israelische Siedlungen in der Nähe des Kibbuz Kfar Allon überfallen, und die Israelis haben die üblichen Vergeltungsangriffe mit Bombenflugzeugen unternommen. Das AAI in London hat weitere verzweifelte Erklärungen abgegeben.

Der Sekretär dieser Institution ist nicht mehr Marsden. Er mußte seinen Posten abgeben, weil er sich mit Saladin eingelassen hatte. Heute lehrt er an der Universität von Sussex Arabisch und bewohnt in Brighton ein kleines Appartement, das vollgestopft ist mit Erinnerungsstücken aus dem Nahen Osten. Ich habe ihn gefragt, wo Saladins Vermögen geblieben sei, denn Roscoe hat nur 3.000 Pfund bekommen. Marsden sagte, er wisse nur über Saladins Konto in London Bescheid. Das Guthaben sei einem palästinensischen Waisenhaus zur Verfügung gestellt worden. Er machte einen deprimierten und nicht ganz gesunden Eindruck und erzählte mir sehr ausführlich, weshalb er seine Studenten nicht leiden kann.

Giscard geht es ausgezeichnet. Er lebt in einem Dorf bei Tanger und hat seine Frau gegen eine dunkelhäutige Schönheit aus Senegal eingetauscht. Er scheint wie Gauguin sein ganzes Leben auf diesen Bruch mit den Konventionen gewartet zu haben. Ich habe mit ihm einen langen Abend im Kaftan auf einem Kissen gesessen, geplaudert und die Wasserpfeife geraucht.

Von Tanger bin ich nach London zurückgeflogen und nach Granby gefahren, um einen Bericht über meine Reise abzuliefern; das war im Dezember 1973. Stephen und Claudia Roscoe hatten im Juni geheiratet. Nun war Claudia schwanger. Seit ihrer Rückkehr aus dem Nahen Osten ist sie auf eine Krücke angewiesen und wird wahrscheinlich nie mehr richtig gehen können. Roscoes Verwundungen sind weniger deutlich sichtbar. Vielleicht haben sie ihm sogar genützt. Er scheint ruhiger geworden zu sein. Aus dem kühnen Kreuzfahrer ist ein Ehemann und Landwirt geworden, und beide Berufe nimmt er gleich ernst. Seine Frau trägt er auf Händen, ja er ist fast etwas zu sehr um sie besorgt. Jedenfalls läßt sich ohne Übertreibung von einer guten Ehe sprechen. Als ich die beiden jüngst wiedersah, erinnerte ich mich an den Heiligen Abend 1972, an dem es in Granby um einiges turbulenter zuging. Das war der Tag, mit dem ich diesen Bericht begonnen habe und an dem ich zum erstenmal von Saladin hörte. Roscoe war erst vor ein paar Wochen von seiner abenteuerlichen Reise zurückgekehrt, und Claudia war eben aus dem Krankenhaus in Israel entlassen worden. Sie hinkte noch stark und litt unter erheblichen Schmerzen. Roscoe war ihr gegenüber reserviert und wollte unter allen Umständen die Schuld für alles auf sich nehmen, was geschehen war. Die Dinge komplizierten sich dadurch, daß erstens Brown aus Withernsea nach Granby zurückgekommen war und zweitens der »Schwarze September« uns mit einem Weihnachtspäckchen beehrt hatte.

Es war ein kleines, flaches, an Roscoe adressiertes Paket. Es hätte ihm auffallen müssen, weil das »e« am Schluß seines Namens fehlte und »Stephen« mit »v« geschrieben war. Das Päckchen war am 12. Dezember in Paris aufgegeben worden. In dem lila Einwickelpapier sah es so weihnachtlich aus, daß es unter dem Christbaum landete.

Absender hätten die »Söhne von Zion« sein können. Diesen Leuten ist es durchaus zuzutrauen, daß sie Paketbomben verschicken. Ich glaube allerdings eher, es war der »Schwarze September«, der ebenfalls ein Motiv hatte, zumal wenn Walid Iskandar seinen Leuten etwas vom Verrat Roscoes erzählt haben sollte. Bestärkt wurde ich in diesem Verdacht durch Zeitungsmeldungen, denen zufolge die britische Polizei in den vorangegangenen Tagen mehrere Paketbomben entschärft hatte, die alle in Belgien oder Frankreich aufgegeben und an prominente Juden adressiert worden waren. Sie waren samt und sonders in farbiges Papier verpackt worden.

Ich erwähnte beiläufig diese Meldungen, als Roscoe von dem Anschlag auf Marsden berichtete. Roscoe stand unvermittelt auf, ging in die Halle und brachte Georgie zu Mrs. Parson. Dann kam er zurück und musterte sorgfältig alle unter dem Baum liegenden Pakete. Vorsichtig zog er das violette Päckchen aus dem Haufen und ging damit in den Garten. Ich beobachtete ihn aus etwa zwanzig Schritt Entfernung. In dem Licht, das aus den Fenstern fiel, sah ich, wie er sich flach auf den Bauch legte und das Paket von allen Seiten vorsichtig befühlte. Dann holte er einen Plastik-eimer aus der Garage und zog einen Wasserschlauch hinter sich her. Er legte das Päckchen in den Eimer, hängte das Ende des Schlauchs hinein und ging in die Garage zurück. Er winkte mich zu sich und drehte den Hahn auf. Zwei Minuten später detonierte das Päckchen, und kleine gelbe Plastikstücke regneten auf den Rasen herab.

Roscoe grinste mich an, aber dann wurde er nachdenklich und sagte:»Das kann natürlich immer wieder passieren.«

Es blieb bei diesem einen Mal. Die Geschichte Saladins endete mit der Sprengung eines Plastikeimers. Daß dabei niemand zu Schaden kam, betrachte ich als gutes Omen.

Später stiegen wir zusammen mit den anderen Dorfbewohnern in einen Bus, um zum Weihnachtsgottesdienst nach Lincoln zu fah-ren. Schon von weitem sahen wir die Kathedrale, die von Schein-werfern angestrahlt war.

Wir betraten das Kirchenschiff durch das Westportal. Die Ker-zen flackerten, Orgelmusik brauste durch den Raum, und die Geistlichen in ihren goldbestickten bodenlangen Gewändern schrit-ten gemessen auf den Altar zu. Es sah aus, als ob sie langsam auf Rädern dahinglitten. Ganz oben auf der Empore sang ein Chor-knabe. Claudias Augen wurden feucht. Monatelang hatte sie nur den Ruf des Muezzins gehört — diese Musik aber, die Stimme eines Knaben in einer gotischen Kathedrale, war ihrem Herzen näher. Sie war froh, wieder zu Hause zu sein.

Georgie ließ der kirchliche Pomp kalt. Er beobachtete ein kleines Mädchen, das zwei Bankreihen vor ihm ein paar Münzen vom Boden sammelte, die ihm aus dem Muff gefallen waren. Wäh-rend wir in den Gesang einstimmten, ließ er nur einen einzigen langen Ton aus der Kehle. Brown drückte ihn liebevoll und er-leichtert an sich.

Anschließend versammelten wir uns mit der Gemeinde vor der Kathedrale. Wir stapften in der Kälte umher und warteten darauf, daß der Bischof seinen Segen sprach. Schließlich hörten wir seine Stimme von hoch oben aus den Lautsprechern, und die Tauben flatterten aus dem Turm in das Scheinwerferlicht hinaus. *»Gehet hin in Frieden.«* Wir konnten über den Köpfen der Menge nur die Mitra sehen. *»Seid guten Mutes.«* Es war die ruhige, volltönende Stimme, wie sie ein Bischof haben muß. *»Vergeltet nicht Böses mit Bösem.«* Nach jedem Satz machte der Bischof eine Pause, bis das Echo der Lautsprecher verhallt war. *»Gib Kraft denen, die schwachen Herzens sind.«* Es waren Gebote, die keiner von uns mit Ausnahme Claudias sehr ernst nahm, die aber doch das Leben eines jeden von uns irgendwie bestimmt hatten. *»Helfet den Schwachen.«* Das war es, was ein junger palästinensischer Jude vor zweitausend Jahren in der Wüste geträumt hatte. *»Nehmt auf die Verfolgten.«* Ein Nachruf auf Saladin konnte das nicht gerade sein, aber doch drückte es all das aus, was er in seinem abenteuerlichen Leben hatte verwirklichen wollen. *»Ehret alle Menschen.«*

»Liebet den Herrn und dienet Ihm.« Der Bischof erhob die Stimme zum Schlußsegen, machte mit der Hand das Zeichen des Kreuzes, ein Murmeln ging durch die Menge und endete in einem etwas schüchternen Amen.

Ich sah mich nach Roscoe um. Seine Lippen bewegten sich nicht. Er stand neben mir und hatte Georgie auf den Schultern. Claudia und Brown standen vor ihm. Die Kirchenglocken läuteten und schreckten noch einmal die Tauben auf, die in das Scheinwerferlicht und dann hinaus ins Dunkle flatterten.

Roscoe setzte Georgie auf den Boden. »Jetzt sollten wir einen trinken«, sagte er.

Inhalt